교과서

너♥
잘할거야

수학 II

구성과 특징

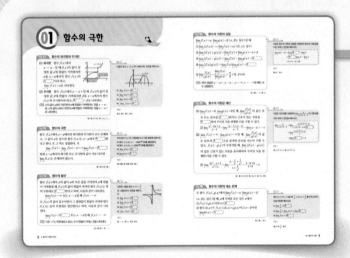

개념 정리

- 단원별로 꼭 알아야 할 개념을 정리하였습니다.
- 빈칸 채우기 등을 통해 스스로 개념을 완성하면서 숙지하도록 하였습니다.

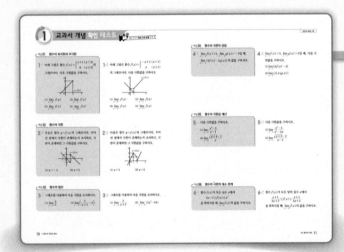

교과서 개념 확인 테스트

- 9종 교과서 예제, 유제, 공통 문제를 수록하였습니다.
- 쌍둥이 구성으로 반복연습이 가능하도록 하였습니다.

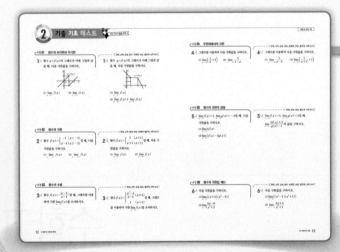

기출 기초 테스트

- 9종 교과서 중요 문제를 수록하고, 반복연습이 가능하도록 하였습니다.

STRUCTURE

" 〈다:품〉은 이렇게 구성되어 있습니다. "

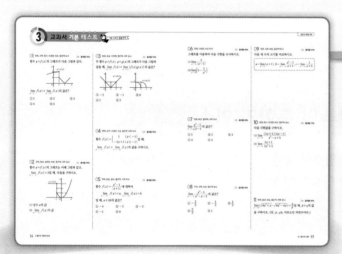

교과서 기본 테스트

- 9종 교과서 종합 문제를 수록하여, 시험 준비와 내신 대비를 할 수 있도록 하였습니다.
- 서술형 문제를 통해 내신 대비를 보다 효과적으로 할 수 있도록 하였습니다.

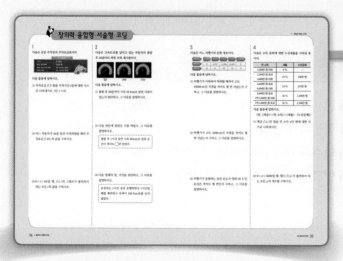

창의력·융합형·서술형·코딩

- 실생활 문제를 통해 수학과 친숙할 수 있도록 하였습니다.

이 책의 차례

CONTENTS

III 적분

가장 커다란 선물

The greatest gift you can give another
is the purity of your attention.
‒ Richard Moss

당신이 다른 사람에게 줄 수 있는
가장 커다란 선물은 순수하게
그 사람에게 주의를 집중하는 것이다.
‒ 리차드 모스

I

함수의
극한과 연속

함수의 극한

개념 01 함수의 좌극한과 우극한

(1) 좌극한 함수 $f(x)$에서 $x \to a-$일 때 $f(x)$의 값이 일정한 값 α에 한없이 가까워지면 α를 $x=a$에서의 함수 $f(x)$의 ❶ [   ]이라 하고, $\displaystyle\lim_{x \to a-} f(x) = \alpha$로 나타낸다.

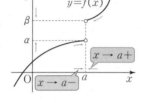

(2) 우극한 함수 $f(x)$에서 $x \to a+$일 때 $f(x)$의 값이 일정한 값 β에 한없이 가까워지면 β를 $x=a$에서의 함수 $f(x)$의 우극한이라 하고, ❷ [   ] $=\beta$로 나타낸다.

참고 x의 값이 a보다 작으면서 a에 한없이 가까워지는 것을 $x \to a-$로, x의 값이 a보다 크면서 a에 한없이 가까워지는 것을 $x \to a+$로 나타낸다.

답 | ❶ 좌극한 ❷ $\displaystyle\lim_{x \to a+} f(x)$

QUIZ

다음은 함수 $y=f(x)$의 그래프이다. 빈칸을 채우시오.

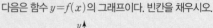

(1) $\displaystyle\lim_{x \to 0-} f(x) = $ ❶ [   ]
(2) $\displaystyle\lim_{x \to 0+} f(x) = $ ❷ [   ]
(3) $\displaystyle\lim_{x \to 2-} f(x) = $ ❸ [   ]
(4) $\displaystyle\lim_{x \to -1+} f(x) = $ ❹ [   ]

정답 |

❶ 2 ❷ 1 ❸ 1 ❹ 0

개념 02 함수의 극한

함수 $f(x)$에서 $x=a$에서의 좌극한과 우극한이 모두 존재하고, 그 값이 α로 같으면 함수 $f(x)$는 $x=a$에서 ❶ [   ]한다고 한다. 또 그 역도 성립한다. 즉
$$\lim_{x \to a-} f(x) = \lim_{x \to a+} f(x) = \alpha \iff \lim_{x \to a} f(x) = \boxed{❷}$$
한편 $x=a$에서의 좌극한 또는 우극한의 값이 서로 다르면 $\displaystyle\lim_{x \to a} f(x)$는 존재하지 않는다.

답 | ❶ 수렴 ❷ α

QUIZ

위의 함수 $f(x)$의 그래프를 보고 다음 물음에 답하시오.
(1) 함수 $f(x)$는 $x=-1$에서 ❶ (수렴, 발산)한다.
(2) 함수 $f(x)$는 $x=2$에서 ❷ (수렴, 발산)한다.
(3) $\displaystyle\lim_{x \to -1} f(x) = $ ❸ [   ]
(4) $\displaystyle\lim_{x \to 2} f(x) = $ ❹ [   ]

정답 |

❶ 수렴 ❷ 수렴 ❸ 0 ❹ 1

개념 03 함수의 발산

함수 $f(x)$에서 x의 값이 a와 다른 값을 가지면서 a에 한없이 가까워질 때 $f(x)$의 값이 한없이 커지면 함수 $f(x)$는 양의 무한대로 ❶ [   ]한다고 하며, 다음과 같이 나타낸다.
$$\lim_{x \to a} f(x) = \infty \text{ 또는 } x \to a \text{일 때 } f(x) \to \infty$$
또 $f(x)$의 값이 음수이면서 그 절댓값이 한없이 커지면 함수 $f(x)$는 음의 무한대로 발산한다고 하며, 다음과 같이 나타낸다.
$$\lim_{x \to a} f(x) = \boxed{❷} \text{ 또는 } x \to a \text{일 때 } f(x) \to -\infty$$

참고 기호 '∞'는 무한대라고 읽고, 수가 한없이 커지는 것을 나타낸다.

답 | ❶ 발산 ❷ $-\infty$

QUIZ

오른쪽 그림은 함수 $f(x) = \dfrac{1}{x}$의 그래프이다. 빈칸을 채우시오.

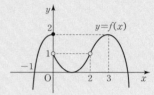

(1) $\displaystyle\lim_{x \to 0-} f(x) = $ ❶ [   ]
(2) $\displaystyle\lim_{x \to 0+} f(x) = $ ❷ [   ]
(3) $\displaystyle\lim_{x \to \infty} f(x) = $ ❸ [   ]
(4) $\displaystyle\lim_{x \to -\infty} f(x) = $ ❹ [   ]

정답 |

❶ $-\infty$ ❷ ∞ ❸ 0 ❹ 0

함수의 극한의 성질

$\displaystyle\lim_{x \to a}f(x)=\alpha,\ \lim_{x \to a}g(x)=\beta$ ($\alpha,\ \beta$는 실수)일 때

① $\displaystyle\lim_{x \to a}\{cf(x)\}=c\lim_{x \to a}f(x)=c\alpha$ (단, c는 상수)

② $\displaystyle\lim_{x \to a}\{f(x)+g(x)\}=\lim_{x \to a}f(x)+\lim_{x \to a}g(x)=\alpha+\beta$

③ $\displaystyle\lim_{x \to a}\{f(x)-g(x)\}=\lim_{x \to a}f(x)-\lim_{x \to a}g(x)=$ ⬜❶

④ $\displaystyle\lim_{x \to a}\{f(x)g(x)\}=\lim_{x \to a}f(x)\lim_{x \to a}g(x)=$ ⬜❷

⑤ $\displaystyle\lim_{x \to a}\frac{f(x)}{g(x)}=\frac{\displaystyle\lim_{x \to a}f(x)}{\displaystyle\lim_{x \to a}g(x)}=\frac{\alpha}{\beta}$ (단, $\beta\neq0$)

참고 위의 성질은 $x \to a+,\ x \to a-,\ x \to \infty,\ x \to -\infty$일 때도 모두 성립한다.

답 | ❶ $\alpha-\beta$ ❷ $\alpha\beta$

QUIZ

다음은 함수의 극한의 성질을 이용하여 함수의 극한값을 구한 것이다. 빈칸을 채우시오.

$$\begin{aligned}\lim_{x \to 2}(3x^2-2)&=\lim_{x \to 2}\boxed{❶}-\lim_{x \to 2}2\\&=\boxed{❷}\lim_{x \to 2}x^2-\lim_{x \to 2}2\\&=3\times4-2=10\end{aligned}$$

정답 |

❶ $3x^2$ ❷ 3

개념 05 **함수의 극한값 계산**

(1) $\displaystyle\lim_{x \to a}f(x)=0,\ \lim_{x \to a}g(x)=0$일 때, $\displaystyle\lim_{x \to a}\frac{f(x)}{g(x)}$의 값은 분자 또는 분모를 ⬜❶ 하거나 근호가 있는 부분을 ⬜❷ 하여 주어진 식을 변형한 다음 구할 수 있다.

예 $\displaystyle\lim_{x \to 1}\frac{x^2-6x+5}{x-1}=\lim_{x \to 1}\frac{(x-1)(x-5)}{x-1}=\lim_{x \to 1}(x-5)=-4$

(2) $\displaystyle\lim_{x \to \infty}f(x)=\infty,\ \lim_{x \to \infty}g(x)=\infty$일 때, $\displaystyle\lim_{x \to \infty}\frac{f(x)}{g(x)}$의 값은 분모의 ⬜❸ 으로 분자와 분모를 나누어 구할 수 있고, $f(x)-g(x)$가 무리식일 때, $\displaystyle\lim_{x \to \infty}\{f(x)-g(x)\}$의 값은 근호가 있는 부분을 유리화하여 주어진 식을 변형한 다음 구할 수 있다.

예 $\displaystyle\lim_{x \to \infty}\frac{3x^2-x+1}{x^2+5}=\lim_{x \to \infty}\frac{3-\dfrac{1}{x}+\dfrac{1}{x^2}}{1+\dfrac{5}{x^2}}=\frac{3-0+0}{1+0}=3$

답 | ❶ 인수분해 ❷ 유리화 ❸ 최고차항

QUIZ

다음은 유리화를 이용하여 $\displaystyle\lim_{x \to 0}\frac{x}{\sqrt{x+1}-1}$의 극한값을 구한 것이다. 빈칸을 채우시오.

$$\begin{aligned}\lim_{x \to 0}\frac{x}{\sqrt{x+1}-1}&=\lim_{x \to 0}\frac{x(\sqrt{x+1}+1)}{(\sqrt{x+1}-1)(\boxed{❶})}\\&=\lim_{x \to 0}\frac{x(\sqrt{x+1}+1)}{x}\\&=\lim_{x \to 0}(\boxed{❷})=2\end{aligned}$$

정답 |

❶ $\sqrt{x+1}+1$ ❷ $\sqrt{x+1}+1$

개념 06 **함수의 극한의 대소 관계**

두 함수 $f(x),\ g(x)$에서 $\displaystyle\lim_{x \to a}f(x)=\alpha,\ \lim_{x \to a}g(x)=\beta$ ($\alpha,\ \beta$는 실수)일 때, a에 가까운 모든 실수 x에서

① $f(x)\leq g(x)$이면 $\alpha\leq$ ⬜❶

② 함수 $h(x)$가 $f(x)\leq h(x)\leq g(x)$이고 $\alpha=\beta$이면 $\displaystyle\lim_{x \to a}h(x)=$ ⬜❷

답 | ❶ β ❷ α

QUIZ

함수 $f(x)$가 $x>0$일 때 $\dfrac{1}{x}\leq f(x)\leq\dfrac{2}{x}$를 만족시킨다. 다음 빈칸을 채우시오.

(1) $\displaystyle\lim_{x \to \infty}\frac{1}{x}=$ ⬜❶

(2) $\displaystyle\lim_{x \to \infty}\frac{1}{x}\leq\lim_{x \to \infty}f(x)\leq\lim_{x \to \infty}$ ⬜❷

(3) $\displaystyle\lim_{x \to \infty}f(x)=$ ⬜❸

정답 |

❶ 0 ❷ $\dfrac{2}{x}$ ❸ 0

STEP 1 교과서 개념 확인 테스트

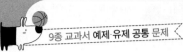

개념 **01** 함수의 좌극한과 우극한

1-1 아래 그림은 함수 $f(x)=\begin{cases} x+1 \ (x<2) \\ 0 \quad (x\geq2) \end{cases}$ 의
그래프이다. 다음 극한값을 구하시오.

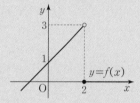

(1) $\lim\limits_{x\to 0-} f(x)$ (2) $\lim\limits_{x\to 2-} f(x)$

(3) $\lim\limits_{x\to 2+} f(x)$ (4) $\lim\limits_{x\to 10+} f(x)$

1-2 아래 그림은 함수 $f(x)=\begin{cases} -x+1 \ (x<1) \\ x \quad (x\geq1) \end{cases}$
의 그래프이다. 다음 극한값을 구하시오.

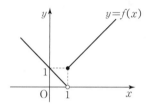

(1) $\lim\limits_{x\to 0-} f(x)$ (2) $\lim\limits_{x\to 1-} f(x)$

(3) $\lim\limits_{x\to 1+} f(x)$ (4) $\lim\limits_{x\to 3+} f(x)$

개념 **02** 함수의 극한

2-1 다음은 함수 $y=f(x)$의 그래프이다. 주어진 점에서 극한이 존재하는지 조사하고, 극한이 존재하면 그 극한값을 구하시오.

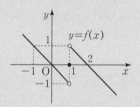

(1) $x=-1$ (2) $x=1$

2-2 다음은 함수 $y=f(x)$의 그래프이다. 주어진 점에서 극한이 존재하는지 조사하고, 극한이 존재하면 그 극한값을 구하시오.

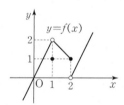

(1) $x=1$ (2) $x=2$

개념 **03** 함수의 발산

3-1 그래프를 이용하여 다음 극한을 조사하시오.

(1) $\lim\limits_{x\to\infty}\dfrac{5}{x}$ (2) $\lim\limits_{x\to\infty}\left(\dfrac{2}{x+1}-x\right)$

3-2 그래프를 이용하여 다음 극한을 조사하시오.

(1) $\lim\limits_{x\to\infty}\dfrac{3}{x+2}$ (2) $\lim\limits_{x\to -\infty}(2x^2-10)$

개념 **04**　함수의 극한의 성질

4-1　$\lim\limits_{x \to -2} f(x) = 2$, $\lim\limits_{x \to -2} g(x) = -3$일 때,

$\lim\limits_{x \to -2} \{3f(x) - 2g(x)\}$의 값을 구하시오.

4-2　$\lim\limits_{x \to 1} f(x) = 5$, $\lim\limits_{x \to 1} g(x) = 2$일 때, 다음 극한값을 구하시오.

(1) $\lim\limits_{x \to 1} \{5f(x) - 4\}$

(2) $\lim\limits_{x \to 1} \{f(x)g(x)\}$

개념 **05**　함수의 극한값 계산

5-1　다음 극한값을 구하시오.

(1) $\lim\limits_{x \to 1} \dfrac{x^2 - 1}{x - 1}$

(2) $\lim\limits_{x \to 0} \dfrac{\sqrt{x+4} - 2}{x}$

5-2　다음 극한값을 구하시오.

(1) $\lim\limits_{x \to 2} \dfrac{x^2 - 4}{x^2 - 2x}$

(2) $\lim\limits_{x \to 1} \dfrac{\sqrt{x+3} - 2}{x - 1}$

개념 **06**　함수의 극한의 대소 관계

6-1　함수 $f(x)$가 모든 실수 x에서

$$2x - 1 \le f(x) \le x^2$$

을 만족시킬 때, $\lim\limits_{x \to 1} f(x)$의 값을 구하시오.

6-2　함수 $f(x)$가 모든 양의 실수 x에서

$$\dfrac{x+1}{3x+2} \le f(x) \le \dfrac{x+1}{3x+1}$$

을 만족시킬 때, $\lim\limits_{x \to \infty} f(x)$의 값을 구하시오.

STEP 2 기출 기초 테스트

유형 01 함수의 좌극한과 우극한

천재, 교학, 금성, 동아, 미래엔, 비상, 좋은책, 지학 유사

1-1 함수 $y=f(x)$의 그래프가 아래 그림과 같을 때, 다음 극한값을 구하시오.

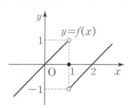

(1) $\lim_{x \to 1-} f(x)$　　　(2) $\lim_{x \to 2+} f(x)$

1-2 함수 $y=f(x)$의 그래프가 아래 그림과 같을 때, 다음 극한값을 구하시오.

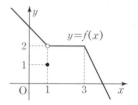

(1) $\lim_{x \to 1-} f(x)$

(2) $\lim_{x \to 2+} f(x) + \lim_{x \to 3-} f(x)$

유형 02 함수의 극한

천재, 교학, 동아, 비상, 미래엔, 좋은책, 지학 유사

2-1 함수 $f(x)=\begin{cases} -1 & (x<-2) \\ x-1 & (x \geq -2) \end{cases}$ 일 때, 다음 극한값을 구하시오.

(1) $\lim_{x \to -2-} f(x)$　　　(2) $\lim_{x \to -2+} f(x)$

2-2 함수 $f(x)=\begin{cases} 2 & (x \geq 1) \\ x+1 & (x<1) \end{cases}$ 일 때, 다음 극한값을 구하시오.

(1) $\lim_{x \to 1-} f(x)$　　　(2) $\lim_{x \to 1+} f(x)$

유형 03 함수의 수렴

천재, 교학, 금성, 동아, 좋은책, 지학 유사

3-1 함수 $f(x)=\dfrac{|x-1|}{x-1}$ 일 때, 그래프를 이용하여 극한 $\lim_{x \to 1} f(x)$를 조사하시오.

3-2 함수 $f(x)=\begin{cases} \dfrac{x^2-1}{x-1} & (x \neq 1) \\ 1 & (x=1) \end{cases}$ 일 때, 그래프를 이용하여 극한 $\lim_{x \to 1} f(x)$를 조사하시오.

유형 **04** 무한대에서의 극한

4-1 그래프를 이용하여 다음 극한값을 구하시오.

(1) $\lim\limits_{x \to \infty}\left(\dfrac{1}{x}+2\right)$ (2) $\lim\limits_{x \to -\infty}\dfrac{3}{1-x}$

천재, 교학, 금성, 동아, 미래엔, 비상, 좋은책, 지학 유사

4-2 그래프를 이용하여 다음 극한값을 구하시오.

(1) $\lim\limits_{x \to -\infty}\dfrac{5}{x-1}$ (2) $\lim\limits_{x \to \infty}\left(\dfrac{1}{x+3}+2\right)$

유형 **05** 함수의 극한의 성질

5-1 $\lim\limits_{x \to 2}f(x)=2$, $\lim\limits_{x \to 2}g(x)=-3$일 때, 다음 극한값을 구하시오.

(1) $\lim\limits_{x \to 2}5f(x)$

(2) $\lim\limits_{x \to 2}\{f(x)-2g(x)\}$

천재, 금성, 동아, 좋은책, 지학 유사

5-2 $\lim\limits_{x \to 1}f(x)=5$, $\lim\limits_{x \to 1}g(x)=2$일 때,

$\lim\limits_{x \to 1}\dfrac{2f(x)+3}{g(x)-1}$의 값을 구하시오.

유형 **06** 함수의 극한값 계산

6-1 다음 극한값을 구하시오.

(1) $\lim\limits_{x \to 1}\{(x+5)(x^2-3)\}$

(2) $\lim\limits_{x \to 0}\dfrac{5x-6}{x^2+3}$

천재, 교학, 금성, 동아, 미래엔, 비상, 좋은책, 지학 유사

6-2 다음 극한값을 구하시오.

(1) $\lim\limits_{x \to 2}\{(x^2-1)(x^2+1)\}$

(2) $\lim\limits_{x \to -1}\dfrac{2x+4}{x^2+1}$

유형 **07** 함수의 극한값 계산 $\left(\dfrac{0}{0}\ 꼴\right)$

7-1 다음 극한값을 구하시오.

(1) $\displaystyle\lim_{x \to -2} \frac{x^2-2x-8}{x+2}$

(2) $\displaystyle\lim_{x \to -1} \frac{x^2-3x-4}{x+1}$

(천재, 교학, 동아, 미래엔, 비상, 좋은책, 지학 유사)

7-2 다음 극한값을 구하시오.

(1) $\displaystyle\lim_{x \to 2} \frac{x^2-x-2}{x-2}$

(2) $\displaystyle\lim_{x \to -1} \frac{x^2-1}{x^3+1}$

유형 **08** 함수의 극한값 계산 $\left(\dfrac{0}{0}\ 꼴\right)$

8-1 다음 극한값을 구하시오.

(1) $\displaystyle\lim_{x \to 1} \frac{\sqrt{x}-1}{x-1}$

(2) $\displaystyle\lim_{x \to 2} \frac{\sqrt{x+2}-2}{x-2}$

(천재, 교학, 동아, 비상, 좋은책 유사)

8-2 다음 극한값을 구하시오.

(1) $\displaystyle\lim_{x \to 4} \frac{\sqrt{x}-2}{x-4}$

(2) $\displaystyle\lim_{x \to -1} \frac{x^2-1}{\sqrt{x+5}-2}$

유형 **09** 함수의 극한값 계산 $\left(\dfrac{\infty}{\infty}\ 또는\ \infty-\infty\ 꼴\right)$

9-1 다음 극한값을 구하시오.

(1) $\displaystyle\lim_{x \to \infty} \frac{4x^2+3x}{2x^2+3}$

(2) $\displaystyle\lim_{x \to \infty} \left(\sqrt{x^2+x}-\sqrt{x^2-x}\right)$

(천재, 교학, 금성, 동아, 미래엔, 비상, 좋은책, 지학 유사)

9-2 다음 극한값을 구하시오.

(1) $\displaystyle\lim_{x \to \infty} \frac{10x^2+3x-7}{5x^2+2}$

(2) $\displaystyle\lim_{x \to \infty} \left(\sqrt{x^2+4x}-\sqrt{x^2-2x}\right)$

유형 **10** 함수의 극한과 미정계수

(천재, 교학, 금성, 동아, 미래엔, 비상, 좋은책, 지학 유사)

10-1 다음 등식이 성립하도록 하는 상수 a, b의 값을 구하시오.

$$\lim_{x \to -1} \frac{x^2 + ax + b}{x+1} = 1$$

10-2 다음 등식이 성립하도록 하는 상수 a, b의 값을 구하시오.

(1) $\displaystyle\lim_{x \to -2} \frac{x^2 + ax + b}{x+2} = -1$

(2) $\displaystyle\lim_{x \to 2} \frac{x^2 - x + a}{x-2} = b$

유형 **11** 함수의 극한과 미정계수

(천재, 교학, 금성, 동아, 미래엔, 비상, 좋은책, 지학 유사)

11-1 다음 등식이 성립하도록 하는 상수 a, b의 값을 구하시오.

$$\lim_{x \to 2} \frac{\sqrt{x+a}-1}{x-2} = b$$

11-2 다음 등식이 성립하도록 하는 상수 a, b의 값을 구하시오. (단, $b \neq 0$)

$$\lim_{x \to 1} \frac{x-1}{\sqrt{x+a}-2} = b$$

유형 **12** 함수의 극한의 대소 관계

(천재, 교학, 금성, 동아, 미래엔, 비상, 좋은책, 지학 유사)

12-1 함수 $f(x)$가 모든 양의 실수 x에서

$$\frac{x^2 + 2x}{2x^2 + 2} \leq f(x) \leq \frac{x^2 + 4x + 1}{2x^2 + 1}$$

을 만족시킬 때, $\displaystyle\lim_{x \to \infty} f(x)$의 값을 구하시오.

12-2 함수 $f(x)$가 모든 양의 실수 x에서

$$\frac{x^2 + x}{5x^2 + 3} \leq f(x) \leq \frac{x^2 + 3x + 1}{5x^2 + 2}$$

을 만족시킬 때, $\displaystyle\lim_{x \to \infty} f(x)$의 값을 구하시오.

01 천재, 교학, 동아, 미래엔, 비상, 좋은책 유사   >>> 출제율 95%

함수 $y=f(x)$의 그래프가 다음 그림과 같다.

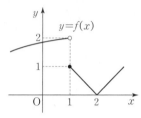

$\lim\limits_{x \to 1-} f(x) + \lim\limits_{x \to 2+} f(x)$의 값은?

① 1   ② 2   ③ 3

④ 4   ⑤ 5

02 천재, 동아, 미래엔, 비상, 좋은책, 지학 유사   >>> 출제율 95%

함수 $y=f(x)$의 그래프는 아래 그림과 같고,
$\lim\limits_{x \to -1-} f(x) = 3$일 때, 다음을 구하시오.

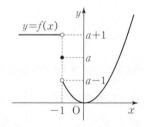

(1) 상수 a의 값

(2) $\lim\limits_{x \to -1+} f(x)$의 값

03 천재, 비상, 미래엔, 좋은책, 지학 유사   >>> 출제율 95%

두 함수 $y=f(x)$, $y=g(x)$의 그래프가 다음 그림과 같을 때, $\lim\limits_{x \to 1-} f(x) + \lim\limits_{x \to 1+} \{f(x)g(x)\}$의 값은?

① −2   ② −1   ③ 0

④ 1   ⑤ 2

04 천재, 교학, 미래엔, 비상, 좋은책, 지학 유사   >>> 출제율 95%

함수 $f(x) = \begin{cases} 1 & (x < -1) \\ -2x+1 & (x \geq -1) \end{cases}$ 일 때,

$\lim\limits_{x \to -1-} f(x) + \lim\limits_{x \to -1+} f(x)$의 값을 구하시오.

05 천재, 금성, 동아, 좋은책, 지학 유사   >>> 출제율 68%

함수 $f(x) = \dfrac{x^2-1}{|x+1|}$ 에 대하여

$\lim\limits_{x \to -1-} f(x) = a$, $\lim\limits_{x \to -1+} f(x) = b$

일 때, $a+2b$의 값은?

① −4   ② −3   ③ −2

④ −1   ⑤ 0

06 천재, 미래엔, 비상 유사 　　　　≫≫ 출제율 68%

그래프를 이용하여 다음 극한을 조사하시오.

(1) $\lim\limits_{x \to 1} \dfrac{2}{|x-1|}$

(2) $\lim\limits_{x \to 0} \left(5 - \dfrac{1}{x^2}\right)$

07 천재, 비상, 좋은책, 지학 유사 　　　　≫≫ 출제율 68%

$\lim\limits_{x \to 1} \dfrac{x^2-1}{\sqrt{x-1}}$ 의 값은?

① 1　　　　　② 2　　　　　③ 3

④ 4　　　　　⑤ 5

08 천재, 교학, 비상, 좋은책 유사 　　　　≫≫ 출제율 95%

$\lim\limits_{x \to -1} \dfrac{x^2-1}{x^2-x-2}$ 의 값은?

① $-\dfrac{2}{3}$　　　　② $-\dfrac{1}{3}$　　　　③ $\dfrac{1}{3}$

④ $\dfrac{2}{3}$　　　　⑤ 1

09 천재, 교학, 비상, 좋은책 유사 　　　　≫≫ 출제율 95%

다음 세 수의 크기를 비교하시오.

$$a = \lim_{x \to 1}(x+1),\ b = \lim_{x \to -1}\frac{x^2-1}{x+1},\ c = \lim_{x \to \infty}\frac{1}{x+3}$$

10 천재, 동아, 미래엔, 비상, 좋은책 유사 　　　　≫≫ 출제율 75%

다음 극한값을 구하시오.

(1) $\lim\limits_{x \to \infty} \dfrac{(2x+1)(4x-1)}{x^2-x+5}$

(2) $\lim\limits_{x \to \infty} \dfrac{2x+1}{3x^2+5}$

11 천재, 동아, 비상, 좋은책, 지학 유사 　　　　≫≫ 출제율 95%

$\lim\limits_{x \to \infty}(\sqrt{9x^2+x} - \sqrt{9x^2-4x}) = \dfrac{q}{p}$ 일 때, $p+q$의 값

을 구하시오. (단, p, q는 서로소인 자연수이다.)

12 천재, 비상, 좋은책, 지학 유사 ≫≫ 출제율 78%

$\lim_{x \to 0} f(x) = -2$, $\lim_{x \to 0} g(x) = 3$일 때, 다음 극한값을 구하시오.

(1) $\lim_{x \to 0} \{f(x) + 2g(x)\}$

(2) $\lim_{x \to 0} \{f(x)g(x)\}$

13 천재, 금성, 동아, 좋은책, 지학 유사 ≫≫ 출제율 80%

등식 $\lim_{x \to 1} \dfrac{x^2 + ax + b}{x - 1} = 5$가 성립하도록 하는 상수 a, b에 대하여 $a^2 + b^2$의 값은?

① 21   ② 22   ③ 23

④ 24   ⑤ 25

14 천재, 금성, 좋은책, 지학 유사 ≫≫ 출제율 80%

다음 등식이 성립하도록 하는 상수 a, b의 값을 구하시오.

$$\lim_{x \to 0} \frac{\sqrt{x+9} - a}{x} = b$$

15 천재, 교학, 금성, 비상, 동아, 좋은책 유사 ≫≫ 출제율 78%

함수 $f(x) = \begin{cases} 2x^2 + 1 & (x < 0) \\ k & (x \geq 0) \end{cases}$ 일 때, $\lim_{x \to 0} f(x)$가 존재하도록 하는 상수 k의 값을 구하시오.

16 천재, 비상, 좋은책, 지학 유사 ≫≫ 출제율 85%

함수 $f(x) = \begin{cases} x^2 - 3x + 2 & (x < 1) \\ -x + k & (x \geq 1) \end{cases}$ 일 때, $\lim_{x \to 1} f(x)$가 존재하도록 하는 상수 k의 값은?

① 1   ② 2   ③ 3

④ 4   ⑤ 5

17 천재, 금성, 비상, 좋은책, 지학 유사 ≫≫ 출제율 65%

함수 $f(x)$가 다음을 만족시킬 때, $\lim_{x \to \infty} f(x)$의 값을 구하시오. (단, $x > 0$)

$$5 - \frac{1}{x} \leq f(x) \leq 5 + \frac{1}{x}$$

18 천재, 동아, 미래엔, 비상, 좋은책, 지학 유사 　　　　　≫ 출제율 95%

함수 $f(x)$가 모든 양의 실수 x에서

$$5x+2 \leq f(x) \leq 5x+3$$

을 만족시킬 때, $\displaystyle\lim_{x \to \infty} \frac{f(x)}{x}$의 값을 구하시오.

19 천재, 미래엔, 비상, 좋은책, 지학 유사 　　　　≫ 출제율 83%

유리함수 $f(x)=\dfrac{1}{x+a}+b$가 다음 조건을 모두 만족시킬 때, $a+b$의 값을 구하시오. (단, a, b는 상수)

(가) $\displaystyle\lim_{x \to -\infty} f(x)=1$

(나) $x=3$에서 $f(x)$의 극한이 존재하지 않는다.
---

20 천재, 동아, 미래엔, 비상, 좋은책 유사 　　　　≫ 출제율 70%

두 함수 $f(x)$, $g(x)$가

$$\lim_{x \to \infty} f(x)=\infty, \quad \lim_{x \to \infty} \{4f(x)-2g(x)\}=1$$

을 만족시킬 때, $\displaystyle\lim_{x \to \infty} \frac{f(x)+3g(x)}{9f(x)-5g(x)}$의 값은?

① -9 　　② -7 　　③ -5
④ -3 　　⑤ -1

[21~23] 다음 문제의 풀이 과정을 자세히 쓰시오.

21 천재, 좋은책, 지학 유사 　　　　　　≫ 출제율 80%

$\displaystyle\lim_{x \to 0} \dfrac{x}{\sqrt{x+1}-1}$의 극한값을 구하고, 그 풀이 과정을 쓰시오.

22 천재, 미래엔, 비상, 좋은책, 지학 유사 　　　≫ 출제율 75%

등식 $\displaystyle\lim_{x \to 2} \dfrac{x^2+ax-2}{x^2-3x+2}=b$가 성립하도록 하는 상수 a, b의 값을 구하고, 그 풀이 과정을 쓰시오.

23 천재, 미래엔, 비상 유사 　　　　　≫ 출제율 95%

다음 두 등식을 모두 만족시키는 다항함수 $f(x)$를 구하고, 그 풀이 과정을 쓰시오.

$$\lim_{x \to \infty} \frac{f(x)}{2x^2+3x-1}=1, \quad \lim_{x \to 0} \frac{f(x)}{x}=2$$

1

뉴턴의 만유인력의 법칙에 의하면 질량이 M, m인 두 물체 사이의 거리가 r일 때, 두 물체 사이에 작용하는 만유인력의 크기 F는 다음과 같이 정해진다.

$$F = G\frac{Mm}{r^2} \text{ (단, } G \text{는 뉴턴 상수)}$$

이때 다음 물음에 답하시오.

(1) 질량이 일정한 두 물체 사이에 작용하는 만유인력의 크기 F는 r가 증가할 때, 증가하는지 감소하는지 판단하시오.

(2) 질량이 일정한 두 물체 사이의 거리 r가 한없이 증가할 때, F의 극한값을 구하시오.

(3) 질량이 큰 블랙홀과 다른 행성 사이의 거리가 줄어듦에 따라 만유인력의 크기는 어떻게 변하는지 서술하시오.

2

4A의 전류가 흐르는 어떤 전기 회로에서 전류가 흐르기 시작한 시점으로부터 8초 후에 스위치를 껐다. 이 회로에서 전류가 흐르기 시작한 지 t초 후의 전류를 $I(t)$A라고 할 때, 함수 $y = I(t)$의 그래프는 오른쪽 그림과 같다. 이때 다음 물음에 답하시오.

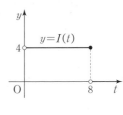

(1) $t = 1$일 때의 $I(t)$의 값을 구하시오.

(2) $t \rightarrow 8-$일 때, $I(t)$의 값을 구하시오.

(3) $\lim\limits_{t \rightarrow 8} I(t)$의 값이 존재하는지 판단하고, 그 이유를 설명하시오.

3

영국의 과학자 보일은 일정한 온도에서 일정량의 기체의 부피 V는 압력 P에 반비례한다는 것을 발견하였다. 즉 보일의 법칙에 따르면 다음이 성립한다.

$$P = \frac{k}{V} \text{ (단, } k\text{는 상수)}$$

이때 다음 물음에 답하시오.

(1) $P = \frac{k}{V}$의 그래프를 좌표평면 위에 나타내시오.

(2) 다음 조건을 모두 만족시킬 때, 수소를 넣은 풍선이 높이 올라갈수록 그 크기가 어떻게 변하는지 설명하시오.

> (가) 온도는 일정하다.
> (나) 높이가 높아지면 압력은 낮아진다.

(3) 고무 풍선은 일정한 높이에 다다르면 터진다. 그 이유를 보일의 법칙을 이용하여 설명하시오.

4

다음은 한 학생이 $\displaystyle\lim_{x \to \infty}\left(\frac{x^2}{1-x}+x\right)$의 값을 구한 과정을 나타낸 것이다. 이 학생의 풀이를 보고 다음 물음에 답하시오.

$$\lim_{x \to \infty}\left(\frac{x^2}{1-x}+x\right) \overset{\text{㉠}}{=} \lim_{x \to \infty}\left\{\frac{x^2}{x\left(\frac{1}{x}-1\right)}+x\right\}$$

$$\overset{\text{㉡}}{=} \lim_{x \to \infty}\left(\frac{x}{\frac{1}{x}-1}+x\right)$$

$$\overset{\text{㉢}}{=} \lim_{x \to \infty}(-x+x)$$

$$\overset{\text{㉣}}{=} 0$$

(1) 위의 풀이에서 등호가 성립하지 않는 곳을 찾으시오.

(2) 등호가 성립하지 않는 이유를 쓰시오.

(3) $\displaystyle\lim_{x \to \infty}\left(\frac{x^2}{1-x}+x\right)$의 값을 구하고, 그 풀이 과정을 쓰시오.

02 함수의 연속

개념 01 함수의 연속

함수 $f(x)$가 실수 a에 대하여 다음 조건을 모두 만족시킬 때, 함수 $f(x)$는 $x=a$에서 연속이라 한다.

① 함수 $f(x)$는 $x=a$에서 정의되어 있다.

② 극한값 $\lim_{x \to a} f(x)$가 존재한다.

③ $\lim_{x \to a} f(x) = f(\boxed{①})$

한편 함수 $f(x)$가 위의 세 조건 중에서 어느 하나라도 만족시키지 않으면 함수 $f(x)$는 $x=a$에서 $\boxed{②}$이다.

답 | ① a ② 불연속

개념 02 구간

두 실수 $a, b\,(a < b)$에 대하여 집합
$\{x|a \le x \le b\}$, $\{x|a < x < b\}$, $\{x|a \le x < b\}$, $\{x|a < x \le b\}$
를 구간이라 하고, 기호로 각각

$$[a, b],\ (a, b),\ [a, b),\ (a, b]$$

와 같이 나타낸다. 이것을 수직선 위에 나타내면 다음과 같다.

$[a, b]$ (a, b) $[a, b)$ $(a, b]$
$a\ \ b$ $a\ \ b$ $a\ \ b$ $a\ \ b$

이때 $[a, b]$를 닫힌구간, (a, b)를 $\boxed{①}$구간이라 하고, $[a, b)$, $(a, b]$를 반닫힌 구간 또는 반열린 구간이라 한다.

또 실수 a에 대하여 집합

$$\{x|x \le a\},\ \{x|x < a\},\ \{x|x \ge a\},\ \{x|x > a\}$$

도 구간이라 하고, 기호로 각각

$$(-\infty, a],\ (-\infty, a),\ [a, \infty),\ \boxed{②}$$

와 같이 나타낸다.

답 | ① 열린 ② (a, ∞)

개념 03 연속함수

함수 $f(x)$가 어떤 구간에 속하는 모든 점에서 연속일 때, 함수 $f(x)$는 그 구간에서 연속 또는 그 구간에서 $\boxed{①}$라 한다. 특히 함수 $f(x)$가 다음 조건을 모두 만족시킬 때, 함수 $f(x)$는 닫힌구간 $[a, b]$에서 연속이라 한다.

① 열린구간 (a, b)에서 연속이다.

② $\lim_{x \to a+} f(x) = f(a)$, $\lim_{x \to b-} f(x) = f(\boxed{②})$

답 | ① 연속함수 ② b

개념 04 연속함수의 성질

두 함수 $f(x)$, $g(x)$가 $x=a$에서 연속이면 다음 함수도
$x=$ ❶ 에서 연속이다.
① $cf(x)$ (단, c는 상수)
② $f(x)+g(x)$, $f(x)-g(x)$
③ ❷
④ $\dfrac{f(x)}{g(x)}$ (단, $g(a)\ne 0$)

답 | ❶ a ❷ $f(x)g(x)$

QUIZ

두 함수 $f(x)$, $g(x)$가 $x=1$에서 연속일 때, 다음 함수가 $x=1$에서 반드시 연속이면 ○, 그렇지 않으면 ×를 괄호 안에 써넣으시오.

❶ $cf(x)$ (단, c는 상수)　　　　(　)
❷ $f(x)+g(x)$　　　　　　　　(　)
❸ $f(x)g(x)$　　　　　　　　　(　)
❹ $\dfrac{f(x)}{g(x)}$　　　　　　　　(　)

정답 |
❶○ ❷○ ❸○ ❹×

개념 05 최대·최소 정리

함수 $f(x)$가 닫힌구간 $[a,b]$에서 연속이면 $f(x)$는 이 닫힌구간에서 반드시 최댓값과
❶ 을 갖는다.

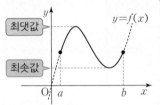

예 함수 $f(x)=x^2$은 모든 실수에서 연속이다.
이때 닫힌구간 $[-1,2]$에서 함수 $f(x)$는
최댓값 $f(2)=$ ❷ ,
최솟값 $f(0)=0$
을 갖는다.

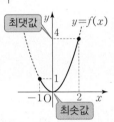

답 | ❶ 최솟값 ❷ 4

QUIZ

함수 $f(x)=x+3$의 그래프는 다음과 같다.

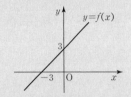

즉 $f(x)$는 구간 $[0,3]$에서 ❶ (연속, 불연속)함수이므로 최댓값과 최솟값을 반드시 ❷ (갖는다., 갖지 않는다.)

정답 |
❶ 연속 ❷ 갖는다.

개념 06 사잇값의 정리

(1) 함수 $f(x)$가
(ⅰ) 닫힌구간 $[a,b]$에서 연속이고
(ⅱ) $f(a)$ ❶ $(=, \ne)$ $f(b)$
이면 $f(a)$와 $f(b)$ 사이의 임의의 실수 k에 대하여
　　　$f(c)=k$
인 ❷ 가 열린구간 (a,b)에 적어도 하나 존재한다.

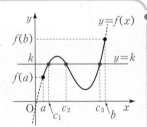

(2) 함수 $f(x)$가 닫힌구간 $[a,b]$에서 연속일 때 $f(a)$와 $f(b)$의 부호가 서로 다르면 사잇값의 정리에 의하여
　　　$f(c)=0$
인 c가 열린구간 (a,b)에 적어도 ❸ 존재한다. 즉 방정식 $f(x)=0$은 열린구간 (a,b)에 적어도 하나의 실근을 갖는다.

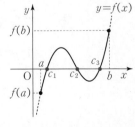

답 | ❶ $\ne$ ❷ c ❸ 하나

QUIZ

연속함수 $f(x)$에 대하여 $f(0)=-1$, $f(3)=3$일 때, 열린구간 $(0,3)$에서 다음을 만족시키는 x의 값이 적어도 하나 존재하면 ○, 그렇지 않으면 ×를 괄호 안에 써넣으시오.

❶ $f(x)=0$　　　　　　(　)
❷ $f(x)=1$　　　　　　(　)
❸ $f(x)=-2$　　　　　(　)

정답 |
❶○ ❷○ ❸×

개념 01　함수의 연속

1-1 함수 $f(x)$의 그래프가 다음 그림과 같을 때, 주어진 x의 값에서 연속인지 불연속인지 조사하시오.

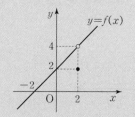

(1) $x=-2$　(2) $x=0$　(3) $x=2$

1-2 다음과 같이 정의된 함수 $f(x)$가 있다.

$$f(x)=\begin{cases} x^2+1 \ (x\neq 1) \\ \quad 0 \quad (x=1) \end{cases}$$

주어진 x의 값에서 연속인지 불연속인지 조사하시오.

(1) $x=0$　　　　(2) $x=1$

개념 02　구간

2-1 다음 집합을 구간의 기호로 나타내시오.

(1) $\{x\,|-2\leq x\leq 3\}$

(2) $\{x\,|\,1\leq x<5\}$

(3) $\{x\,|-5<x\leq 2\}$

(4) $\{x\,|\,x>4\}$

2-2 다음 중에서 서로 같은 것을 모두 고르시오.

> ㄱ. $\{x\,|-2\leq x\leq 1\}$
>
> ㄴ. $\{x\,|\,x\geq -2\}$
>
> ㄷ. $[-2,\infty)$
>
> ㄹ. $[-2,1]$

개념 03　연속함수

3-1 다음 함수가 연속인 구간을 구하시오.

(1) $y=\sqrt{x+1}$

(2) $y=\dfrac{x}{x-3}$

3-2 다음 함수가 연속인 구간을 구하시오.

(1) $y=\sqrt{x^2+1}$

(2) $y=\dfrac{x}{x^2-4}$

개념 04 연속함수의 성질

4-1 두 함수 $f(x)=x^2+2$, $g(x)=x-1$에 대하여 다음 함수가 연속인 구간을 구하시오.

(1) $f(x)g(x)$　　　(2) $\dfrac{f(x)}{g(x)}$

4-2 두 함수 $f(x)=x+1$, $g(x)=x^2+1$에 대하여 다음 함수가 연속인 구간을 구하시오.

(1) $f(x)+2g(x)$　　(2) $\dfrac{f(x)}{g(x)}$

개념 05 최대·최소 정리

5-1 주어진 구간에서 다음 함수의 최댓값과 최솟값을 구하시오.

(1) $f(x)=-x^2+2x$　　$[0,2]$

(2) $f(x)=\dfrac{3}{x+1}$　　$[2,5)$

5-2 주어진 구간에서 다음 함수의 최댓값과 최솟값을 구하시오.

(1) $f(x)=x^2-2x+1$　　$[-1,2]$

(2) $f(x)=\dfrac{x}{x-1}$　　$[2,5]$

개념 06 사잇값의 정리

6-1 다음은 방정식 $x^3+3x^2-1=0$은 열린구간 $(0,1)$에서 적어도 하나의 실근을 가짐을 보인 것이다. 빈칸을 채우시오.

> $f(x)=x^3+3x^2-1$이라 하면 함수 $f(x)$
> 는 닫힌구간 $[0,1]$에서 〔　〕이고
> 　　$f(0)<0$, $f(1)$〔　〕0
> 이므로 〔　　　　〕에 의하여 $f(c)=0$
> 인 c가 열린구간 $(0,1)$에 적어도 하나 존재한다. 즉 방정식 $x^3+3x^2-1=0$은 열린구간 $(0,1)$에서 적어도 하나의 실근을 갖는다.

6-2 다음은 방정식 $2x^3+x-1=0$은 열린구간 $(0,1)$에서 적어도 하나의 실근을 가짐을 보인 것이다. 빈칸을 채우시오.

> $f(x)=2x^3+x-1$이라 하면 함수 $f(x)$
> 는 닫힌구간 $[0,1]$에서 〔　〕이고
> 　　$f(0)$〔　〕0, $f(1)>0$
> 이므로 사잇값의 정리에 의하여 $f(c)=0$
> 인 c가 열린구간 $(0,1)$에 적어도 〔　〕
> 존재한다. 즉 방정식 $2x^3+x-1=0$은 열린구간 $(0,1)$에서 적어도 하나의 실근을 갖는다.

유형 01 함수의 연속

1-1 함수 $f(x)$의 그래프가 다음 그림과 같을 때, 주어진 x의 값에서 연속인지 불연속인지 조사하시오.

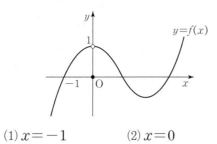

(1) $x=-1$ (2) $x=0$

(천재, 교학, 금성, 동아, 미래엔, 비상, 좋은책, 지학 유사)

1-2 함수 $f(x)$의 그래프가 다음 그림과 같을 때, 주어진 x의 값에서 연속인지 불연속인지 조사하시오.

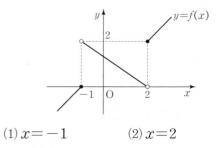

(1) $x=-1$ (2) $x=2$

유형 02 함수의 연속

2-1 함수 $y=f(x)$의 그래프가 다음 그림과 같을 때, 닫힌구간 $[-3, 3]$에서 극한값이 존재하지 않는 x의 값의 개수를 a, 불연속인 x의 값의 개수를 b라 하자. $a+b$의 값을 구하시오.

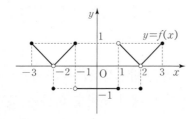

(천재, 교학, 동아, 비상, 미래엔, 좋은책, 지학 유사)

2-2 함수 $y=f(x)$의 그래프가 다음 그림과 같을 때, 닫힌구간 $[-2, 2]$에서 극한값이 존재하지 않는 x의 값의 개수를 a, 함숫값이 존재하지 않는 x의 값의 개수를 b, 불연속인 x의 값의 개수를 c라 하자. $a+b+c$의 값을 구하시오.

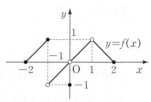

유형 03 함수의 연속

3-1 다음 함수가 $x=2$에서 연속인지 불연속인지 조사하시오.

(1) $f(x)=x-2$ (2) $f(x)=\dfrac{x+1}{x-2}$

(천재, 교학, 금성, 동아, 좋은책, 지학 유사)

3-2 다음 함수가 $x=1$에서 연속인지 불연속인지 조사하시오.

(1) $f(x)=3x^2-x$ (2) $f(x)=\dfrac{x^2-1}{x-1}$

유형 **04**   함수의 연속

4-1 함수 $f(x)$가 다음과 같을 때, $x=2$에서 연속인지 불연속인지 조사하시오.

$$f(x)=\begin{cases} \dfrac{x^2-2x}{x-2} & (x\neq 2) \\ 2 & (x=2) \end{cases}$$

(천재, 교학, 금성, 동아, 미래엔, 비상, 좋은책, 지학 유사)

4-2 함수 $f(x)$가 다음과 같을 때, $x=2$에서 연속인지 불연속인지 조사하시오.

$$f(x)=\begin{cases} x^2-1 & (x\geq 2) \\ 1-x & (x<2) \end{cases}$$

유형 **05**   함수의 연속

5-1 함수 $f(x)=\begin{cases} \dfrac{x^2-x-2}{x+1} & (x\neq -1) \\ a & (x=-1) \end{cases}$ 가

$x=-1$에서 연속일 때, 상수 a의 값을 구하시오.

(천재, 금성, 동아, 좋은책, 지학 유사)

5-2 함수 $f(x)=\begin{cases} \dfrac{a(x^2-x)}{x-1} & (x\neq 1) \\ 1 & (x=1) \end{cases}$ 이 $x=1$

에서 연속일 때, 상수 a의 값을 구하시오.

유형 **06**   구간

6-1 다음 함수의 정의역을 구간의 기호로 나타내시오.

(1) $f(x)=\sqrt{3-2x}$

(2) $f(x)=\sqrt{4-x^2}$

(천재, 교학, 금성, 동아, 미래엔, 비상, 좋은책, 지학 유사)

6-2 다음 함수의 정의역을 구간의 기호로 나타내시오.

(1) $f(x)=\sqrt{x-2}$

(2) $f(x)=\dfrac{1}{x+1}$

유형 **07** 구간

(천재, 교학, 동아, 미래엔, 비상, 좋은책, 지학 유사)

7-1 두 함수 $f(x)=x^2$, $g(x)=x+2$에 대하여 주어진 함수가 연속인 구간을 구하시오.

(1) $2f(x)-g(x)$

(2) $\dfrac{f(x)}{g(x)}$

7-2 두 함수 $f(x)=-x^2+1$, $g(x)=x-1$에 대하여 주어진 함수가 연속인 구간을 구하시오.

(1) $f(x)g(x)$

(2) $\dfrac{f(x)}{g(x)}$

유형 **08** 연속함수

(천재, 교학, 동아, 비상, 좋은책 유사)

8-1 함수 $f(x)=\begin{cases} \dfrac{x^2+ax-2}{x-1} & (x\neq1) \\ b & (x=1) \end{cases}$ 가 실수 전체의 집합에서 연속일 때, a^2+b^2의 값은? (단, a, b는 상수)

① 8　　　② 9　　　③ 10

④ 11　　　⑤ 12

8-2 함수 $f(x)=\begin{cases} \dfrac{x^2+ax+a-1}{x-2} & (x\neq2) \\ b & (x=2) \end{cases}$ 가 실수 전체의 집합에서 연속일 때, $f(2)+f(3)$의 값은? (단, a, b는 상수)

① 4　　　② 5　　　③ 6

④ 7　　　⑤ 8

유형 **09** 연속함수의 성질

(천재, 교학, 금성, 동아, 미래엔, 비상, 좋은책, 지학 유사)

9-1 두 연속함수 $f(x)$, $g(x)$에 대하여 $f(1)=1$, $g(1)=-2$일 때, $\displaystyle\lim_{x\to1}\{f(x)+2g(x)\}$의 값을 구하시오.

9-2 두 연속함수 $f(x)$, $g(x)$에 대하여 $f(0)=1$, $g(0)=-3$일 때, $\displaystyle\lim_{x\to0+}\{2f(x)-3g(x)\}$의 값을 구하시오.

유형 10   최대·최소 정리

천재, 교학, 금성, 동아, 미래엔, 비상, 좋은책, 지학 유사

10-1 닫힌구간 $[-1, 2]$에서 함수 $f(x) = -x^2 + 2x + 1$의 최댓값과 최솟값을 구하시오.

10-2 주어진 구간에서 다음 함수의 최댓값과 최솟값을 구하시오.

(1) $f(x) = x^2 - 4x + 1$ $[2, 4]$

(2) $f(x) = \dfrac{3}{x+2}$ $[0, 5]$

유형 11   사잇값의 정리

천재, 교학, 금성, 동아, 미래엔, 비상, 좋은책, 지학 유사

11-1 함수 $f(x) = x^2 - x - 1$일 때, $f(c) = 0$인 c가 열린구간 $(0, 2)$에 적어도 하나 존재함을 보이시오.

11-2 함수 $f(x) = x^3 - 3x$일 때, $f(c) = 1$인 c가 열린구간 $(0, 2)$에 적어도 하나 존재함을 보이시오.

유형 12   사잇값의 정리

천재, 비상, 교학, 금성, 동아, 미래엔, 좋은책, 지학 유사

12-1 방정식 $x^3 - 2x^2 - 1 = 0$은 열린구간 $(2, 3)$에서 적어도 하나의 실근을 가짐을 보이시오.

12-2 방정식 $x^3 + 3x - 1 = 0$은 열린구간 $(0, 2)$에서 적어도 하나의 실근을 가짐을 보이시오.

01 천재, 교학, 동아, 미래엔, 비상, 좋은책 유사 >>> 출제율 95%

함수 $f(x)$의 그래프가 다음 그림과 같다.

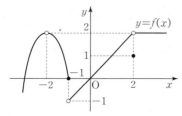

함수 $f(x)$가 불연속이 되는 모든 x의 값의 합은?

① -1　　② 0　　③ 1

④ 2　　⑤ 3

02 천재, 동아, 미래엔, 비상, 좋은책, 지학 유사 >>> 출제율 95%

함수 $f(x)=\dfrac{x+1}{x-a}$이 $x=2$에서 불연속일 때, 상수 a의 값은?

① -1　　② 0　　③ 1

④ 2　　⑤ 3

03 천재, 교학, 미래엔, 비상, 좋은책, 지학 유사 >>> 출제율 80%

함수 $f(x)=\dfrac{2x+1}{x+a}$이 $x=1$에서 불연속일 때, $f(0)+\lim\limits_{x\to 2}f(x)$의 값을 구하시오.

04 천재, 미래엔, 비상, 좋은책, 지학 유사 >>> 출제율 95%

함수 $y=f(x)$의 그래프가 다음 그림과 같을 때, 닫힌구간 $[-2, 2]$에서 함수 $f(x)$가 불연속이 되는 모든 x의 값의 합을 구하시오.

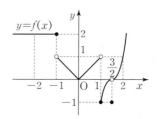

05 천재, 교학, 미래엔, 비상, 좋은책, 지학 유사 >>> 출제율 95%

열린구간 $(0, 4)$에서 함수 $y=f(x)$의 그래프가 오른쪽 그림과 같다. 이 열린구간에서 다음 조건을 만족시키는 a의 개수를 m, b의 개수를 n이라고 할 때, $m-n$의 값은?

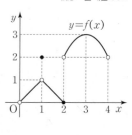

㈎ $x=a$에서의 함수 $f(x)$의 극한이 존재하지 않는다.

㈏ 함수 $f(x)$는 $x=b$에서 불연속이다.

① -2　　② -1　　③ 0

④ 1　　⑤ 2

06 천재, 미래엔, 비상 유사 　　　　　>>> 출제율 68%

함수 $f(x)$가 연속함수이고 $f(1)=5$일 때,
$\displaystyle\lim_{x\to 1-}f(x)+\lim_{x\to 1+}f(x)$의 값은?

① 5 　　　② 10 　　　③ 15

④ 20 　　　⑤ 25

07 천재, 교학, 비상, 좋은책 유사 　　　>>> 출제율 68%

모든 실수 x에서 연속인 함수 $f(x)$가

$$f(x)=\begin{cases}x^2-x+1 & (x<1)\\ 2x+a & (x\geq 1)\end{cases}$$

일 때, 상수 a의 값은?

① -2 　　　② -1 　　　③ 0

④ 1 　　　⑤ 2

08 천재, 동아, 미래엔, 비상, 좋은책 유사 　>>> 출제율 95%

함수 $f(x)=\begin{cases}\dfrac{a\sqrt{x}-3}{x-1} & (x\neq 1)\\ b & (x=1)\end{cases}$ 가 $x=1$에서 연속

일 때, $a+b$의 값을 구하시오. (단, a, b는 상수)

09 천재, 교학, 비상, 좋은책 유사 　　　>>> 출제율 95%

함수 $f(x)=\begin{cases}\dfrac{x^2-x+a}{x+1} & (x\neq -1)\\ b & (x=-1)\end{cases}$ 가 $x=-1$에

서 연속일 때, 상수 a, b의 값을 구하시오.

10 천재, 동아, 미래엔, 비상, 좋은책 유사 　>>> 출제율 75%

연속함수 $f(x)$에 대하여 $f(1)=2$이고,

$$f(x)=\dfrac{x^2+ax+b}{x-1}\ (x\neq 1)$$

일 때, $a-b$의 값은? (단, a, b는 상수)

① -1 　　　② 0 　　　③ 1

④ 2 　　　⑤ 3

11 천재, 동아, 미래엔, 비상, 좋은책 유사 　>>> 출제율 95%

모든 실수 x에서 연속인 함수 $f(x)$가

$$\lim_{x\to 1}\dfrac{(x^2-1)f(x)}{x-1}=8$$

을 만족시킬 때, $f(1)$의 값은?

① 2 　　　② 4 　　　③ 6

④ 8 　　　⑤ 10

12 천재, 비상, 좋은책, 지학 유사   ▶▶▶ 출제율 78%

두 함수 $f(x)=x+3$, $g(x)=x^2-x-2$에 대하여 함수 $\dfrac{f(x)}{g(x)}$가 연속인 구간을 구하시오.

13 천재, 금성, 동아, 좋은책, 지학 유사   ▶▶▶ 출제율 80%

두 함수 $f(x)=x^2-x$, $g(x)=3x^2+x$에 대하여 다음 함수 중 모든 실수에서 연속인 함수를 있는 대로 고르시오.

> ㄱ. $f(x)+g(x)$ ㄴ. $f(x)-g(x)$
>
> ㄷ. $f(x)g(x)$ ㄹ. $\dfrac{g(x)}{f(x)}$

14 천재, 교학, 금성, 동아, 비상, 좋은책 유사   ▶▶▶ 출제율 78%

실수 전체의 집합에서 연속인 함수 $f(x)$가
$$(x+1)f(x)=x^2-1$$
을 만족시킬 때, $f(-1)$의 값은?

① -4 ② -2 ③ 0
④ 2 ⑤ 4

15 천재, 금성, 좋은책, 지학 유사   ▶▶▶ 출제율 80%

실수 전체의 집합에서 연속인 함수 $f(x)$가
$$(x-1)f(x)=x^2+2x+a$$
를 만족시킬 때, $a+f(1)$의 값은? (단, a는 상수)

① -3 ② -1 ③ 0
④ 1 ⑤ 3

16 천재, 비상, 좋은책, 지학 유사   ▶▶▶ 출제율 85%

다음 함수가 주어진 닫힌구간에서 최댓값 또는 최솟값을 갖는지 말하시오.

(1) $f(x)=\dfrac{x-2}{x^2+1}$ $[0,\,3]$

(2) $f(x)=\dfrac{1}{\sqrt{3-x}}$ $[-1,\,2]$

17 천재, 금성, 비상, 좋은책, 지학 유사   ▶▶▶ 출제율 65%

함수 $f(x)$가 닫힌구간 $[0,\,2]$에서 연속이고, $f(0)=2$, $f(2)=-1$이다. 다음 중 열린구간 $(0,\,2)$에 실근이 반드시 존재하는 방정식을 있는 대로 고르시오.

> ㄱ. $f(x)+x=0$ ㄴ. $f(x)-x^2=0$
>
> ㄷ. $f(x)-\dfrac{1}{x+1}=0$

18 천재, 동아, 미래엔, 비상, 좋은책, 지학 유사 >>> 출제율 95%

연속함수 $f(x)$가

$$f(0)=a+1, f(1)=a-2,$$
$$f(-1)>1, f(2)<4$$

를 만족시키고, 방정식 $f(x)-x^2=0$의 실근이 오직 하나 존재한다. 이 실근이 열린구간 $(0, 1)$에 존재할 때, 정수 a의 개수는?

① 2 　　　　② 3 　　　　③ 4

④ 5 　　　　⑤ 6

19 천재, 미래엔, 비상, 좋은책, 지학 유사 >>> 출제율 83%

연속함수 $f(x)$가

$$f(0)=-\frac{1}{2}, f\left(\frac{1}{3}\right)=\frac{1}{2}, f\left(\frac{1}{2}\right)=-\frac{1}{3},$$
$$f\left(\frac{2}{3}\right)=\frac{3}{4}, f\left(\frac{3}{4}\right)=\frac{4}{5}, f(1)=\frac{5}{6}$$

를 만족시킬 때, 방정식 $f(x)-x=0$은 열린구간 $(0, 1)$에서 적어도 몇 개의 실근을 갖는지 구하시오.

20 천재, 동아, 미래엔, 좋은책, 비상 유사 >>> 출제율 70%

두 함수

$$f(x)=x+k, g(x)=\begin{cases} x+1 & (x<1) \\ -x+2 & (x\geq1) \end{cases}$$

에 대하여 함수 $f(x)g(x)$가 $x=1$에서 연속일 때, 상수 k의 값은?

① -4 　　　　② -3 　　　　③ -2

④ -1 　　　　⑤ 0

○ 과정을 평가하는 서술형입니다.

[21~23] 다음 문제의 풀이 과정을 자세히 쓰시오.

21 천재, 좋은책, 지학 유사 >>> 출제율 80%

함수 $y=f(x)$의 그래프가 오른쪽 그림과 같을 때, 함수 $f(x)$가 $x=c$에서 불연속임을 설명하시오.

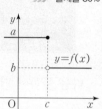

22 천재, 미래엔, 비상, 좋은책, 지학 유사 >>> 출제율 75%

다음 함수가 $x=1$에서 연속인지 불연속인지 조사하고, 그 풀이 과정을 쓰시오.

$$f(x)=\begin{cases} |x-1| & (x<1) \\ 1 & (x\geq1) \end{cases}$$

23 천재, 미래엔, 비상 유사 >>> 출제율 95%

방정식 $x^4+x-7=0$은 열린구간 $(0, 2)$에서 적어도 하나의 실근을 가짐을 보이고, 그 풀이 과정을 쓰시오.

창의력·융합형·서술형·코딩

1

다음은 공공 주차장의 주차요금표이다.

주차요금표	
시간	주차요금
최초 30분까지	3000원
30분 초과 2시간까지	매 1분마다 100원
2시간 초과	매 1분마다 150원

다음 물음에 답하시오.

(1) 주차요금 $f(t)$원을 주차시간 t분에 대한 식으로 나타내시오. (단, $t>0$)

(2) 어느 자동차가 45분 동안 주차하였을 때의 주차요금 $f(45)$의 값을 구하시오.

(3) $0<t<60$일 때, $f(t)$의 그래프가 불연속이 되는 모든 t의 값을 구하시오.

2

다음은 고속도로를 달리고 있는 자동차의 출발 후 30분마다 찍힌 속력 계기판이다.

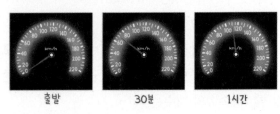

출발   30분   1시간

다음 물음에 답하시오.

(1) 출발 후 30분까지 시속 50 km로 달린 지점이 있는지 판단하고, 그 이유를 설명하시오.

(2) 다음 빈칸에 알맞은 수를 써넣고, 그 이유를 설명하시오.

> 출발 후 1시간 동안 시속 60 km로 달린 순간이 적어도 ◯번 있었다.

(3) 다음 명제의 참, 거짓을 판단하고, 그 이유를 설명하시오.

> 운전자는 1시간 동안 운행하면서 1시간일 때를 제외하고 속력이 100 km/h를 넘지 않았다.

3

다음은 어느 비행기의 운항 정보이다.

시각(시)	0(출발)	1	2	5	6(도착)
고도(m)	0	6,000	11,000	4,000	0
온도(℃)	10	-15	-25	-10	12

다음 물음에 답하시오.

(1) 비행기가 이륙하여 착륙할 때까지 고도 10000 m인 지점을 적어도 몇 번 지났는지 구하고, 그 이유를 설명하시오.

(2) 비행기가 고도 5000 m인 지점을 적어도 몇 번 지났는지 구하고, 그 이유를 설명하시오.

(3) 비행기가 운항하는 동안 온도가 영하 20 ℃인 순간은 적어도 몇 번인지 구하고, 그 이유를 설명하시오.

4

다음은 소득 분위에 대한 누진세율을 나타낸 표이다.

연 소득	세율	누진공제
1,200만 원 이하	6 %	―
1,200만 원 초과 4,600만 원 이하	15 %	108만 원
4,600만 원 초과 8,800만 원 이하	24 %	522만 원
8,800만 원 초과 1억 5,000만 원 이하	35 %	1,490만 원
1억 5,000만 원 초과	38 %	1,940만 원

다음 물음에 답하시오.

(단, (세금)＝(연 소득)×(세율)－(누진공제))

(1) 세금 $f(x)$만 원을 연 소득 x만 원에 대한 식으로 나타내시오.

(2) $0 < x < 5000$일 때, 함수 $f(x)$가 불연속이 되는 모든 x의 개수를 구하시오.

행복의 습관

Happiness is a habit,
cultivate it.
– Elbert Hubbard

행복은 하나의 습관이다.
그것을 키워라.
– 엘버트 허버드

미분

03 미분계수와 도함수

개념 01 평균변화율

(1) 함수 $y=f(x)$에서 x의 값이 a에서 b까지 변할 때의 ❶ 은

$$\frac{\Delta y}{\Delta x}=\frac{f(b)-f(a)}{b-a}$$
$$=\frac{f(a+\Delta x)-f(a)}{\Delta x}$$

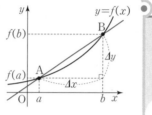

(2) 평균변화율은 두 점 $A(a,\ f(a))$, $B(b,\ f(b))$를 지나는 직선의 ❷ 와 같다.

참고 Δ는 차를 뜻하는 'Difference'의 첫 글자 D에 해당하는 그리스 문자이며 'delta'로 읽는다.

답 | ❶ 평균변화율 ❷ 기울기

QUIZ

함수 $f(x)=x^2$에서 x의 값이 다음과 같이 변할 때의 평균변화율을 구하시오.

❶ 0에서 1까지

❷ 1에서 2까지

정답 |

❶ 1 ❷ 3

개념 02 미분계수

(1) 함수 $y=f(x)$에서 x의 값이 a에서 $a+\Delta x$까지 변할 때의 평균변화율의 극한값이 존재하면 함수 $y=f(x)$는 $x=a$에서 ❶ 하다고 한다. 이때 이 극한값을 함수 $y=f(x)$의 $x=a$에서의 순간변화율 또는 ❷ 라 하고, 기호로 $f'(a)$로 나타낸다.

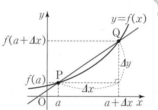

$$f'(a)=\lim_{\Delta x\to 0}\frac{f(a+\Delta x)-f(a)}{\Delta x}=\lim_{x\to a}\frac{f(x)-f(a)}{x-a}$$

(2) 함수 $y=f(x)$의 $x=a$에서의 미분계수 $f'(a)$는 곡선 $y=f(x)$ 위의 점 $(a,\ f(a))$에서의 ❸ 의 기울기와 같다.

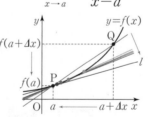

참고 미분계수 $f'(a)$는 'f prime a'로 읽는다.

답 | ❶ 미분가능 ❷ 미분계수 ❸ 접선

QUIZ

다음은 미분계수 $f'(a)$의 식을 살펴본 것이다. 빈칸을 채우시오.

$$f'(a)=\lim_{\Delta x\to 0}\frac{f(a+\Delta x)-f(a)}{\Delta x}\text{에서}$$
$a+\Delta x=x$로 놓으면 $\Delta x=x-$❶
$\Delta x\to 0$이면 $x\to$ ❷ 이므로
$$f'(a)=\lim_{x\to a}\frac{f(x)-f(a)}{❸}$$

정답 |

❶ a ❷ a ❸ $x-a$

개념 03 미분가능성과 연속성

함수 $y=f(x)$가 $x=a$에서 미분가능하면 $f(x)$는 $x=a$에서 ❶ 이다. 일반적으로 위의 역은 성립하지 않는다.

예 오른쪽 그림과 같이 함수 $f(x)=|x|$는 $x=0$에서 연속이지만 미분가능하지 않다.

답 | ❶ 연속

QUIZ

오른쪽 벤다이어그램의 빈칸에 함수, 연속인 함수, 미분가능한 함수 중에 적당한 것을 골라 써넣으시오.

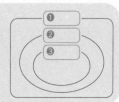

정답 |

❶ 함수 ❷ 연속인 함수 ❸ 미분가능한 함수

개념 04　도함수

함수 $y=f(x)$가 정의역 X에서 미분가능할 때, 정의역의 각 원소 x에 미분계수 $f'(x)$를 대응시키는 새로운 함수

$$f': X \longrightarrow R,$$

$$f'(x)=\lim_{\Delta x \to 0}\frac{f(x+\Delta x)-f(x)}{\Delta x}$$

를 함수 $y=f(x)$의 [①] 라 하고, 기호로

[②], y', $\dfrac{dy}{dx}$, $\dfrac{d}{dx}f(x)$

와 같이 나타낸다. 또 함수 $y=f(x)$의 도함수 $f'(x)$를 구하는 것을 함수 $f(x)$를 x에 대하여 미분한다고 하며, 그 계산법을 [③]이라 한다.

참고 $\dfrac{dy}{dx}$는 dy를 dx로 나눈다는 뜻이 아니라 y를 x에 대하여 미분한다는 뜻이다.

도함수 $f'(x)$
$x=a$를 대입 ↓
미분계수 $f'(a)$

답 | ❶ 도함수 ❷ $f'(x)$ ❸ 미분법

QUIZ

함수 $f(x)$의 도함수가 $f'(x)=2x$일 때, 다음을 구하시오.

(1) $\lim\limits_{h \to 0}\dfrac{f(2+h)-f(2)}{h}=$ [❶]

(2) $\lim\limits_{h \to 0}\dfrac{f(-1+h)-f(-1)}{h}=$ [❷]

정답 |
❶ 4　❷ -2

개념 05　함수 $f(x)=x^n$과 상수함수의 도함수

① $f(x)=x^n$(n은 2 이상의 양의 정수)의 도함수는

$$f'(x)=[❶ \quad]$$

② $f(x)=x$의 도함수는 $f'(x)=1$

③ $f(x)=c$(c는 상수)의 도함수는 $f'(x)=[❷ \quad]$

증명 $f'(x)=\lim\limits_{h \to 0}\dfrac{f(x+h)-f(x)}{h}=\lim\limits_{h \to 0}\dfrac{(x+h)^n-x^n}{h}$

$=\lim\limits_{h \to 0}\dfrac{\{(x+h)-x\}\{(x+h)^{n-1}+(x+h)^{n-2}x+\cdots+x^{n-1}\}}{h}$

$=\lim\limits_{h \to 0}\{(x+h)^{n-1}+(x+h)^{n-2}x+\cdots+x^{n-1}\}$

$=\underbrace{x^{n-1}+x^{n-1}+\cdots+x^{n-1}}_{n개}=nx^{n-1}$

답 | ❶ nx^{n-1}　❷ 0

QUIZ

다음 함수의 도함수를 구하시오.

❶ $f(x)=x^3$
❷ $f(x)=x^{10}$
❸ $f(x)=100$

정답 |
❶ $f'(x)=3x^2$　❷ $f'(x)=10x^9$　❸ $f'(x)=0$

개념 06　함수의 실수배, 합, 차, 곱의 미분법

두 함수 $f(x)$, $g(x)$가 미분가능할 때

① $\{cf(x)\}'=cf'(x)$ (단, c는 상수)

② $\{f(x)+g(x)\}'=[❶ \quad]$

③ $\{f(x)-g(x)\}'=f'(x)-g'(x)$

④ $\{f(x)g(x)\}'=f'(x)g(x)+[❷ \quad]$

답 | ❶ $f'(x)+g'(x)$　❷ $f(x)g'(x)$

QUIZ

다음 함수의 도함수를 구하시오.

❶ $f(x)=2x^5$
❷ $f(x)=2x^3+x^2-1$
❸ $f(x)=(2x+1)(x-2)$

정답 |
❶ $f'(x)=10x^4$　❷ $f'(x)=6x^2+2x$　❸ $f'(x)=4x-3$

STEP 1 교과서 개념 확인 테스트

개념 01 평균변화율

1-1 함수 $f(x)=3x+1$에서 x의 값이 다음과 같이 변할 때의 평균변화율을 구하시오.

(1) 0에서 3까지

(2) 1에서 5까지

1-2 함수 $f(x)=x^2$에서 x의 값이 다음과 같이 변할 때의 평균변화율을 구하시오.

(1) 0에서 2까지

(2) 1에서 3까지

개념 02 미분계수

2-1 다음 함수의 $x=3$에서의 미분계수를 구하시오.

(1) $f(x)=2x-1$

(2) $f(x)=x^2+1$

2-2 다음 함수의 주어진 x의 값에서의 미분계수를 구하시오.

(1) $f(x)=4x+3 \quad (x=1)$

(2) $f(x)=2x^2+1 \quad (x=2)$

개념 03 미분가능성과 연속성

3-1 함수 $f(x)=|x-1|$은 $x=1$에서 연속이지만 미분가능하지 않음을 보이시오.

3-2 함수 $f(x)=x+|x|$는 $x=0$에서 연속이지만 미분가능하지 않음을 보이시오.

개념 **04** 도함수

4-1 도함수의 정의

$$f'(x) = \lim_{h \to 0} \frac{f(x+h) - f(x)}{h}$$

를 이용하여 함수 $f(x) = x^2 - x$의 도함수를 구하시오.

4-2 도함수의 정의

$$f'(x) = \lim_{h \to 0} \frac{f(x+h) - f(x)}{h}$$

를 이용하여 함수 $f(x) = x^2 + 3x + 2$의 도함수를 구하시오.

개념 **05** 함수 $f(x) = x^n$과 상수함수의 도함수

5-1 다음 함수의 도함수를 구하시오.

(1) $f(x) = x^4$

(2) $f(x) = 2$

5-2 다음 함수의 도함수를 구하시오.

(1) $f(x) = 2x^5$

(2) $f(x) = -13$

개념 **06** 함수의 실수배, 합, 차, 곱의 미분법

6-1 다음 함수를 미분하시오.

(1) $y = -2x + 5$

(2) $y = 7x^2 - x + 4$

6-2 다음 함수를 미분하시오.

(1) $y = -2x^2 + x + 1$

(2) $y = x^3 - 3x^2 + 4$

유형 01 평균변화율

1-1 다음 함수에서 x의 값이 0에서 2까지 변할 때의 평균변화율을 구하시오.

(1) $f(x) = 2x^2$

(2) $f(x) = -x^2 + x$

(천재, 교학, 금성, 동아, 미래엔, 비상, 지학 유사)

1-2 다음 함수에서 x의 값이 1에서 2까지 변할 때의 평균변화율을 구하시오.

(1) $f(x) = x^2 - 2x$

(2) $f(x) = -x^2 - 2x$

유형 02 평균변화율

2-1 함수 $f(x) = 2x^2 + ax$에서 x의 값이 0에서 2까지 변할 때의 평균변화율이 2일 때, 상수 a의 값을 구하시오.

(천재, 교학, 금성, 동아, 비상, 좋은책, 지학 유사)

2-2 함수 $f(x) = ax^2 + x$에서 x의 값이 -1에서 2까지 변할 때의 평균변화율이 3일 때, 상수 a의 값을 구하시오.

유형 03 미분계수

3-1 함수 $f(x) = x^2 - 2$에 대하여 다음을 구하시오.

(1) $f'(0)$

(2) $f'(2)$

(천재, 교학, 미래엔, 비상, 좋은책, 지학 유사)

3-2 함수 $f(x) = 2x^2 + 3x$에 대하여 다음을 구하시오.

(1) $f'(-1)$

(2) $f'(1)$

유형 04 미분계수

천재, 금성, 동아, 미래엔, 비상, 좋은책, 지학 유사

4-1 함수 $f(x)=x^2+x$에 대하여 다음을 구하시오.

(1) $\lim\limits_{h\to 0}\dfrac{f(1+h)-f(1)}{h}$

(2) $\lim\limits_{h\to 0}\dfrac{f(2+h)-f(2)}{2h}$

4-2 함수 $f(x)=x^2-2x$에 대하여 다음을 구하시오.

(1) $\lim\limits_{h\to 0}\dfrac{f(-1+h)-f(-1)}{h}$

(2) $\lim\limits_{h\to 0}\dfrac{f(3+2h)-f(3)}{h}$

유형 05 미분계수와 접선의 기울기

천재, 교학, 금성, 동아, 미래엔, 비상, 좋은책 유사

5-1 함수 $f(x)=-x^2+x$의 그래프 위의 점 $(-1, -2)$에서의 접선의 기울기를 구하시오.

5-2 함수 $f(x)=2x^2-x$의 그래프 위의 주어진 점에서의 접선의 기울기를 구하시오.

(1) $(-1, 3)$

(2) $(2, 6)$

유형 06 미분가능성과 연속성

천재, 동아, 미래엔, 비상, 좋은책, 지학 유사

6-1 함수 $f(x)=\begin{cases} -x & (x\geq 0) \\ x & (x<0) \end{cases}$에 대하여 다음 물음에 답하시오.

(1) $f(x)$가 $x=0$에서 연속인지 불연속인지 조사하시오.

(2) $f(x)$가 $x=0$에서 미분가능한지 조사하시오.

6-2 함수 $f(x)=\begin{cases} x^2 & (x\geq 0) \\ -x^2 & (x<0) \end{cases}$에 대하여 다음 물음에 답하시오.

(1) $f(x)$가 $x=0$에서 연속인지 불연속인지 조사하시오.

(2) $f(x)$가 $x=0$에서 미분가능한지 조사하시오.

유형 **07** 도함수

7-1 함수 $f(x)=-x^2+2x$의 도함수를 구하시오.

(천재, 교학, 금성, 미래엔, 비상, 좋은책, 지학 유사)

7-2 다음 함수의 도함수를 구하시오.

(1) $f(x)=-2x+3$

(2) $f(x)=2x^2-4x$

유형 **08** 도함수와 미분계수

8-1 함수 $f(x)=2x^2+3$에 대하여 다음을 구하시오.

(1) 함수 $f(x)$의 도함수

(2) 함수 $f(x)$의 $x=1$에서의 미분계수

(천재, 교학, 금성, 미래엔, 비상, 좋은책, 지학 유사)

8-2 함수 $f(x)=3x^2+x$에 대하여 다음을 구하시오.

(1) 함수 $f(x)$의 도함수

(2) 함수 $f(x)$의 $x=2$에서의 미분계수

유형 **09** 다항함수의 도함수

9-1 다음 함수를 미분하시오.

(1) $y=-5x+3$

(2) $y=2x^3-x^2+6x+1$

(천재, 교학, 금성, 좋은책, 지학 유사)

9-2 다음 함수를 미분하시오.

(1) $y=x^2-6x$

(2) $y=x^4+x^2-3$

유형 10 곱의 미분법

10-1 다음 함수를 미분하시오.

(1) $y=(x^2-2)(3x+1)$

(2) $y=(2x+3)(x^2+x+1)$

(천재, 교학, 금성, 미래엔, 비상, 좋은책, 지학 유사)

10-2 다음 함수를 미분하시오.

(1) $y=(x+1)(2x-3)$

(2) $y=(x+1)^2$

(3) $y=(x-1)(x+1)(x+2)$

유형 11 미분법과 미분계수

11-1 함수 $f(x)=x^3-ax-1$에 대하여

$$\lim_{h \to 0} \frac{f(1+h)-f(1)}{h}=5$$

일 때, 상수 a의 값을 구하시오.

(천재, 교학, 금성, 동아, 좋은책, 지학 유사)

11-2 함수 $f(x)=2x^4-ax^2+1$에 대하여

$$f'(-1)=-6$$

일 때, 상수 a의 값을 구하시오.

유형 12 미분법과 미분계수

12-1 함수 $f(x)=(x+1)(x+2)(x-3)$에 대하여 $f'(3)$의 값을 구하시오.

(천재, 미래엔, 비상, 좋은책, 지학 유사)

12-2 함수 $f(x)=(x+1)(2x+2)(3x+3)$에 대하여 $f'(1)$의 값을 구하시오.

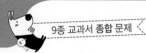
01 천재, 금성, 동아, 미래엔, 비상, 좋은책 유사 　　≫ 출제율 95%

함수 $y=2x^2-x+1$에서 x의 값이 1에서 3까지 변할 때의 평균변화율은?

① 3　　　　　② 4　　　　　③ 5

④ 6　　　　　⑤ 7

02 천재, 동아, 미래엔, 비상, 좋은책, 지학 유사 　　≫ 출제율 95%

함수 $f(x)=x^2-3x-5$에서 x의 값이 1에서 5까지 변할 때의 평균변화율과 $x=a$에서의 미분계수 $f'(a)$가 같을 때, 상수 a의 값은?

① $\dfrac{3}{2}$　　　　② 2　　　　③ $\dfrac{5}{2}$

④ 3　　　　　⑤ $\dfrac{7}{2}$

03 천재, 미래엔, 비상, 좋은책, 지학 유사 　　≫ 출제율 95%

함수 $f(x)$에서 $f'(3)=1$일 때,

$\displaystyle\lim_{h\to0}\dfrac{f(3+2h)-f(3)}{5h}$의 값을 구하시오.

04 천재, 미래엔, 비상, 좋은책, 지학 유사 　　≫ 출제율 95%

다음 중 $x=-2$에서 연속이지만 미분가능하지 않은 함수인 것만을 있는 대로 고르시오.

> ㄱ. $f(x)=x+1$　　　ㄴ. $f(x)=|x+2|$
>
> ㄷ. $f(x)=x^2+4$　　　ㄹ. $f(x)=|x^2-4|$

05 천재, 교학, 금성, 미래엔, 비상, 좋은책 유사 　　≫ 출제율 95%

다음 중 $x=0$에서 미분가능한 함수인 것만을 있는 대로 고른 것은?

> ㄱ. $f(x)=|x|$
>
> ㄴ. $f(x)=x|x|$
>
> ㄷ. $f(x)=\begin{cases} x^3 & (x<0) \\ -x^3 & (x\geq0) \end{cases}$

① ㄱ　　　　② ㄴ　　　　③ ㄷ

④ ㄱ, ㄴ　　　⑤ ㄴ, ㄷ

06 천재, 교학, 미래엔, 비상, 좋은책, 지학 유사 　　≫ 출제율 80%

함수 $f(x)=\begin{cases} 4x+a & (x<1) \\ bx^2+2x & (x\geq1) \end{cases}$가 $x=1$에서 미분가능할 때, $f(-1)$의 값은? (단, a, b는 상수)

① -5　　　② -4　　　③ -3

④ -2　　　⑤ -1

07 천재, 미래엔, 비상, 좋은책, 지학 유사 　　　≫ 출제율 68%

함수 $f(x) = \begin{cases} x^3 + ax^2 & (x \geq 1) \\ x + b & (x < 1) \end{cases}$ 가 모든 실수에서

미분가능할 때, 상수 a, b의 합 $a+b$의 값은?

① -2 　　　② -3 　　　③ -4

④ -5 　　　⑤ -6

08 천재, 교학, 금성, 동아, 미래엔, 비상 유사 　　≫ 출제율 68%

미분가능한 함수 $f(x)$에 대하여 곡선 $y=f(x)$ 위의 점 $(2, f(2))$에서의 접선의 기울기가 8일 때,

$\lim\limits_{x \to 2} \dfrac{f(x) - f(2)}{x^2 - 4}$의 값은?

① -2 　　　② -1 　　　③ 0

④ 1 　　　⑤ 2

09 천재, 동아, 미래엔, 비상, 좋은책, 지학 유사 　≫ 출제율 68%

다음 함수를 미분하시오.

(1) $y = \dfrac{1}{2}x^4 + 2x^3 - x + 5$

(2) $y = (x^3 - x)(2x + 3)$

10 천재, 금성, 비상, 좋은책, 지학 유사 　　≫ 출제율 95%

함수 $f(x) = (2x + 4)^2$에 대하여 $f'(0)$의 값은?

① 4 　　　② 8 　　　③ 12

④ 16 　　　⑤ 20

11 천재, 교학, 미래엔, 비상 유사 　　　≫ 출제율 68%

곡선 $y = (x-1)(x-2)(x-3)$ 위의 점 $(2, 0)$에서의 접선의 기울기는?

① -2 　　　② -1 　　　③ 0

④ 1 　　　⑤ 2

12 천재, 미래엔, 비상, 좋은책, 지학 유사 　　≫ 출제율 75%

함수 $f(x) = x^4 - 2x + 4$에 대하여

$\lim\limits_{h \to 0} \dfrac{f(1 + 2h) - f(1)}{h}$의 값은?

① 2 　　　② 4 　　　③ 6

④ 8 　　　⑤ 10

13 천재, 교학, 금성, 좋은책, 지학 유사 »»» 출제율 78%

곡선 $y=x^4-2x^2+5$ 위의 점 P에서의 접선이 x축과 평행할 때, 이를 만족시키는 점 P의 좌표를 모두 구하시오.

16 천재, 금성, 동아, 비상, 좋은책, 지학 유사 »»» 출제율 80%

함수 $f(x)=x^2+ax+b$에 대하여 $f(0)=2$, $f'(1)=1$일 때, $f(2)$의 값은? (단, a, b는 상수)

① 2　　　　② 4　　　　③ 6
④ 8　　　　⑤ 10

14 천재, 미래엔, 비상, 지학 유사 »»» 출제율 78%

다항함수 $f(x)$가 $f(1)=3$, $f'(1)=1$을 만족시킬 때, 함수 $g(x)=x^2f(x)$에 대하여 $\lim\limits_{h \to 0}\dfrac{g(1+h)-g(1)}{h}$의 값은?

① 1　　　　② 3　　　　③ 5
④ 7　　　　⑤ 9

17 천재, 미래엔, 비상, 좋은책, 지학 유사 »»» 출제율 65%

함수 $f(x)=x^3+ax^2+bx+1$에 대하여 $f'(-1)=2$, $f'(1)=6$일 때, 상수 a, b의 값을 구하시오.

15 천재, 교학, 금성, 미래엔, 비상 유사 »»» 출제율 85%

함수 $f(x)=x^4-x^3+ax+5$에 대하여 $f'(1)=2$일 때, 상수 a의 값은?

① -2　　　② -1　　　③ 0
④ 1　　　　⑤ 2

18 천재, 교학, 금성, 미래엔 유사 »»» 출제율 95%

다항식 $x^{100}+ax^2+b$가 $(x-1)^2$으로 나누어떨어질 때, 상수 a, b의 값을 구하시오.

19 천재, 교학, 금성, 미래엔 유사   >>> 출제율 95%

다항함수 $f(x)$가

$$\lim_{x \to 2} \frac{f(x)-6}{x-2} = 3$$

을 만족시킬 때, $f(2)+f'(2)$의 값은?

① 3   ② 6   ③ 9

④ 12   ⑤ 15

20 천재, 금성, 미래엔, 비상, 좋은책, 지학 유사   >>> 출제율 83%

함수 $f(x)=(x-1)(x^2+5)$에 대하여

$\displaystyle\lim_{x \to \infty} x\left\{f\left(3+\dfrac{1}{x}\right)-f(3)\right\}$의 값은?

① 22   ② 23   ③ 24

④ 25   ⑤ 26

21 천재, 금성, 미래엔, 비상, 좋은책, 지학 유사   >>> 출제율 70%

두 다항함수 $f(x)$, $g(x)$가 다음 조건을 모두 만족시킬 때, 곡선 $y=g(x)$ 위의 점 $(2, g(2))$에서의 접선의 기울기를 구하시오.

(가) $g(x)=xf(x)+5$

(나) $\displaystyle\lim_{x \to 2} \frac{f(x)+1}{x-2} = 3$

⬤ 과정을 평가하는 서술형입니다.

[22~24] 다음 문제의 풀이 과정을 자세히 쓰시오.

22 천재, 미래엔, 비상, 좋은책, 지학 유사   >>> 출제율 80%

다음 함수 $f(x)$가 $x=3$에서 미분가능할 때, 상수 a, b의 값을 구하고, 그 풀이 과정을 쓰시오.

$$f(x)=\begin{cases} ax^2+b & (x \geq 3) \\ x^2+x & (x < 3) \end{cases}$$

23 천재, 미래엔, 비상, 좋은책, 지학 유사   >>> 출제율 80%

$f(0)=1$, $f'(0)=-2$, $f'(1)=4$를 만족시키는 이차함수 $f(x)$를 구하고, 그 풀이 과정을 쓰시오.

24 천재, 동아, 비상, 좋은책, 지학 유사   >>> 출제율 75%

두 다항함수 $f(x)$, $g(x)$가

$$\lim_{x \to 1} \frac{f(x)-1}{x-1} = 2, \quad \lim_{x \to 1} \frac{g(x)-3}{x-1} = 1$$

을 만족시킬 때, 함수 $y=f(x)g(x)$의 $x=1$에서의 미분계수를 구하고, 그 풀이 과정을 쓰시오.

1

두 자동차 A, B가 같은 지점에서 동시에 출발하여 일직선 도로를 4분 동안 달렸다. 두 자동차 A, B가 출발한 후 x분 동안 달린 거리 y km를 나타낸 그래프가 다음과 같을 때, 물음에 답하시오.

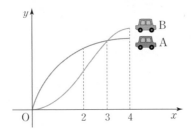

(1) 출발 후 2분 동안 달린 거리의 평균변화율이 더 큰 자동차를 말하시오.

(2) 출발 후 3분 동안 두 자동차 A, B의 평균속도의 대소를 판단하시오.

(3) 출발한 지 3분이 되는 순간의 순간속도가 더 큰 자동차를 말하시오.

2

다음은 어느 고속도로의 두 지점 A, B에 각각 설치된 단속 카메라에 찍힌 자동차 P, Q의 통과 시각이다. 두 지점 사이의 평균속도가 100 km/h를 초과할 때, 구간 단속 차량으로 차량을 단속하고 있다.

	자동차 P	자동차 Q
A 지점	7시 3분 12초	8시 3분 20초
B 지점	7시 10분 2초	8시 9분 10초

두 지점 A, B 사이의 길이가 10 km일 때, 다음 물음에 답하시오.

(1) 두 지점 A, B 사이에서 자동차 P의 평균속도를 구하시오.

(2) 두 지점 A, B 사이에서 자동차 Q의 평균속도를 구하시오.

(3) 두 자동차 중 주행 속도를 위반한 차량을 판단하시오.

3

전선에 흐르는 전류의 세기는 어떤 시각에서 전하량의 순간변화율을 뜻한다. 어느 전선에 전 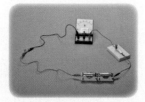 류가 흐르기 시작하여 t초 동안 흐르는 전하량은 $Q(t)$ C이라 할 때,

$$Q(t)=\frac{1}{3}t^3+t^2$$

이라 한다. 다음 물음에 답하시오. (단, 전류의 세기의 단위는 A(암페어)이고, 전하량의 단위는 C(쿨롱)이다.)

(1) 전류가 흐르기 시작하여 3초 동안 흐르는 전 하량을 구하시오.

(2) 시각 t에서의 전류의 세기 $Q'(t)$를 구하시오.

(3) $t=10$일 때, 이 전선에 흐르는 전류의 세기를 구하시오.

4

1000 L의 물이 들어 있는 물탱 크에서 밑바닥의 구멍으로 물을 모두 빼내려면 20분이 걸린다 고 한다. 물을 빼내기 시작한 지  x분 후에 물탱크 안에 남아 있 는 물의 부피를 $V(x)$ L라고 하면

$$V(x)=1000\left(1-\frac{x}{20}\right)$$

이다. 다음 물음에 답하시오. (단, $0\le x\le 20$)

(1) 1분 동안 물탱크에서 빼낸 물의 부피를 구하 시오.

(2) 5분 후부터 10분 후까지 5분 동안 빼낸 물의 부피의 평균변화율을 구하시오.

(3) 물을 빼내기 시작한 지 5분 후에 물탱크 안에 남아 있는 물의 부피의 순간변화율 $V'(5)$의 값을 구하시오.

 接선의 방정식

개념 01   곡선 위의 한 점에서의 접선의 방정식

함수 $f(x)$가 $x=a$에서 미분가능할 때, 곡선 $y=f(x)$ 위의 점 $(a, f(a))$에서의 접선의 기울기는 $x=a$에서의 미분계수 ⓐ[____]와 같으므로 접선의 방정식은 다음과 같다.
$$y-\boxed{②\ \ \ \ }=f'(a)(x-a)$$
참고 기울기가 m이고 점 (a, b)를 지나는 직선의 방정식은
$$y-b=m(x-a)$$

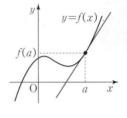

답 | ❶ $f'(a)$ ❷ $f(a)$

QUIZ

다음 빈칸에 알맞은 것을 써넣으시오.

함수 $f(x)$가 $x=a$에서 미분가능할 때, 곡선 $y=f(x)$ 위의 점 $(a, f(a))$에서의 접선의 방정식은
$$y-\boxed{①}=\boxed{②}(x-a)$$

정답 |

❶ $f(a)$ ❷ $f'(a)$

개념 02   기울기가 주어진 접선의 방정식

곡선 $y=f(x)$에 접하고 기울기가 m인 접선의 방정식은 다음 순서로 구한다.

(i) $m=f'(a)$를 만족시키는 $x=a$를 구한다.
(ii) 접점의 좌표 $(a, f(a))$를 구한다.
(iii) 접선의 방정식 $y=\boxed{①\ \ \ \ }(x-a)+f(a)$를 구한다.

예 곡선 $y=x^2-2x-3$에 접하고 기울기가 2인 직선의 방정식을 구해 보자.
$f(x)=x^2-2x-3$이라 하면 $f'(x)=2x-2$이므로
$f'(a)=\boxed{②\ \ \ \ }=2$에서 $a=2$
따라서 접점의 좌표가 $(2, -3)$이므로 구하는 접선의 방정식은
$$y-(-3)=2(x-2),\ \text{즉}\ y=2x-\boxed{③\ \ \ }$$

답 | ❶ m ❷ $2a-2$ ❸ 7

QUIZ

곡선 $y=x^2-x$에 접하고 기울기가 m인 접선의 접점의 x좌표를 구하시오.

❶ $m=-1$
❷ $m=3$

정답 |

❶ 0 ❷ 2

개념 03   곡선 밖의 한 점에서 그은 접선의 방정식

곡선 밖의 점 (a, b)에서 곡선 $y=f(x)$에 그은 접선의 방정식은 다음 순서로 구한다.

(i) 접점의 좌표를 $(t, f(t))$로 놓고, 기울기 $f'(t)$를 구한다.
(ii) 접선의 방정식 $y-f(t)=f'(t)(x-\boxed{①\ \ \ })$를 구한다.
(iii) 구한 접선이 주어진 점 (a, b)를 지날 때의 t의 값을 구한다.
(iv) t의 값을 $y-f(t)=f'(t)(x-t)$에 대입한다.

예 점 $(1, 0)$에서 곡선 $y=x^2$에 그은 접선의 방정식을 구해보자.
$f(x)=x^2$이라 하면 $f'(x)=2x$이고, 접점의 좌표를 (a, a^2)이라 하면 $f'(a)=\boxed{②\ \ \ }$이므로 접선의 방정식은
$$y-a^2=2a(x-a)\text{에서}\ y=2ax-a^2 \quad\cdots\cdots\ \text{㉠}$$
이 접선이 점 $(1, 0)$을 지나므로 $0=2a-a^2$ ∴ $a=0$ 또는 $a=2$
a의 값을 ㉠에 대입하면 구하는 접선의 방정식은
$$y=0\ \text{또는}\ y=\boxed{③\ \ \ }$$

답 | ❶ t ❷ $2a$ ❸ $4x-4$

QUIZ

다음은 점 $(2, 0)$에서 곡선 $y=-x^2$에 그은 접선의 방정식을 구하는 과정이다. 빈칸을 채우시오.

$f(x)=-x^2$이라 하면 $f'(x)=-2x$
접점의 좌표를 $(a, -a^2)$이라 하면
$f'(a)=-2a$이므로 접선의 방정식은
$$y-(-a^2)=\boxed{①}(x-a)$$
$$\therefore y=-2ax+\boxed{②}\quad\cdots\cdots\ \text{㉠}$$
이 접선이 점 $(2, 0)$을 지나므로
$$0=-4a+a^2,\ \text{즉}\ a=0\ \text{또는}\ a=4$$
a의 값을 ㉠에 대입하면
$$y=0\ \text{또는}\ y=-8x+\boxed{③}$$

정답 |

❶ $-2a$ ❷ a^2 ❸ 16

함수 $f(x)$가 닫힌구간 $[a, b]$에서 연속이고 열린구간 (a, b)에서 미분가능할 때, $f(a)=f(\boxed{①})$이면 곡선 $y=f(x)$ 위의 두 점 A$(a, f(a))$, B$(b, f(b))$를 지나는 직선의 기울기는

$$\frac{f(b)-f(a)}{b-a}=\boxed{②}$$

이다. 이때 오른쪽 그림과 같이 열린구간 (a, b)에 곡선 $y=f(x)$와 접하고 기울기가 0, 즉 x축에 평행한 직선이 존재함을 알 수 있다. 즉

$$f'(c)=0$$

인 c가 열린구간 (a, b)에 적어도 하나 존재한다. 이를 롤의 정리라고 한다.

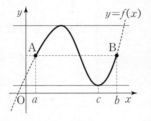

예 함수 $f(x)=x^2$에 대하여 닫힌구간 $[-2, 2]$에서 롤의 정리를 만족시키는 c의 값을 구해보자.

함수 $f(x)=x^2$은 닫힌구간 $[-2, 2]$에서 연속이고 열린구간 $(-2, 2)$에서 미분가능하다. 또 $f(-2)=f(2)=\boxed{③}$이므로 롤의 정리에 의하여 $f'(c)=0$인 c가 열린구간 $(-2, 2)$에 존재한다.

$f'(x)=2x$이므로 $f'(c)=2c=0$ $\therefore c=0$

답 | ❶ b ❷ 0 ❸ 4

곡선 $y=f(x)$ 위의 두 점 A$(a, f(a))$, B$(b, f(b))$를 지나는 직선의 기울기는

$$\frac{f(b)-f(a)}{b-a}$$

이다. 이때 함수 $f(x)$가 닫힌구간 $[a, b]$에서 연속이고 열린구간 (a, b)에서 미분가능하면 오른쪽 그림과 같이 열린구간 (a, b)에 곡선 $y=f(x)$와 접하고 기울기가 $\dfrac{f(b)-f(a)}{b-a}$인 직선이 존재함을 알 수 있다. 즉

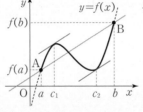

$$\frac{f(b)-f(a)}{b-a}=f'(c)$$

인 c가 열린구간 (a, b)에 적어도 $\boxed{①}$ 존재한다. 이것을 평균값 정리라 한다.

예 함수 $f(x)=x^2$에 대하여 닫힌구간 $[0, 2]$에서 평균값 정리를 만족시키는 c의 값을 구해보자.

함수 $f(x)=x^2$은 닫힌구간 $[0, 2]$에서 연속이고 열린구간 $(0, 2)$에서 미분가능하므로 평균값 정리에 의하여

$$\frac{f(2)-f(0)}{2-0}=\boxed{②}=f'(c)\ (0<c<2)$$

$f'(x)=\boxed{③}$이므로

$$f'(c)=2c=2 \quad \therefore c=1$$

답 | ❶ 하나 ❷ 2 ❸ $2x$

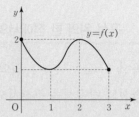
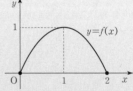

개념 **01**   곡선 위의 한 점에서의 접선의 방정식

1-1 곡선 $y=x^2-x+1$ 위의 점 $(1, 1)$에서의 접선의 방정식을 구하시오.

1-2 다음 곡선 위의 주어진 점에서의 접선의 방정식을 구하시오.

(1) $y=2x^2-x+1$ $(0, 1)$

(2) $y=x^3-2x$ $(2, 4)$

개념 **02**   기울기가 주어진 접선의 방정식

2-1 곡선 $y=x^2-x-2$에 접하고 기울기가 1인 직선의 방정식을 구하시오.

2-2 곡선 $y=x^2-2x$에 접하고 기울기가 2인 직선의 방정식을 구하시오.

개념 **03**   기울기가 주어진 접선의 방정식

3-1 직선 $y=2x+3$과 평행하고, 곡선 $y=3x^2-4x-2$에 접하는 직선의 방정식을 구하시오.

3-2 직선 $y=-x+6$과 평행하고, 곡선 $y=x^2-x+3$에 접하는 직선의 방정식을 구하시오.

개념 04   곡선 밖의 한 점에서 그은 접선의 방정식

4-1 점 $(1,\ -1)$에서 곡선 $y=x^2+2$에 그은 접선의 방정식을 구하시오.

4-2 점 $(2,\ 0)$에서 곡선 $y=x^2-2x+4$에 그은 접선의 방정식을 구하시오.

개념 05   롤의 정리

5-1 함수 $f(x)=-x^2+x$에 대하여 닫힌구간 $[0,\ 1]$에서 롤의 정리를 만족시키는 c의 값을 구하시오.

5-2 다음 함수에 대하여 주어진 닫힌구간에서 롤의 정리를 만족시키는 c의 값을 구하시오.
(1) $f(x)=-x^2+2x$ $[0,\ 2]$
(2) $f(x)=x^3-3x$ $[0,\ \sqrt{3}]$

개념 06   평균값 정리

6-1 함수 $f(x)=-x^2+2x-1$에 대하여 닫힌구간 $[0,\ 4]$에서 평균값 정리를 만족시키는 c의 값을 구하시오.

6-2 다음 함수에 대하여 주어진 닫힌구간에서 평균값 정리를 만족시키는 c의 값을 구하시오.
(1) $f(x)=x^2-2x$ $[1,\ 3]$
(2) $f(x)=x^3+2x$ $[0,\ 1]$

STEP 2 기출 기초 테스트

 9종 교과서 **중요** 문제

유형 **01** 곡선 위의 한 점에서의 접선의 방정식

(천재, 교학, 금성, 동아, 미래엔, 비상, 지학 유사)

1-1 다음 곡선 위의 주어진 점에서의 접선의 방정식을 구하시오.

(1) $y = x^2 - 3x$ $(2, -2)$

(2) $y = x^3 - 2x + 1$ $(1, 0)$

1-2 다음 곡선 위의 주어진 점에서의 접선의 방정식을 구하시오.

(1) $y = 2x^2 + 3x$ $(-1, -1)$

(2) $y = 2x^3 - x + 1$ $(1, 2)$

유형 **02** 곡선 위의 한 점에서의 접선의 방정식

(천재, 교학, 금성, 동아, 비상, 좋은책, 지학 유사)

2-1 곡선 $y = x^2 - x$ 위의 점 $(-1, a)$에서의 접선의 방정식을 구하시오.

2-2 곡선 $y = 2x^3 + ax + 2$ 위의 점 $(1, 3)$에서의 접선의 방정식을 구하시오.

(단, a는 상수)

유형 **03** 곡선 위의 한 점에서의 접선의 방정식

(천재, 교학, 미래엔, 비상, 좋은책, 지학 유사)

3-1 곡선 $y = x^3 - x$ 위의 두 점 $(1, 0)$, (a, b)에서의 접선이 서로 평행할 때, $a + b$의 값을 구하시오.

3-2 곡선 $y = 2x^3 - x$ 위의 두 점 $(1, 1)$, (a, b)에서의 접선이 서로 평행할 때, $a + b$의 값을 구하시오.

유형 **04**   기울기가 주어진 접선의 방정식

4-1 곡선 $y=x^2-x$에 접하고 기울기가 3인 직선의 방정식을 구하시오.

〔 천재, 금성, 동아, 미래엔, 비상, 좋은책, 지학 유사 〕

4-2 곡선 $y=2x^2-3x-2$에 접하고 기울기가 -1인 직선의 방정식을 구하시오.

유형 **05**   기울기가 주어진 접선의 방정식

5-1 곡선 $y=x^3-2x-1$ 위의 점 A에서의 접선이 직선 $y=x-3$과 평행할 때, 점 A의 좌표를 모두 구하시오.

〔 천재, 교학, 금성, 동아, 미래엔, 비상, 좋은책 유사 〕

5-2 곡선 $y=x^3+2x-3$ 위의 점 A에서의 접선이 직선 $y=5x-1$과 평행할 때, 점 A의 좌표를 모두 구하시오.

유형 **06**   기울기가 주어진 접선의 방정식

6-1 곡선 $y=-x^2-2x+1$에 접하고 직선 $y=-\dfrac{1}{2}x+1$에 수직인 직선의 방정식을 구하시오.

〔 천재, 동아, 미래엔, 비상, 좋은책, 지학 유사 〕

6-2 곡선 $y=x^2-x+5$에 접하고 직선 $y=-\dfrac{1}{3}x+1$에 수직인 직선의 방정식을 구하시오.

유형 **07**　곡선 밖의 한 점에서 그은 접선의 방정식

(천재, 교학, 금성, 미래엔, 비상, 좋은책, 지학 유사)

7-1 점 $(0, 1)$에서 곡선 $y=x^2+3$에 그은 접선의 방정식을 구하시오.

7-2 점 $(1, -1)$에서 곡선 $y=x^2-1$에 그은 접선의 방정식을 구하시오.

유형 **08**　곡선 밖의 한 점에서 그은 접선의 방정식

(천재, 교학, 금성, 미래엔, 비상, 좋은책, 지학 유사)

8-1 점 $(1, -2)$에서 곡선 $y=x^2+1$에 그은 두 접선의 기울기의 곱을 구하시오.

8-2 점 $(-2, 0)$에서 곡선 $y=x^2+x$에 그은 두 접선의 기울기의 곱을 구하시오.

유형 **09**　롤의 정리

(천재, 교학, 금성, 좋은책, 지학 유사)

9-1 함수 $f(x)=2x^2-4x$에 대하여 닫힌구간 $[0, 2]$에서 롤의 정리를 만족시키는 c의 값을 구하시오.

9-2 함수 $f(x)=-x^3+4x$에 대하여 닫힌구간 $[-2, 2]$에서 롤의 정리를 만족시키는 c의 값을 모두 구하시오.

유형 **10**　롤의 정리

(천재, 교학, 금성, 미래엔, 비상, 좋은책, 지학 유사)

10-1 함수 $f(x)=x^2(x-a)$에 대하여 닫힌구간 $[0, a]$에서 롤의 정리를 만족시키는 상수가 $\dfrac{1}{2}$일 때, 양수 a의 값을 구하시오.

10-2 함수 $f(x)=x(x^2-a^2)$에 대하여 닫힌구간 $[a, 0]$에서 롤의 정리를 만족시키는 상수가 -1일 때, 음수 a의 값을 구하시오.

유형 **11**　평균값 정리

(천재, 교학, 금성, 동아, 좋은책, 지학 유사)

11-1 다음 함수에 대하여 주어진 닫힌구간에서 평균값 정리를 만족시키는 c의 값을 모두 구하시오.

(1) $f(x)=x^2-3x+2$　$[1, 2]$

(2) $f(x)=-x^3+3x$　$[-1, 1]$

11-2 다음 함수에 대하여 주어진 닫힌구간에서 평균값 정리를 만족시키는 c의 값을 모두 구하시오.

(1) $f(x)=x^2-x+3$　$[0, 4]$

(2) $f(x)=-2x^3+6x+1$　$[-1, 1]$

유형 **12**　평균값 정리

(천재, 미래엔, 비상, 좋은책, 지학 유사)

12-1 함수 $f(x)=x^2-1$에 대하여 닫힌구간 $[-1, a]$에서 평균값 정리를 만족시키는 상수가 1일 때, 실수 a의 값을 구하시오.

12-2 함수 $f(x)=-x^2+2x+3$에 대하여 닫힌구간 $[-2, a]$에서 평균값 정리를 만족시키는 상수가 0일 때, 실수 a의 값을 구하시오.

01 천재, 금성, 동아, 미래엔, 비상, 좋은책 유사 >>> 출제율 95%

곡선 $y=x^3+2x-1$ 위의 점 $(1, 2)$에서의 접선의 방정식은?

① $y=3x-1$ ② $y=-2x+4$

③ $y=2x$ ④ $y=4x-2$

⑤ $y=5x-3$

02 천재, 동아, 미래엔, 비상, 좋은책, 지학 유사 >>> 출제율 95%

곡선 $y=x^2-3x+6$ 위의 점 P에서의 접선의 기울기가 1일 때, 점 P의 좌표는?

① $(3, 6)$ ② $(2, 4)$

③ $(1, 4)$ ④ $(-1, 10)$

⑤ $(0, 6)$

03 천재, 미래엔, 비상, 좋은책, 지학 유사 >>> 출제율 95%

곡선 $y=x^3+ax+b$ 위의 점 $(-1, 2)$에서의 접선의 기울기가 4일 때, 상수 a, b의 값을 구하시오.

04 천재, 미래엔, 비상, 좋은책, 지학 유사 >>> 출제율 95%

곡선 $y=x^3-3x^2+x-2$ 위의 점 $(1, -3)$을 지나고, 이 점에서의 접선에 수직인 직선의 방정식을 구하시오.

05 천재, 교학, 금성, 미래엔, 비상, 좋은책 유사 >>> 출제율 95%

곡선 $y=x^3+ax+b$ 위의 점 $(1, 1)$에서의 접선이 원점을 지날 때, 상수 a, b의 값을 구하시오.

06 천재, 교학, 미래엔, 비상, 좋은책, 지학 유사 >>> 출제율 80%

곡선 $y=x^3-4x^2+1$ 위의 점 $A(1, -2)$에서의 접선이 곡선과 만나는 두 점 중 A가 아닌 점을 B라 할 때, 점 B의 x좌표를 구하시오.

07 천재, 미래엔, 비상, 좋은책, 지학 유사 　　　>>> 출제율 68%

직선 $y=-x$와 평행하고 곡선 $y=-3x^2+5x+1$에 접하는 직선의 방정식을 구하시오.

10 천재, 금성, 비상, 좋은책, 지학 유사 　　　>>> 출제율 95%

곡선 $y=-x^2+2x+2$ 위의 점 $(0, 2)$에서의 접선이 x축, y축과 만나는 점을 각각 A, B라 할 때, $\overline{AB}$의 길이는?

① $\sqrt{3}$　　　　② 2　　　　③ $\sqrt{5}$

④ $\sqrt{6}$　　　　⑤ $\sqrt{7}$

08 천재, 교학, 금성, 동아, 미래엔, 비상 유사 　　　>>> 출제율 68%

직선 $y=3x+a$가 곡선 $y=x^2-x+3$에 접할 때, 상수 a의 값을 구하시오.

11 천재, 교학, 미래엔, 비상 유사 　　　>>> 출제율 68%

곡선 $y=-x^3+2x+3$ 위의 두 점 A$(-1, 2)$, B(a, b)에서의 접선이 서로 평행할 때, a, b의 값을 구하시오.

12 천재, 미래엔, 비상, 좋은책, 지학 유사 　　　>>> 출제율 75%

곡선 $y=2x^3-x^2+1$ 위의 점 $(1, 2)$를 지나고 이 점에서의 접선에 수직인 직선이 x축, y축과 만나는 점을 각각 A, B라 할 때, 삼각형 OAB의 넓이를 구하시오. (단, O는 원점이다.)

09 천재, 동아, 미래엔, 비상, 좋은책, 지학 유사 　　　>>> 출제율 68%

곡선 $y=2x^3+x+5$에 접하고 직선 $x+7y=0$에 수직인 직선의 방정식을 구하시오.

13 천재, 교학, 금성, 좋은책, 지학 유사 　　　≫≫ 출제율 78%

곡선 $y=x^3-x+2$에 대하여 직선 $y=2x-1$과 평행한 두 접선 사이의 거리는?

① $\dfrac{\sqrt{5}}{5}$ 　　　② $\dfrac{2\sqrt{5}}{5}$ 　　　③ $\dfrac{3\sqrt{5}}{5}$

④ $\dfrac{4\sqrt{5}}{5}$ 　　　⑤ $\sqrt{5}$

14 천재, 미래엔, 비상, 지학 유사 　　　≫≫ 출제율 78%

다음은 곡선 $y=x^3-3x$ 위의 점 $(1,\,-2)$에서의 접선이 이 곡선과 만나는 점의 좌표를 구하는 과정이다. (개)~(래)에 알맞은 것을 써넣으시오.

> $f(x)=x^3-3x$로 놓으면 $f'(x)=3x^2-3$
>
> $f'(1)=$ [(가)] 이므로 접선의 방정식은
>
> 　　$y=$ [(나)]
>
> 이다. 이 접선이 주어진 곡선과 만나는 점의 x좌표는 방정식
>
> 　　$x^3-3x=$ [(나)] 　　…… ㉠
>
> 의 실근과 같다.
>
> 이때 방정식 ㉠을 풀면
>
> 　　$x=1$ 또는 $x=$ [(다)]
>
> 이므로 접선이 곡선과 만나는 점의 좌표는
>
> $(1,\,-2)$, $($ [(다)] , [(라)] $)$이다.

15 천재, 금성, 동아, 비상, 좋은책, 지학 유사 　　　≫≫ 출제율 80%

직선 $y=x-2$를 x축의 방향으로 m만큼 평행이동하면 곡선 $y=x^3+6x^2+10x+4$에 접한다. 이때 모든 m의 값의 합은?

① -7 　　　② -8 　　　③ -9

④ -10 　　　⑤ -11

16 천재, 미래엔, 비상, 좋은책, 지학 유사 　　　≫≫ 출제율 65%

두 곡선 $y=f(x)$, $y=g(x)$가 점 $\mathrm{P}(1,\,1)$에서 만나고 점 P에서의 접선의 기울기가 각각 1, -2이다. $h(x)=f(x)g(x)$라 할 때, 곡선 $y=h(x)$ 위의 점 P에서의 접선의 방정식을 구하시오.

17 천재, 교학, 금성, 미래엔 유사 　　　≫≫ 출제율 95%

함수 $f(x)=x^2-x-5$에 대하여 다음을 구하시오.

(1) 닫힌구간 $[-1,\,2]$에서 롤의 정리를 만족시키는 실수 c의 값

(2) 닫힌구간 $[1,\,2]$에서 평균값 정리를 만족시키는 실수 c의 값

18 천재, 교학, 금성, 미래엔 유사　　≫≫ 출제율 95%

함수 $f(x)=x^3-3x+1$에 대하여 닫힌구간 $[-2, 2]$에서 평균값 정리를 만족시키는 두 점의 x좌표를 α, β라 할 때, $\alpha\beta$의 값을 구하시오.

19 천재, 금성, 미래엔, 비상, 좋은책, 지학 유사　　≫≫ 출제율 83%

함수 $f(x)$가 닫힌구간 $[a, b]$에서 연속이고 열린 구간 (a, b)에서 미분가능할 때, 다음은 열린구간 (a, b)의 모든 x에서 $f'(x)=0$이면 함수 $f(x)$는 닫힌구간 $[a, b]$에서 상수함수임을 보인 것이다. ㈎~㈐에 알맞은 것을 써넣으시오.

$a<x\leq b$인 임의의 x에 대하여 함수 $f(x)$는 닫힌구간 $[a, x]$에서 연속이고 열린구간 (a, x)에서 　㈎　하므로 평균값 정리에 의하여

$$\frac{f(x)-f(a)}{x-a}=f'(c)$$

인 c가 열린구간 　㈏　에 적어도 하나 존재한다. 열린구간 (a, b)의 모든 x에서 $f'(x)=0$이므로 $f'(c)=$　㈐　이 되어

$$f(x)-f(a)=0,\ 즉\ f(x)=f(a)$$

따라서 함수 $f(x)$는 닫힌구간 $[a, b]$에서 상수함수이다.

과정을 평가하는 서술형입니다.

[20~22] 다음 문제의 풀이 과정을 자세히 쓰시오.

20 천재, 미래엔, 비상, 좋은책, 지학 유사　　≫≫ 출제율 80%

곡선 $y=x^3+x+5$에 대하여 다음 접선의 방정식을 구하고, 그 풀이 과정을 쓰시오.

⑴ 곡선 위의 점 $(-1, 3)$에서의 접선

⑵ 직선 $y=x-3$에 평행한 접선

21 천재, 미래엔, 비상, 좋은책, 지학 유사　　≫≫ 출제율 80%

곡선 $y=x^3$ 위의 점 $P(1, 1)$에서의 접선이 x축, y축과 만나는 점을 각각 Q, R라 하자. $\overline{QR}=n\overline{PQ}$일 때, 자연수 n의 값을 구하고, 그 풀이 과정을 쓰시오.

22 천재, 동아, 비상, 좋은책, 지학 유사　　≫≫ 출제율 75%

오른쪽 그림과 같이 곡선 $y=-x^2+x+2$ 위의 두 점 $A(0, 2)$, $B(2, 0)$을 지나는 직선 l과 평행하고 곡선 $y=-x^2+x+2$에 접하는 직선의 방정식을 구하고, 그 풀이 과정을 쓰시오.

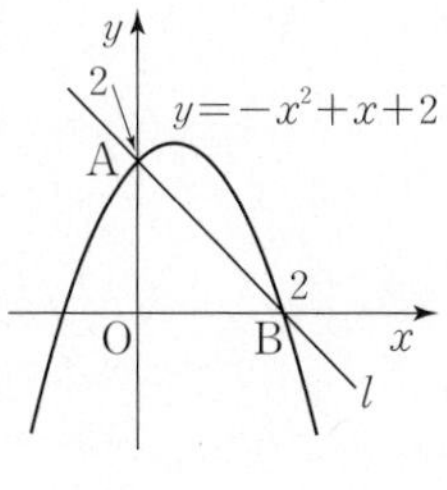

창의력·융합형·서술형·코딩

1

오른쪽 그림은 포물선 모양의 해안선으로 이루어진 지도를 좌표평면 위에 옮겨 놓은 것이다. 해안선은 곡선 $y=x^2$에 대응되고 바다에 있는

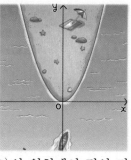

화물선은 현재 점 $(0, -4)$의 위치에서 접선 경로를 따라 해안의 선착장으로 이동하고 있다. 다음 물음에 답하시오.

(단, 선착장은 제1사분면에 있다.)

(1) 선착장의 위치의 좌표를 구하시오.

(2) 화물선이 선착장에 도착하기까지 이동하는 경로의 길이를 구하시오.

2

오른쪽 그림은 에어쇼를 하는 두 비행기 A, B의 경로를 좌표평면 위에 나타낸 것이다. 비행기 A의 경로는 곡선 $y=x^2+ax$의 일부이고 비행기 B의 경로는 직선

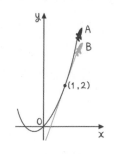

이 된다고 한다. 비행기 A의 경로를 나타내는 곡선이 점 $(1, 2)$에서 비행기 B의 경로를 나타내는 직선과 접할 때, 다음 물음에 답하시오.

(1) 상수 a의 값을 구하시오.

(2) 비행기 B의 경로를 나타내는 직선의 방정식을 구하시오.

3

다음 그림은 두 전봇대와 그 사이에 연결된 전깃줄을 나타낸 것이다. 전봇대의 높이는 둘 다 10 m 이고 두 전봇대 사이의 거리는 50 m이다. 전깃줄이 그리는 자취는 이차함수의 그래프를 나타낸다고 할 때, 다음 물음에 답하시오. (단, 전깃줄의 가장 낮은 위치는 지면과 8 m 떨어져 있다.)

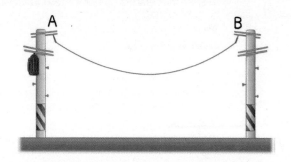

(1) 두 전봇대의 전깃줄을 좌표평면 위에 나타내고, 두 전봇대에 전깃줄이 연결된 두 지점 A, B 사이의 평균변화율을 구하시오.

(2) 두 지점 A, B 사이에서 평균값 정리를 만족시키는 지점을 (1)에서 나타낸 좌표평면 위의 좌표로 나타내시오.

4

다음 그림은 직선 도로와 해안 도로를 좌표평면 위에 나타낸 것이다. 직선 도로가 두 지점 A, B를 지날 때, 다음 물음에 답하시오.
(단, 해안 도로는 곡선 $y=x^2+2$의 일부분이다.)

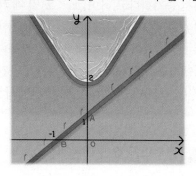

(1) 직선 도로를 나타내는 직선의 기울기를 구하시오.

(2) 해안 도로를 달리고 있는 자동차가 직선 도로와 평행하게 달린 순간이 있었는지 판단하고, 그 이유를 설명하시오.

05 함수의 극대·극소와 최대·최소

개념 01 함수의 증가, 감소

(1) 함수 $f(x)$가 어떤 구간에 속하는 임의의 두 실수 x_1, x_2에 대하여 $x_1 < x_2$일 때 $f(x_1) < f(x_2)$이면 $f(x)$는 이 구간에서 증가한다고 하며, $x_1 < x_2$일 때 $f(x_1)$ ⓐ $f(x_2)$이면 $f(x)$는 이 구간에서 감소한다고 한다.

(2) 함수 $f(x)$가 어떤 구간에서 미분가능하고 이 구간의 모든 x에서 $f'(x) > 0$이면 $f(x)$는 이 구간에서 ② 하고, $f'(x) < 0$이면 $f(x)$는 이 구간에서 감소한다.

답 | ❶ > ❷ 증가

QUIZ

함수 $f(x)$의 그래프가 오른쪽 그림과 같을 때, 물음에 답하시오.

(1) 함수 $f(x)$는 열린구간 $(0, 2)$에서 ❶ (증가, 감소)한다.
(2) 함수 $f(x)$는 열린구간 $(2, 4)$에서 ❷ (증가, 감소)한다.

정답 |
❶ 증가 ❷ 감소

개념 02 함수의 극값과 미분계수

(1) 함수 $f(x)$가 실수 a를 포함하는 어떤 열린구간에 속하는 모든 x에서 $f(x) \le f(a)$이면 함수 $f(x)$는 $x = a$에서 극대라 하고, $f(a)$를 극댓값이라 한다. 또 함수 $f(x)$가 실수 a를 포함하는 어떤 열린구간에 속하는 모든 x에서 $f(x) \ge f(a)$이면 함수 $f(x)$는 $x = a$에서 극소라 하고, ❶ 를 극솟값이라 한다. 이때 극댓값과 극솟값을 통틀어 극값이라 한다.

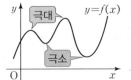

(2) 함수 $f(x)$가 $x = a$에서 미분가능하고 $x = a$에서 극값을 가지면 $f'(a) =$ ❷ 이다.

참고 일반적으로 위의 역은 성립하지 않는다.
예 함수 $f(x) = x^3$에서 $f'(x) =$ ❸ 이므로 $f'(0) = 0$이지만 $x = 0$에서 극값을 갖지 않는다.

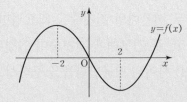

답 | ❶ $f(a)$ ❷ 0 ❸ $3x^2$

QUIZ

함수 $f(x)$의 그래프가 다음 그림과 같을 때, 물음에 답하시오.

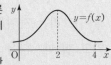

(1) 함수 $f(x)$는 $x =$ ❶ 에서 극댓값을 갖는다.
(2) 함수 $f(x)$는 $x = 2$에서 ❷ (극솟값, 극댓값)을 갖는다.

정답 |
❶ −2 ❷ 극솟값

개념 03 함수의 극값의 판정

함수 $f(x)$가 미분가능하고 $f'(a) = 0$일 때, $x = a$의 좌우에서 $f'(x)$의 부호가 양에서 음으로 바뀌면 $f(x)$는 $x = a$에서 ❶ 이고 극댓값 $f(a)$를 가지고, $x = a$의 좌우에서 $f'(x)$의 부호가 ❷ 에서 양으로 바뀌면 $f(x)$는 $x = a$에서 극소이고 극솟값 $f(a)$를 갖는다.

(i) 극대가 되는 경우

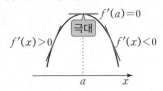

(ii) 극소가 되는 경우

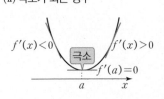

답 | ❶ 극대 ❷ 음

QUIZ

함수 $f(x)$의 도함수가 $f'(x) = x(x-2)$일 때, 다음 물음에 답하시오.

(1) 함수 $f(x)$는 $x =$ ❶ 에서 극댓값을 갖는다.
(2) 함수 $f(x)$는 $x = 2$에서 ❷ (극솟값, 극댓값)을 갖는다.

정답 |
❶ 0 ❷ 극솟값

미분가능한 함수 $y=f(x)$의 그래프는 다음 순서를 따르면 그 개형을 그릴 수 있다.

① 도함수 $f'(x)$를 구한다.

② $f'(x)=0$인 x의 값을 구한다.

③ 함수 $f(x)$의 증가와 감소를 표로 나타내고, 극값을 구한다.

④ 함수 $y=f(x)$의 그래프와 x축 또는 y축의 교점의 좌표를 구한다.

⑤ 함수 $y=f(x)$의 그래프의 개형을 그린다.

예 함수 $f(x)=2x^3-9x^2+12x-3$의 그래프의 개형을 그려보자.

  ① $f'(x)$를 구하면 $f'(x)=6x^2-18x+12=6(x-1)(x-2)$

  ② $f'(x)=0$에서 $x=1$ 또는 $x=2$

  ③ 함수 $f(x)$의 증가와 감소를 표로 나타내면 다음과 같다.

x	$\cdots$	1	$\cdots$	❶	$\cdots$
$f'(x)$	+	0	−	0	+
$f(x)$	↗	2 (극대)	↘	1 (극소)	↗

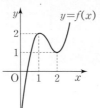

  ④ 함수 $y=f(x)$의 그래프와 y축의 교점의 좌표는 $(0,$ ❷ $)$

  ⑤ 따라서 주어진 함수의 그래프의 개형은 오른쪽 그림과 같다.

답 | ❶ 2   ❷ −3

함수 $f(x)$가 닫힌구간 $[a, b]$에서 연속이면 최대·최소 정리에 의하여 함수 $f(x)$는 이 닫힌구간에서 반드시 최댓값과 최솟값을 갖는다. 이때 함수 $f(x)$가 이 닫힌구간에서 극값을 가지면

$$f(x)\text{의 극값,}\ ❶\ \boxed{},\ f(b)$$

중에서 가장 큰 값이 $f(x)$의 최댓값이고, 가장 작은 값이 $f(x)$의 ❷ $\boxed{}$ 이다.

참고 함수 $f(x)$가 닫힌구간 $[a, b]$에서 연속일 때, 극값을 갖지 않으면 $f(x)$는 $f(a)$와 $f(b)$ 중에서 최댓값과 최솟값을 갖는다.

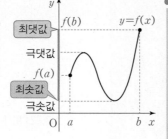

답 | ❶ $f(a)$ ❷ 최솟값

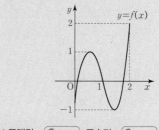

개념 01 함수의 증가, 감소

1-1 함수 $f(x)$의 그래프가 다음 그림과 같을 때, 함수 $f(x)$가 증가하는 구간과 감소하는 구간을 구하시오.

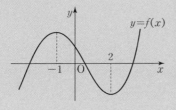

1-2 함수 $f(x)$의 그래프가 다음 그림과 같을 때, 함수 $f(x)$가 증가하는 구간과 감소하는 구간을 구하시오.

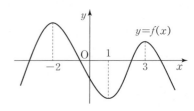

개념 02 함수의 증가, 감소

2-1 함수 $f(x)=x^3-12x+5$의 증가, 감소를 조사하시오.

2-2 함수 $f(x)=x^3-3x+1$의 증가, 감소를 조사하시오.

개념 03 극값과 미분계수

3-1 닫힌구간 $[-3, 3]$에서 함수 $y=f(x)$의 그래프가 아래 그림과 같을 때, 다음을 구하시오.

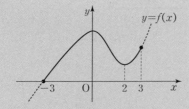

(1) 극대가 되는 x의 값
(2) 극소가 되는 x의 값

3-2 닫힌구간 $[-2, 6]$에서 함수 $y=f(x)$의 그래프가 아래 그림과 같을 때, 다음을 구하시오.

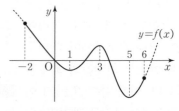

(1) 극대가 되는 x의 값
(2) 극소가 되는 x의 값

개념 04 함수의 극대, 극소

4-1 함수 $f(x)=\dfrac{1}{3}x^3-x^2-3x+2$의 극값을 구하시오.

4-2 함수 $f(x)=2x^3-3x^2-12x+1$의 극댓값과 극솟값을 구하시오.

개념 05 함수의 그래프

5-1 함수 $f(x)=x^3-3x^2+2$의 그래프의 개형을 그리시오.

5-2 함수 $f(x)=-x^3+3x^2+9x+2$의 그래프의 개형을 그리시오.

개념 06 함수의 최대, 최소

6-1 닫힌구간 $[-1, 4]$에서 함수 $f(x)=-x^3+3x^2+2$의 최댓값과 최솟값을 구하시오.

6-2 닫힌구간 $[-2, 3]$에서 함수 $f(x)=x^3-3x+2$의 최댓값과 최솟값을 구하시오.

9종 교과서 중요 문제

유형 01 함수의 증가, 감소

천재, 교학, 금성, 동아, 미래엔, 비상, 좋은책, 지학 유사

1-1 함수 $f(x)$의 그래프가 아래 그림과 같을 때, 다음 중 함수 $f(x)$가 증가하는 구간을 있는 대로 고르시오.

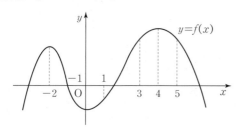

ㄱ. $(-2, 0)$ ㄴ. $(-1, 1)$

ㄷ. $(0, 3)$ ㄹ. $(5, \infty)$

1-2 함수 $f(x)$의 그래프가 아래 그림과 같을 때, 다음 중 함수 $f(x)$가 증가하는 구간을 있는 대로 고르시오.

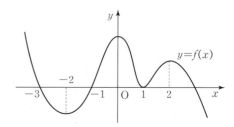

ㄱ. $(-\infty, -2)$ ㄴ. $(-2, -1)$

ㄷ. $(-1, 1)$ ㄹ. $(1, 2)$

유형 02 함수의 증가, 감소

천재, 교학, 동아, 미래엔, 비상, 좋은책, 지학 유사

2-1 이차함수 $f(x)$의 도함수 $y=f'(x)$의 그래프가 다음 그림과 같을 때, 함수 $f(x)$가 증가하는 구간과 감소하는 구간을 구하시오.

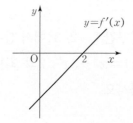

2-2 삼차함수 $f(x)$의 도함수 $y=f'(x)$의 그래프가 다음 그림과 같을 때, 함수 $f(x)$가 증가하는 구간과 감소하는 구간을 구하시오.

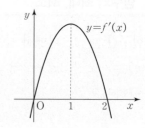

유형 **03**   함수의 증가, 감소

3-1 함수 $f(x)=x^3-3x+2$의 증가, 감소를
조사하시오.

(천재, 교학, 금성, 동아, 미래엔, 비상, 좋은책, 지학 유사)

3-2 함수 $f(x)=x^3-3x^2+3x+1$의 증가, 감
소를 조사하시오.

유형 **04**   함수의 극대, 극소

4-1 삼차함수 $f(x)$의 그래프가 다음 그림과 같
을 때, 극댓값과 극솟값을 구하시오.

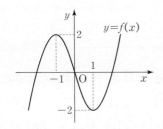

(천재, 금성, 동아, 좋은책, 지학 유사)

4-2 삼차함수 $f(x)$의 그래프가 다음 그림과 같
을 때, 극댓값과 극솟값을 구하시오.

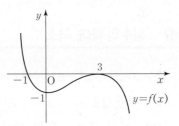

유형 **05**   함수의 극대, 극소

5-1 삼차함수 $f(x)$의 도함수 $y=f'(x)$의 그래
프가 다음 그림과 같을 때, 극댓값과 극솟값
을 갖는 x의 값을 구하시오.

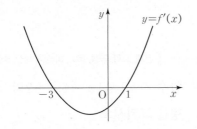

(천재, 교학, 금성, 동아, 미래엔, 비상, 좋은책, 지학 유사)

5-2 삼차함수 $f(x)$의 도함수 $y=f'(x)$의 그래
프가 다음 그림과 같을 때, 극댓값과 극솟값
을 갖는 x의 값을 구하시오.

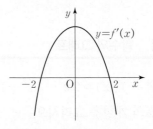

유형 **06** 함수의 극대, 극소

6-1 함수 $f(x)=2x^3-3x$의 극값을 구하시오.

〈 천재, 교학, 동아, 미래엔, 비상, 좋은책, 지학 유사 〉

6-2 함수 $f(x)=x^4-2x^2+5$의 극값을 구하시오.

유형 **07** 함수의 극대, 극소

7-1 함수 $f(x)=x^3+ax^2+bx-2$는 $x=-1$에서 극댓값을 갖고 $x=2$에서 극솟값을 갖는다. 이때 상수 a, b의 값과 극값을 구하시오.

〈 천재, 교학, 동아, 비상, 좋은책 유사 〉

7-2 함수 $f(x)=x^3+ax^2+bx+1$은 $x=0$에서 극댓값을 갖고 $x=3$에서 극솟값을 갖는다. 이때 상수 a, b의 값과 극값을 구하시오.

유형 **08** 함수의 그래프

8-1 함수 $f(x)=2x^3-3x^2-12x-3$의 그래프의 개형을 그리시오.

〈 천재, 교학, 금성, 동아, 미래엔, 비상, 좋은책, 지학 유사 〉

8-2 함수 $f(x)=4x^3-6x^2+2$의 그래프의 개형을 그리시오.

유형 09 함수의 최대, 최소

천재, 교학, 금성, 동아, 미래엔, 비상, 좋은책, 지학 유사

9-1 닫힌구간 $[0, 2]$에서 함수
$f(x)=x^3-6x^2+9x+2$의 최댓값과 최솟값을 구하시오.

9-2 닫힌구간 $[-2, 3]$에서 함수
$f(x)=-x^3+3x^2-4$의 최댓값과 최솟값을 구하시오.

유형 10 함수의 최대, 최소

천재, 교학, 금성, 동아, 미래엔, 비상, 좋은책, 지학 유사

10-1 닫힌구간 $[-2, 2]$에서 함수
$f(x)=2x^3-3x^2+a$의 최솟값이 -35일 때, 상수 a의 값과 최댓값을 구하시오.

10-2 닫힌구간 $[-2, 2]$에서 함수
$f(x)=2x^3+6x^2+a$의 최솟값이 -5일 때, 상수 a의 값과 최댓값을 구하시오.

유형 11 함수의 최대, 최소

천재, 교학, 금성, 동아, 미래엔, 비상, 좋은책, 지학 유사

11-1 닫힌구간 $[-1, 2]$에서 함수
$f(x)=ax^3-6ax^2+b(a>0)$의 최댓값이 3이고 최솟값이 -29일 때, 상수 a, b의 값을 구하시오.

11-2 닫힌구간 $[-1, 2]$에서 함수
$f(x)=ax^3-3ax+b(a>0)$의 최댓값이 3이고 최솟값이 -5일 때, 상수 a, b의 값을 구하시오.

 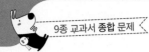

01 천재, 교학, 동아, 미래엔, 비상, 좋은책 유사 >>> 출제율 95%

닫힌구간 $[p,\ w]$에서 함수 $y=f(x)$의 그래프가 아래 그림과 같을 때, 다음 중 함수 $f(x)$가 증가하는 구간을 있는 대로 고르시오.

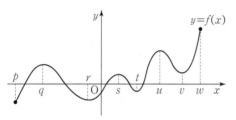

ㄱ. (p, q) ㄴ. (r, t)

ㄷ. (t, u) ㄹ. (u, v)

02 천재, 동아, 미래엔, 비상, 좋은책, 지학 유사 >>> 출제율 95%

다음은 함수 $f(x)=x^2$이 반닫힌 구간 $[0,\ \infty)$에서 증가함을 증명한 것이다. 빈칸을 채우시오.

$0 \le x_1 < x_2$인 임의의 두 실수 $x_1,\ x_2$에 대하여
$$f(x_1)-f(x_2)=x_1{}^2-\boxed{}$$
$$=(x_1+x_2)(x_1\boxed{}x_2)$$
$$<0$$
이므로 $f(x_1)\boxed{}f(x_2)$
따라서 함수 $f(x)=x^2$은 반닫힌 구간 $[0,\ \infty)$에서 증가한다.

03 천재, 비상, 미래엔, 좋은책, 지학 유사 >>> 출제율 95%

오른쪽 그림은 함수
$$f(x)=\begin{cases}(x-1)^2 & (x\ge 0)\\ x+1 & (x<0)\end{cases}$$
의 그래프이다. 함수 $f(x)$의 극댓값과 극솟값을 구하시오.

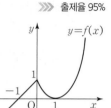

04 천재, 교학, 미래엔, 비상, 좋은책, 지학 유사 >>> 출제율 95%

함수 $f(x)=2x^3-9x^2+12x+2$가 열린구간 (a, b)에서 감소할 때, $b-a$의 최댓값은?

① 1   ② 2   ③ 3

④ 4   ⑤ 5

05 천재, 금성, 동아, 좋은책, 지학 유사 >>> 출제율 68%

삼차함수 $f(x)=-x^3+3x+1$이 $x=a$에서 극값을 가질 때, a의 값을 모두 구하시오.

06 천재, 미래엔, 비상 유사 >>> 출제율 68%

함수 $f(x)=2x^3-5x^2-4x+1$의 극댓값이 $f(a)$, 극솟값이 $f(b)$일 때, a, b의 값을 구하시오.

07 천재, 비상, 좋은책, 지학 유사 >>> 출제율 68%

함수 $f(x)=x^3-3x^2+5$가 $x=\alpha$, $x=\beta$에서 극값을 가질 때, 두 점 $(\alpha,\ f(\alpha))$, $(\beta,\ f(\beta))$를 지나는 직선의 기울기를 구하시오.

08 천재, 교학, 비상, 좋은책 유사 >>> 출제율 95%

함수 $f(x)=-x^3+ax$가 $x=1$에서 극댓값을 가질 때, 극솟값을 구하시오. (단, a는 상수)

09 천재, 교학, 비상, 좋은책 유사 >>> 출제율 95%

열린구간 $(-6,\ 6)$에서 함수 $f(x)$의 도함수 $y=f'(x)$의 그래프가 아래 그림과 같을 때, 다음 중 옳은 것만을 있는 대로 고른 것은?

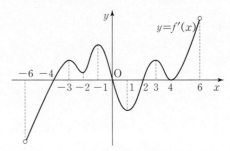

> ㄱ. $f(x)$는 $x=1$에서 극솟값을 갖는다.
> ㄴ. 열린구간 $(-6,\ 6)$에서 $f(x)$가 극값을 갖는 x의 값의 개수는 3이다.
> ㄷ. $f(x)$는 닫힌구간 $[-4,\ 0]$에서 증가한다.

① ㄱ　　　　② ㄴ　　　　③ ㄷ
④ ㄱ, ㄴ　　　⑤ ㄴ, ㄷ

10 천재, 동아, 미래엔, 비상, 좋은책 유사 >>> 출제율 75%

삼차함수 $f(x)$가 다음 조건을 모두 만족시킬 때, 함수 $f(x)$의 극댓값은?

> (가) $\displaystyle\lim_{x\to0}\frac{f(x)}{x}=-12$
> (나) $x=1$에서 극솟값 -7을 갖는다.

① 5　　　　② 10　　　　③ 15
④ 20　　　⑤ 25

11 천재, 비상, 좋은책, 지학 유사 〉〉〉 출제율 78%

함수 $f(x)=x^3+ax+b$가 $x=1$에서 극솟값 0을 가질 때, 극댓값을 구하시오. (단, a, b는 상수)

14 천재, 교학, 금성, 동아, 비상, 좋은책 유사 〉〉〉 출제율 78%

함수 $f(x)=\dfrac{1}{3}x^3+ax^2+3ax+2$가 극댓값과 극솟값을 모두 갖기 위한 양의 정수 a의 최솟값은?

① 2   ② 3   ③ 4
④ 5   ⑤ 6

12 천재, 금성, 동아, 좋은책, 지학 유사 〉〉〉 출제율 80%

함수 $f(x)=x^3+ax^2+bx+c$는 $x=-2$에서 극댓값을 갖고 $x=1$에서 극솟값 0을 갖는다. 상수 a, b, c의 값과 극댓값을 구하시오.

15 천재, 비상, 좋은책, 지학 유사 〉〉〉 출제율 85%

함수 $f(x)=x^3+ax^2+bx+c$는 $x=1$에서 극댓값, $x=3$에서 극솟값을 갖는다. 극댓값이 극솟값의 3배일 때, 극댓값을 구하시오. (단, a, b, c는 상수)

13 천재, 금성, 좋은책, 지학 유사 〉〉〉 출제율 80%

함수 $f(x)=x^3-6x+k$의 극댓값과 극솟값의 절댓값이 같고 그 부호가 서로 다를 때, 상수 k의 값을 구하시오.

16 천재, 금성, 비상, 좋은책, 지학 유사 〉〉〉 출제율 65%

함수 $f(x)=-x^3+x^2+ax-4$가 닫힌구간 $[1, 2]$에서 증가하기 위한 실수 a의 값의 범위를 구하시오.

17 천재, 동아, 미래엔, 비상, 좋은책, 지학 유사 >>> 출제율 95%

함수 $f(x)=x^3+ax^2+2ax$가 열린구간 $(-\infty, \infty)$에서 증가하도록 하는 실수 a의 최댓값을 M, 최솟값을 m이라고 할 때, $M-m$의 값은?

① 3 　　② 4 　　③ 5
④ 6 　　⑤ 7

18 천재, 미래엔, 비상, 좋은책, 지학 유사 >>> 출제율 83%

닫힌구간 $[-2, 2]$에서 함수 $f(x)=x^3-3x^2+a$의 최솟값이 -23일 때, 상수 a의 값과 최댓값을 구하시오.

19 천재, 동아, 미래엔, 좋은책, 비상 유사 >>> 출제율 70%

닫힌구간 $[-1, 2]$에서 함수 $f(x)=x^3+3x^2+a$의 최댓값을 M, 최솟값을 m이라고 하자. $M+m=6$일 때, 상수 a의 값을 구하시오.

과정을 평가하는 서술형입니다.

[20~22] 다음 문제의 풀이 과정을 자세히 쓰시오.

20 천재, 좋은책, 지학 유사 >>> 출제율 80%

함수 $f(x)=x^3+ax^2+bx+c$가 $x=0$에서 극댓값 5를 갖고 $x=2$에서 극솟값을 가질 때, 상수 a, b, c의 값을 구하고, 그 풀이 과정을 쓰시오

21 천재, 미래엔, 비상, 좋은책, 지학 유사 >>> 출제율 75%

닫힌구간 $[-2, 2]$에서 함수 $f(x)=-x^3+3x^2+5$의 최댓값과 최솟값을 구하고, 그 풀이 과정을 쓰시오.

22 천재, 미래엔, 비상 유사 >>> 출제율 95%

오른쪽 그림과 같이 두 점 A, D는 곡선 $y=3-x^2$ 위에 있고, 두 점 B, C는 x축 위에 있는 직사각형 ABCD의 넓이의 최댓값을 구하고, 그 풀이 과정을 쓰시오.

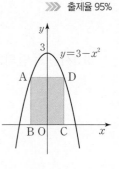

(단, 점 D는 제1사분면 위의 점이다.)

1

어느 지역의 기온을 측정하기 시작하여 x시간이 지난 후의 기온 $f(x)$ ℃는

$$f(x)=\frac{1}{8}x^4-\frac{4}{3}x^3+3x^2+6$$

이라고 한다. 다음 물음에 답하시오.

(단, $0\le x\le 5$)

(1) 기온을 측정하기 시작한 순간의 기온을 구하시오.

(2) 기온이 증가하다가 감소하기 시작한 순간은 몇 시간 후인지 구하시오.

(3) 5시간 동안의 최고 기온을 구하시오.

2

다음은 어느 지역의 12달 동안의 대기 중의 평균 이산화탄소 농도(ppm)를 나타낸 그래프이다.

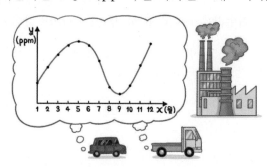

위의 그래프는 최고차항의 계수가 1인 삼차함수 $f(x)$의 그래프의 일부이고 $x=5$에서 극대, $x=9$에서 극소이다. 다음 물음에 답하시오.

(단, $f(0)=2$)

(1) 방정식 $f'(x)=0$의 해를 모두 구하시오.

(2) 함수 $f(x)$를 구하시오.

(3) 12달 동안의 대기 중의 평균 이산화탄소 농도의 극댓값과 극솟값의 차를 구하시오.

3

다품이는 한 변의 길이가 18 cm인 정사각형 모양의 종이의 네 귀퉁이에서 크기가 같은 정사각형을 잘라 내고, 나머지 부분을 접어서 뚜껑이 없는 직육면체 모양의 상자를 만들려고 한다.

다음 물음에 답하시오.

(1) 잘라낸 정사각형의 한 변의 길이가 2 cm일 때, 직육면체 상자의 부피를 구하시오.

(2) 잘라낸 정사각형의 한 변의 길이가 a cm일 때, 직육면체 상자의 부피를 구하시오.

(3) 직육면체 상자의 부피가 최대가 되도록 하려면 잘라내는 정사각형의 한 변의 길이가 얼마인지 구하시오.

4

어느 도넛 전문점에서는 도넛의 단가를 조정하기 위하여 시장 조사를 하였다. 다음 보고서는 이 시장 조사의 결과를 토대로 작성한 것이다.
(단, 가격과 판매량에 상관없이 하루 생산 비용은 일정하다.)

> 도넛 1개의 가격을 $100x$원 인상하면 하루 판매량은 x^2개 감소하는 것으로 판단된다.

현재 도넛 1개의 가격은 1000원이고 하루에 평균 100개 판매하고 있다. 다음 물음에 답하시오.

(1) 도넛 1개의 가격을 200원 인상하였을 때의 하루 평균 판매액을 구하시오.

(2) 도넛 1개의 가격을 $100x$원 인상하였을 때의 하루 평균 판매액을 구하시오.

(3) 도넛 1개의 가격을 $100x$원 인상하였을 때의 하루 평균 판매액을 최대로 하려고 할 때, 적당한 도넛의 가격을 구하시오.
　　　　(단, 가격은 십의 자리에서 반올림한다.)

06 방정식과 부등식, 속도와 가속도

개념 01 함수의 그래프와 방정식의 실근

(1) 방정식 $f(x)=0$의 실근은 함수 $y=f(x)$의 그래프와 ❶〔　　〕이 만나는 점의 ❷〔　　〕와 같다. 따라서 함수 $y=f(x)$의 그래프와 x축이 만나는 점의 개수를 조사하여 방정식 $f(x)=0$의 서로 다른 실근의 개수를 구할 수 있다.

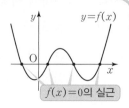

$f(x)=0$의 실근

(2) 방정식 $f(x)=g(x)$의 실근은 두 함수 $y=f(x)$, $y=g(x)$의 그래프의 ❸〔　　〕의 x좌표와 같다. 따라서 방정식 $f(x)=g(x)$의 서로 다른 실근의 개수는 두 함수 $y=f(x)$, $y=g(x)$의 그래프의 교점의 개수를 조사하여 구할 수 있다.

참고 방정식 $f(x)=g(x)$의 서로 다른 실근의 개수는 함수 $y=f(x)-g(x)$의 그래프와 x축의 교점의 개수를 조사하여 구할 수도 있다.

답 | ❶ x축 ❷ x좌표 ❸ 교점

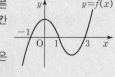
개념 02 부등식의 증명

(1) 어떤 구간에서 부등식 $f(x)\geq0$이 성립하는 것을 증명할 때는 그 구간에서
$$(\text{함수 } f(x)\text{의 〔❶　　〕})\geq0$$
임을 보인다.

(2) 어떤 구간에서 부등식 $f(x)\geq g(x)$가 성립하는 것을 증명할 때는 $h(x)=$〔❷　　〕로 놓고 주어진 구간에서
$$(\text{함수 } h(x)\text{의 최솟값})\geq0$$
임을 보인다.

답 | ❶ 최솟값 ❷ $f(x)-g(x)$

개념 03 속도와 가속도

수직선 위를 움직이는 점 P의 시각 t에서의 위치 x가 $x=f(t)$일 때, 시각 t에서 점 P의 속도 $v(t)$와 가속도 $a(t)$는

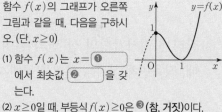

위치 →(미분)→ 속도 →(미분)→ 가속도

$$v(t)=\frac{dx}{dt}=\text{〔❶　　〕}, \quad a(t)=\frac{\text{〔❷　　〕}}{dt}=v'(t)$$

참고 수직선 위를 움직이는 점 P의 운동 방향은 $v(t)>0$일 때 양의 방향이고, $v(t)<0$일 때 음의 방향이다.

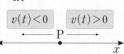

$v(t)<0$　$v(t)>0$

답 | ❶ $f'(t)$ ❷ dv

개념 01 함수의 그래프와 방정식의 실근

1-1 방정식 $x^3 - 3x^2 + 1 = 0$의 서로 다른 실근의 개수를 구하시오.

1-2 방정식 $2x^3 + 3x^2 - 2 = 0$의 서로 다른 실근의 개수를 구하시오.

개념 02 부등식의 증명

2-1 $x \geq 0$일 때, 부등식 $2x^3 \geq 3x^2 - 2$가 성립함을 보이시오.

2-2 $x \geq 0$일 때, 부등식 $x^3 - x^2 - x + 2 \geq 0$이 성립함을 보이시오.

개념 03 속도와 가속도

3-1 원점을 출발하여 수직선 위를 움직이는 점 P의 시각 t에서의 위치 x가

$$x = 3t^2 + t$$

일 때, $t = 2$에서 점 P의 속도와 가속도를 구하시오.

3-2 원점을 출발하여 수직선 위를 움직이는 점 P의 시각 t에서의 위치 x가

$$x = 5t^2 - 3t$$

일 때, $t = 3$에서 점 P의 속도와 가속도를 구하시오.

유형 01 함수의 그래프와 방정식의 실근

천재, 교학, 금성, 동아, 미래엔, 비상, 지학 유사

1-1 방정식 $x^3-3x+1=0$의 서로 다른 실근의 개수를 구하시오.

1-2 방정식 $2x^3-3x^2+1=0$의 서로 다른 실근의 개수를 구하시오.

유형 02 함수의 그래프와 방정식의 실근

천재, 교학, 금성, 동아, 비상, 좋은책, 지학 유사

2-1 방정식 $2x^3-3x^2-12x-a=0$이 서로 다른 세 실근을 갖게 하는 실수 a의 값의 범위를 구하시오.

2-2 방정식 $x^3-12x-a=0$이 서로 다른 세 실근을 갖게 하는 실수 a의 값의 범위를 구하시오.

유형 03 함수의 그래프와 방정식의 실근

천재, 교학, 미래엔, 비상, 좋은책, 지학 유사

3-1 곡선 $y=x^3-x$와 직선 $y=2x+k$가 오직 한 점에서 만나게 하는 실수 k의 값의 범위를 구하시오.

3-2 곡선 $y=x^3-8x$와 직선 $y=4x+k$가 서로 다른 두 점에서 만날 때, 실수 k의 값을 구하시오.

유형 **04**   부등식의 증명

4-1 $x \geq 0$일 때, 부등식 $x^3 - 3x + 2 \geq p$가 성립하도록 하는 실수 p의 최댓값을 구하시오.

(천재, 금성, 동아, 미래엔, 비상, 좋은책, 지학 유사)

4-2 $x \geq 0$일 때, 다음 부등식을 만족시키는 실수 p의 최댓값을 구하시오.

$$x^3 - 6x \geq p$$

유형 **05**   속도와 가속도

5-1 원점을 출발하여 수직선 위를 움직이는 점 P의 시각 t에서의 위치 x가

$$x = t^3 - 2t$$

일 때, $t = 1$에서 점 P의 속도와 가속도를 구하시오.

(천재, 교학, 금성, 동아, 미래엔, 비상, 좋은책 유사)

5-2 원점을 출발하여 수직선 위를 움직이는 점 P의 시각 t에서의 위치 x가

$$x = -t^3 + t$$

일 때, $t = 2$에서 점 P의 속도와 가속도를 구하시오.

유형 **06**   속도와 가속도

6-1 원점을 출발하여 수직선 위를 움직이는 점 P의 시각 t에서의 위치 x가

$$x = t^3 - 27t$$

일 때, 점 P가 운동 방향을 바꾸는 시각을 구하시오.

(천재, 동아, 미래엔, 비상, 좋은책, 지학 유사)

6-2 원점을 출발하여 수직선 위를 움직이는 점 P의 시각 t에서의 위치 x가

$$x = t^3 - 3t$$

일 때, 점 P가 운동 방향을 바꾸는 시각을 구하시오.

01 천재, 금성, 동아, 미래엔, 비상, 좋은책 유사   ≫ 출제율 95%

방정식 $2x^3-6x-a=0$의 실근이 오직 하나이기 위한 실수 a의 값의 범위를 구하시오.

02 천재, 동아, 미래엔, 비상, 좋은책, 지학 유사   ≫ 출제율 95%

방정식 $2x^3-6x+k=0$이 서로 다른 세 실근을 갖게 하는 실수 k의 값의 범위를 구하시오.

03 천재, 미래엔, 비상, 좋은책, 지학 유사   ≫ 출제율 95%

곡선 $y=x^3-2x$와 직선 $y=x+k$가 서로 다른 두 점에서 만날 때, 실수 k의 값을 구하시오.

04 천재, 미래엔, 비상, 좋은책, 지학 유사   ≫ 출제율 95%

방정식 $4x^3-3x-a=0$이 하나의 음의 실근과 서로 다른 두 양의 실근을 갖게 하는 실수 a의 값의 범위를 구하시오.

05 천재, 교학, 금성, 미래엔, 비상, 좋은책 유사   ≫ 출제율 95%

함수 $f(x)=x^3-3x-1$일 때, 방정식 $f(x)=-3$의 서로 다른 실근의 개수를 구하시오.

06 천재, 교학, 미래엔, 비상, 좋은책, 지학 유사   ≫ 출제율 80%

삼차함수 $y=f(x)$의 도함수 $y=f'(x)$의 그래프가 오른쪽 그림과 같다. $f(0)=0$일 때, x에 대한 방정식 $f(x)=k$가 서로 다른 세 실근을 갖기 위한 정수 k의 최솟값을 구하시오.

07 천재, 미래엔, 비상, 좋은책, 지학 유사 ≫≫ 출제율 68%

모든 실수 x에 대하여 부등식 $x^4+2x^2+5 \geq 8x$가 성립함을 보이시오.

08 천재, 동아, 미래엔, 비상, 좋은책, 지학 유사 ≫≫ 출제율 68%

모든 실수 x에 대하여 부등식 $3x^4 \geq 4x^3-1$이 성립함을 보이시오.

09 천재, 교학, 금성, 동아, 미래엔, 비상 유사 ≫≫ 출제율 68%

모든 실수 x에 대하여 부등식

$$x^4-6x^2-8x+a \geq 0$$

이 성립하기 위한 실수 a의 값의 범위를 구하시오.

10 천재, 금성, 비상, 좋은책, 지학 유사 ≫≫ 출제율 95%

$x \geq 0$일 때, 부등식 $x^3-5x^2+3x+k>0$이 성립하도록 하는 정수 k의 최솟값을 구하시오.

11 천재, 교학, 미래엔, 비상 유사 ≫≫ 출제율 68%

모든 실수 x에 대하여 부등식

$$x^4-4k^3x+27>0$$

이 성립하기 위한 실수 k의 값의 범위를 구하시오.

12 천재, 미래엔, 비상, 좋은책, 지학 유사 ≫≫ 출제율 75%

$x \geq 0$일 때, 다음 부등식을 만족시키는 실수 p의 최댓값을 구하시오.

$$x^3-2x^2-4x \geq p$$

13 천재, 교학, 금성, 좋은책, 지학 유사 >>> 출제율 78%

두 함수
$$f(x)=x^4+x^2-6x,$$
$$g(x)=-2x^2-16x+a$$
가 닫힌구간 $[-2, 0]$에서 $f(x)>g(x)$를 만족시킬 때, 실수 a의 값의 범위는?

① $a<-6$ ② $a<-4$ ③ $a<-2$
④ $a>2$ ⑤ $a>4$

14 천재, 미래엔, 비상, 지학 유사 >>> 출제율 78%

두 함수
$$f(x)=x^4+3x^3-2x^2-9x,$$
$$g(x)=3x^3+4x^2-x+a$$
가 모든 실수 x에 대하여 부등식 $f(x)\geq g(x)$를 만족시킬 때, 실수 a의 최댓값은?

① -25 ② -24 ③ -23
④ -22 ⑤ -21

15 천재, 교학, 금성, 미래엔, 비상 유사 >>> 출제율 85%

원점을 출발하여 수직선 위를 움직이는 점 P의 시각 t에서의 위치 x가 $x=t^3-9t^2+27t$일 때, 점 P의 속도가 처음으로 3이 되는 순간의 점 P의 가속도를 구하시오.

16 천재, 금성, 동아, 비상, 좋은책, 지학 유사 >>> 출제율 80%

원점을 출발하여 수직선 위를 움직이는 점 P의 시각 t에서의 위치 x가 $x=12t-3t^2$일 때, 점 P가 운동 방향을 바꾸는 시각을 구하시오.

17 천재, 미래엔, 비상, 좋은책, 지학 유사 >>> 출제율 65%

원점을 출발하여 수직선 위를 움직이는 점 P의 시각 t에서의 위치 x가 $x=t^3-4t^2+4t$일 때, 점 P가 출발한 후 다시 원점을 지나는 순간의 속도를 구하시오.

18 천재, 교학, 금성, 미래엔 유사 >>> 출제율 95%

원점을 출발하여 수직선 위를 움직이는 두 점 P, Q의 시각 t에서의 위치가 각각
$$f(t)=2t^2-2t, \ g(t)=t^2-8t$$
일 때, 두 점 P, Q가 서로 반대 방향으로 움직이는 t의 값의 범위를 구하시오.

19 천재, 교학, 금성, 미래엔 유사 　　　　　>>> 출제율 95%

직선 철로 위를 달리는 열차가 제동을 건 후 t초 동안 움직인 거리를 x m라 하면 $x=-0.45t^2+18t$이다. 제동을 건 지 3초 후의 열차의 속도와 가속도를 구하시오.

20 천재, 금성, 미래엔, 비상, 좋은책, 지학 유사 　　>>> 출제율 83%

수직선 위를 움직이는 두 점 P, Q의 시각 t에서의 위치는 각각

$$f(t)=\frac{1}{3}t^3+4t-\frac{2}{3},\ g(t)=2t^2-10$$

이다. 두 점 P, Q의 속도가 같아지는 시각을 a, 그 순간 두 점 P, Q 사이의 거리를 b라 할 때, $a+b$의 값은?

① 10 　　　　② 11 　　　　③ 12
④ 13 　　　　⑤ 14

21 천재, 금성, 미래엔, 비상, 좋은책, 지학 유사 　>>> 출제율 70%

지면에서 10 m/s의 속도로 지면과 수직하게 위로 던져 올린 공의 t초 후의 높이 x m가

$$x=10t-5t^2$$

일 때, 공이 최고 높이에 도달하는 시각을 구하시오.

○ 과정을 평가하는 서술형입니다.

[22~24] 다음 문제의 풀이 과정을 자세히 쓰시오.

22 천재, 미래엔, 비상, 좋은책, 지학 유사 　　>>> 출제율 80%

최고차항의 계수가 1인 삼차함수 $f(x)$가 다음 조건을 모두 만족시킬 때, $f(3)$의 값을 구하고, 그 풀이 과정을 쓰시오.

> ㈎ 함수 $f(x)$는 $x=0$에서 극댓값 2를 갖는다.
> ㈏ 방정식 $|f(x)|=2$의 서로 다른 실근의 개수는 4이다.

23 천재, 미래엔, 비상, 좋은책, 지학 유사 　　>>> 출제율 80%

직선 철로 위를 달리는 열차가 제동을 건 후 t초 동안 움직인 거리를 x m라 하면 $x=-0.45t^2+9t$이다. 제동을 건 후 열차가 정지할 때까지 걸린 시간과 움직인 거리를 구하시오.

24 천재, 동아, 비상, 좋은책, 지학 유사 　　>>> 출제율 75%

지상에서 지면과 수직하게 위로 던져 올린 공의 t초 후의 높이 x m가

$$x=20t-5t^2$$

일 때, 공이 올라간 최고 높이를 구하시오.

1

다음은 행글라이더를 이용하여 이륙 후부터 착륙할 때까지의 시간에 따른 높이를 나타낸 그래프이다.

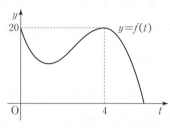

그래프는 $f(t)=-t^3+at^2+bt+20$으로 나타낼 수 있고, $t=4$일 때 극댓값 20을 가진다고 한다. 다음 물음에 답하시오. (단, a, b는 상수)

(1) $f(t)$의 식을 구하시오.

(2) 이륙 후 높이가 k인 순간이 3번 있을 때, 실수 k의 값의 범위를 구하시오.

(3) 이륙 후 높이가 k인 순간이 2번 존재할 때, 실수 k의 값을 구하시오. (단, $k \neq 20$)

2

다음은 함수 $f(x)=2x^3-3x^2+a$의 그래프를 이용하여 아래의 부등식을 만족시키는 실수 a의 최솟값을 구하려고 한다.

$x \geq 0$일 때, 부등식 $-2x^3+3x^2 \leq a$이다.

다음 물음에 답하시오.

(1) $x \geq 0$일 때, $f(x)=2x^3-3x^2+a$의 최솟값을 a에 대한 식으로 나타내시오.

(2) $x \geq 0$일 때, $f(x) \geq 0$을 만족시키는 실수 a의 값의 범위를 구하시오.

(3) $x \geq 0$일 때, 부등식 $-2x^3+3x^2 \leq a$를 만족시키는 실수 a의 최솟값을 구하시오.

3

다음 대화를 읽고, 물음에 답하시오.

(1) 물 로켓이 최고 높이에 도달하는 데 걸리는 시간과 그때의 높이를 구하시오.

(2) 물 로켓이 지면에 떨어지는 순간의 속도를 구하시오.

4

키가 1.8 m인 수현이는 높이가 4.5 m인 가로등의 바로 아래에서 출발하여 일직선으로 2 m/s의 속도로 걸어가고 있다.

다음 물음에 답하시오.

(1) 수현이가 출발한 후 t초 동안 걸은 거리를 t에 대한 식으로 나타내시오.

(2) 가로등의 바로 아래에서 수현이의 그림자 끝까지의 거리를 x m라 할 때, x를 t에 대한 식으로 나타내시오.

(3) 수현이의 그림자 끝이 움직이는 속도를 구하시오.

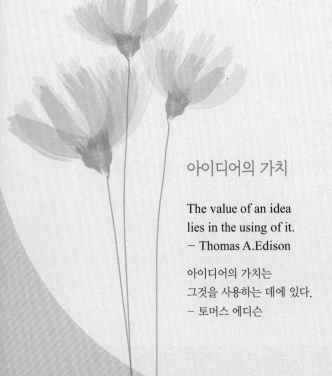

아이디어의 가치

The value of an idea
lies in the using of it.
– Thomas A.Edison

아이디어의 가치는
그것을 사용하는 데에 있다.
– 토머스 에디슨

적분

07. 부정적분

개념 01 부정적분

(1) 함수 $F(x)$의 도함수가 $f(x)$일 때, 즉
$$F'(x) = \boxed{①}$$
일 때 함수 $F(x)$를 함수 $f(x)$의 부정적분이라 한다.

(2) 함수 $f(x)$의 한 부정적분을 $F(x)$라 하면 $f(x)$의 임의의 부정적분은 $F(x) + C$ (C는 상수)와 같이 나타낼 수 있고, 기호로 $\displaystyle\int f(x)dx$

와 같이 나타낸다. 즉
$F'(x) = f(x)$일 때
$$\int f(x)dx = F(x) + C$$
이고, 이때 상수 C를 $\boxed{②}$라 한다. 또 함수 $f(x)$의 부정적분을 구하는 것을 $f(x)$를 적분한다고 하며, 그 계산법을 $\boxed{③}$이라 한다.

참고 $\displaystyle\int f(x)dx$는 '적분 $f(x)dx$' 또는 'integral $f(x)dx$'로 읽는다.

답 | ① $f(x)$ ② 적분상수 ③ 적분법

개념 02 함수 $y = x^n$(n은 양의 정수)과 함수 $y = 1$의 부정적분

(1) 함수 $y = x^n$ (n은 양의 정수)의 부정적분은
$$\int x^n dx = \frac{1}{\boxed{①}}x^{n+1} + C \text{ (단, } C \text{는 적분상수)}$$

(2) 함수 $y = 1$의 부정적분은
$$\int 1 dx = \boxed{②} + C \text{ (단, } C \text{는 적분상수)}$$

참고 $\displaystyle\int 1 dx$는 $\displaystyle\int dx$로 나타낼 수 있다.

답 | ① $n+1$ ② x

개념 03 함수의 실수배, 합, 차의 부정적분

두 함수 $f(x)$, $g(x)$에 대하여

① $\displaystyle\int kf(x)dx = k\int f(x)dx$ (단, k는 0이 아닌 상수)

② $\displaystyle\int \{f(x) + g(x)\}dx = \int f(x)dx + \int g(x)dx$

③ $\displaystyle\int \{f(x) - g(x)\}dx = \int f(x)dx - \int \boxed{①} dx$

답 | ① $g(x)$

개념 01 부정적분

1-1 다음 등식을 만족시키는 함수 $f(x)$를 구하시오. (단, C는 적분상수)

(1) $\displaystyle\int f(x)dx = x + C$

(2) $\displaystyle\int f(x)dx = 3x^2 + 2x + C$

1-2 다음 등식을 만족시키는 함수 $f(x)$를 구하시오. (단, C는 적분상수)

(1) $\displaystyle\int f(x)dx = x^2 + x + C$

(2) $\displaystyle\int f(x)dx = x^3 + 3x^2 + C$

개념 02 부정적분의 계산

2-1 다음 부정적분을 구하시오.

(1) $\displaystyle\int 6x\,dx$

(2) $\displaystyle\int (-4x^3)dx$

2-2 다음 부정적분을 구하시오.

(1) $\displaystyle\int 6x^2\,dx$

(2) $\displaystyle\int (-6x^5)dx$

개념 03 함수의 실수배, 합, 차의 부정적분

3-1 다음 부정적분을 구하시오.

(1) $\displaystyle\int (6x^2 - 4x - 7)dx$

(2) $\displaystyle\int (3x-1)(5x+1)dx$

3-2 다음 부정적분을 구하시오.

(1) $\displaystyle\int (6x^2 + 2x - 5)dx$

(2) $\displaystyle\int (4x^2 - 2)(x+3)dx$

유형 **01**   부정적분

천재, 교학, 금성, 동아, 미래엔, 비상, 좋은책, 지학 유사

1-1 $\int f(x)dx = x^3 - 2x^2 + C$일 때, $f(1)$의 값을 구하시오. (단, C는 적분상수)

1-2 $\int f(x)dx = x^4 + x^2 + C$일 때, $f(2)$의 값을 구하시오. (단, C는 적분상수)

유형 **02**   부정적분

천재, 교학, 동아, 비상, 미래엔, 좋은책, 지학 유사

2-1 $\int (2x-1)^3 dx = f(x) + C$일 때, $f'(2)$의 값을 구하시오. (단, C는 적분상수)

2-2 $\int (2x-1)(x+1)dx = f(x) + C$일 때, $f'(3)$의 값을 구하시오. (단, C는 적분상수)

유형 **03**   부정적분의 계산

천재, 교학, 금성, 동아, 좋은책, 지학 유사

3-1 다음 부정적분을 구하시오.

  (1) $\int 10x^4 dx$

  (2) $\int (-12x^5)dx$

3-2 다음 부정적분을 구하시오.

  (1) $\int 4x\,dx$

  (2) $\int (-8x^3)dx$

유형 **04** 부정적분의 계산

4-1 $\int ax^5 dx = 2x^6 + C$일 때, 상수 a의 값을 구하시오. (단, C는 적분상수)

(천재, 교학, 금성, 동아, 미래엔, 비상, 좋은책, 지학 유사)

4-2 $\int 6x^2 dx = ax^3 + C$일 때, 상수 a의 값을 구하시오. (단, C는 적분상수)

유형 **05** 함수의 합, 차의 부정적분

5-1 다음 부정적분을 구하시오.

(1) $\int (6x^2 + 2x - 7) dx$

(2) $\int x^2 (4x - 3) dx$

(천재, 교학, 금성, 동아, 미래엔, 비상, 좋은책, 지학 유사)

5-2 다음 부정적분을 구하시오.

(1) $\int (3x^2 + 2x - 5) dx$

(2) $\int (x^2 + 1)(x - 2) dx$

유형 **06** 함수의 합, 차의 부정적분

6-1 다음 조건을 만족시키는 함수 $f(x)$를 구하시오.

$$f'(x) = 3x^2 + 4x - 1, \; f(1) = 2$$

(천재, 교학, 금성, 동아, 미래엔, 비상, 좋은책, 지학 유사)

6-2 다음 조건을 만족시키는 함수 $f(x)$를 구하시오.

$$f'(x) = -3x^2 + 2x - 5, \; f(1) = -3$$

 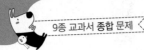
01 천재, 교학, 동아, 미래엔, 비상, 좋은책 유사 　　≫ 출제율 95%

다음 부정적분을 구하시오.

(1) $\int \sqrt{2}\, dx$

(2) $\int (5x^4 - 3x^2)\, dx$

02 천재, 동아, 미래엔, 비상, 좋은책, 지학 유사 　　≫ 출제율 95%

함수 $f(x) = \int (x+1)(x^2 - x + 1)\, dx$의 그래프가

원점을 지날 때, $f(2)$의 값은?

① 2　　　　② 4　　　　③ 6

④ 8　　　　⑤ 10

03 천재, 교학, 미래엔, 비상, 좋은책, 지학 유사 　　≫ 출제율 80%

다음 부정적분을 구하시오.

$$\int \frac{x^3}{x^2 + x + 1}\, dx - \int \frac{1}{x^2 + x + 1}\, dx$$

04 천재, 비상, 미래엔, 좋은책, 지학 유사 　　≫ 출제율 95%

함수 $f(x) = \int \dfrac{x^3}{x+1}\, dx + \int \dfrac{1}{x+1}\, dx$에 대하여

$f(0) = 1$일 때, $f(1)$의 값은?

① $\dfrac{13}{6}$　　　② $\dfrac{11}{6}$　　　③ $\dfrac{3}{2}$

④ $\dfrac{7}{6}$　　　⑤ $\dfrac{5}{6}$

05 천재, 교학, 미래엔, 비상, 좋은책, 지학 유사 　　≫ 출제율 95%

다음 등식을 만족시키는 함수 $f(x)$를 구하시오.

(단, C는 적분상수)

(1) $\int f(x)\, dx = 2x^5 + C$

(2) $\int f(x)\, dx = 4x^3 - 3x + C$

06 천재, 교학, 미래엔, 비상, 좋은책, 지학 유사 　　≫ 출제율 95%

함수 $f(x)$에 대하여

$$\int (x-1)f(x)\, dx = x^4 - 4x + C$$

일 때, $f(2)$의 값은? (단, C는 적분상수)

① 12　　　　② 16　　　　③ 20

④ 24　　　　⑤ 28

07 천재, 미래엔, 비상 유사 　　　》》 출제율 68%

함수 $F(x)$가 함수 $f(x)=4x^3-2x-5$의 부정적분일 때, $F'(1)$의 값은?

① -3　　　② -2　　　③ -1

④ 0　　　⑤ 1

10 천재, 교학, 비상, 좋은책 유사 　　　》》 출제율 95%

함수 $f(x)$에 대하여
$$f'(x)=6x^2-2x+k, \ f(0)=f(1)=2$$
일 때, 다음을 구하시오.

(1) 상수 k의 값　　　(2) $f(-1)$의 값

08 천재, 교학, 비상, 좋은책 유사 　　　》》 출제율 68%

다음 조건을 만족시키는 함수 $f(x)$를 구하시오.

$$f'(x)=4x^3-6x^2-3, \ f(1)=1$$

11 천재, 동아, 미래엔, 비상, 좋은책 유사 　　　》》 출제율 75%

모든 실수 x에 대하여 다음 등식이 성립할 때, $a+b+c$의 값은?

(단, a, b, c는 상수, C는 적분상수)

$$\int (3x^2-4x+a)dx=bx^3+cx^2+5x+C$$

① -2　　　② -1　　　③ 1

④ 2　　　⑤ 4

09 천재, 동아, 미래엔, 비상, 좋은책 유사 　　　》》 출제율 95%

함수 $f(x)$가 $f'(x)=4x+a$, $f'(1)=f(1)=2$를 만족시킬 때, $f(2)$의 값은? (단, a는 상수)

① -6　　　② -3　　　③ 0

④ 3　　　⑤ 6

12 천재, 동아, 미래엔, 비상, 좋은책 유사 　　　》》 출제율 95%

미분가능한 함수 $y=f(x)$의 그래프가 x축의 양의 방향에서 x축과 접하고
$$f'(x)=(x+1)(x-1)$$
일 때, $f(0)$의 값을 구하시오.

13 천재, 비상, 좋은책, 지학 유사 　>>> 출제율 78%

곡선 $y=f(x)$ 위의 임의의 점 $(x, f(x))$에서의 접선의 기울기가 $2x+5$이다. 이 곡선이 점 $(1, 1)$을 지날 때, $f(5)$의 값은?

① 41 　　　② 42 　　　③ 43

④ 44 　　　⑤ 45

14 천재, 금성, 동아, 좋은책, 지학 유사 　>>> 출제율 80%

곡선 $y=f(x)$ 위의 임의의 점 $(x, f(x))$에서의 접선의 기울기가 $-2x+3$이다. 이 곡선이 점 $(1, 3)$을 지날 때, $f(x)$를 구하시오.

15 천재, 금성, 좋은책, 지학 유사 　>>> 출제율 80%

함수 $y=f(x)$의 도함수 $y=f'(x)$의 그래프는 원점과 점 $(2, 4)$를 지나는 직선이다. 곡선 $y=f(x)$가 두 점 $A(0, 1)$, $B(3, a)$를 지날 때, 상수 a의 값을 구하시오.

16 천재, 교학, 금성, 비상, 동아, 좋은책 유사 　>>> 출제율 78%

함수 $f(x)$의 극댓값이 1이고, 곡선 $y=f(x)$ 위의 임의의 점 $(x, f(x))$에서의 접선의 기울기가 $-2x+4$일 때, $f(1)$의 값을 구하시오.

17 천재, 비상, 좋은책, 지학 유사 　>>> 출제율 85%

함수 $f(x)$의 도함수는 $f'(x)=3x^2-6x+k$이다. 함수 $f(x)$가 $x=3$에서 극솟값 -27, $x=a$에서 극댓값 a를 가질 때, $a+k+a$의 값은? (단, k는 상수)

① -10 　　　② -5 　　　③ 0

④ 5 　　　⑤ 10

18 천재, 금성, 비상, 좋은책, 지학 유사 　>>> 출제율 65%

삼차함수 $f(x)$의 도함수 $y=f'(x)$의 그래프가 오른쪽 그림과 같고, 함수 $f(x)$의 극솟값이 0, 극댓값이 4일 때, 함수 $f(x)$를 구하시오.

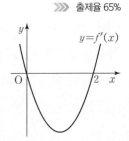

19 천재, 동아, 미래엔, 비상, 좋은책, 지학 유사 　　≫≫ 출제율 95%

함수 $f(x)$의 한 부정적분 $F(x)$에 대하여

$$F(x)=xf(x)-2x^3+4x^2-1, \, f(0)=2$$

일 때, $f(2)$의 값은?

① -1 　　　② -2 　　　③ -3

④ -4 　　　⑤ -5

20 천재, 미래엔, 비상, 좋은책, 지학 유사 　　≫≫ 출제율 83%

이차함수 $f(x)$에 대하여 $f(1)=3$이고 $f(x)$와 그 부정적분 $F(x)$ 사이에

$$F(x)=xf(x)+4x^3-2x^2$$

인 관계가 성립할 때, 함수 $f(x)$를 구하시오.

21 천재, 동아, 미래엔, 비상, 좋은책 유사 　　≫≫ 출제율 70%

어느 회사에서 음료수 x L를 생산할 때의 전체 비용을 $f(x)$원이라 하면 그 도함수는

$$f'(x)=0.002x+10$$

이다. $f(1000)=1050$일 때, 함수 $f(x)$를 구하시오.

(단, $1000 \le x \le 5000$)

과정을 평가하는 서술형입니다.

[22~24] 다음 문제의 풀이 과정을 자세히 쓰시오.

22 천재, 좋은책, 지학 유사 　　≫≫ 출제율 80%

함수 $f(x)$에 대하여

$$f'(x)=6x^2-4x+1, \, f(0)=3$$

일 때, $f(1)$의 값을 구하고, 그 풀이 과정을 쓰시오.

23 천재, 미래엔, 비상, 좋은책, 지학 유사 　　≫≫ 출제율 75%

점 $(2, 1)$을 지나는 곡선 $y=f(x)$ 위의 임의의 점 $(x, f(x))$에서의 접선의 기울기가 $2x-5$일 때, $f(1)$의 값을 구하고, 그 풀이 과정을 쓰시오.

24 천재, 미래엔, 비상 유사 　　≫≫ 출제율 95%

함수 $f(x)$의 도함수 $f'(x)$는 이차함수이고 $y=f'(x)$의 그래프는 오른쪽 그림과 같다.

함수 $f(x)$의 극댓값이 3이고 극솟값이 -1일 때, 함수 $f(x)$를 구하고, 그 풀이 과정을 쓰시오.

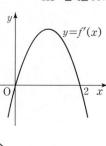

1

다음 모형은 함수 $f(x)$를 입력하면 상수항이 0인 부정적분을 출력하는 수학 프로그램이다. 다음 물음에 답하시오.

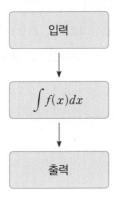

(1) $2x+3$을 입력했을 때, 출력되는 함수를 구하시오.

(2) 출력된 함수가 $5x^4-3x^2+2x$일 때, 입력한 함수를 구하시오.

2

어느 분재 나무의 성장 속도를 살펴본 결과 분재 나무를 화분에 옮겨 심고 t년 후에 측정한 나무의 높이를 $h(t)$ cm라 하면

$$h'(t)=1.2t+10$$

이다. 다음 물음에 답하시오. (단, $0<t<5$)

(1) 분재 나무를 화분에 옮겨심고 1년 후에 측정한 나무의 높이가 20.6 cm일 때, 화분에 옮겨심은 순간의 이 분재 나무의 높이를 구하시오.

(2) 3년 후의 이 분재 나무의 높이를 구하시오.

3

어느 음식점에서 하루에 x kg의 치즈를 생산하는 데 드는 생산 비용을 $f(x)$만 원이라 한다.

x kg의 치즈를 생산할 때의 한계 비용 $f'(x)$가

$$f'(x)=\frac{1}{5}x+2 \text{ (만 원)}$$

일 때, 다음 물음에 답하시오.

(1) 이 음식점에서 하루에 x kg의 치즈를 생산하는데 드는 생산 비용 $f(x)$를 구하시오. (단, 치즈를 만들지 않을 때의 생산 비용은 0이라 가정한다.)

(2) 하루에 6 kg의 치즈를 생산하는데 드는 생산 비용과 4 kg의 치즈를 생산하는데 드는 생산 비용의 차를 구하시오.

4

전선에 흐르는 전류의 세기는 어떤 시각에서 전하량의 순간변화율을 뜻한다. 어느 전선에 전류가

흐르기 시작하여 t초 후의 전류의 세기가

$$Q'(t)=t^2+2t$$

라 한다. 다음 물음에 답하시오. (단, 전류의 세기의 단위는 A(암페어)이고, 전하량의 단위는 C(쿨롱)이다.)

(1) 이 전선에 전류가 흐르기 시작하여 3초 후의 전류의 세기를 구하시오.

(2) 이 전선에 전류가 흐르기 시작하여 t초 후의 전하량을 구하시오.
   (단, $t=0$일 때의 전하량은 0이다.)

08 정적분

개념 01 정적분의 정의

닫힌구간 $[a, b]$에서 연속인 함수 $f(x)$의 한 부정적분을 $F(x)$라 할 때, $F(b)-F(a)$를 함수 $f(x)$의 a에서 b까지의 ⬜❶ 이라 하며, 기호로 $\displaystyle\int_a^b f(x)dx$와 같이 나타낸다.

즉 $\displaystyle\int_a^b f(x)dx=\Big[F(x)\Big]_a^b=F(b)-$ ❷

이때 정적분 $\displaystyle\int_a^b f(x)dx$의 값을 구하는 것을 $f(x)$를 a에서 b까지 적분한다고 한다.

참고 정적분 $\displaystyle\int_a^b f(x)dx$를 'integral a에서 b까지 $f(x)dx$'로 읽는다. 이때 a를 아래끝, b를 ❸ 이라 한다.

답 | ❶ 정적분 ❷ $F(a)$ ❸ 위끝

개념 02 정적분의 관계

$a \geq b$일 때 정적분 $\displaystyle\int_a^b f(x)dx$를 다음과 같이 정의한다.

$$\int_a^a f(x)dx=0, \quad \int_a^b f(x)dx=-\int_b^a f(x)dx$$

증명 함수 $f(x)$의 한 부정적분을 $F(x)$라 하면 $a \geq b$일 때

$$\int_a^a f(x)dx=\Big[F(x)\Big]_a^a=F(a)-F(a)=\boxed{❶}$$

$$\int_a^b f(x)dx=\Big[F(x)\Big]_a^b=\boxed{❷}-F(a)$$
$$=-\{F(a)-F(b)\}=-\Big[F(x)\Big]_b^a$$
$$=-\int_b^a f(x)dx$$

답 | ❶ 0 ❷ $F(b)$

개념 03 정적분과 미분

함수 $f(t)$가 닫힌구간 $[a, b]$에서 연속일 때, 열린구간 (a, b)에 속하는 임의의 x에 대하여 정적분 $\displaystyle\int_a^x f(t)dt$는 x의 값에 따라 하나로 정해지므로 x에 대한 함수이다.

한편 함수 $f(t)$의 한 부정적분을 $F(t)$라 하면

$$\int_a^x f(t)dt=\Big[\boxed{❶}\Big]_a^x=F(x)-F(a)$$

이므로 이 식의 양변을 x에 대하여 미분하면 다음이 성립한다.

$$\frac{d}{dx}\int_a^x f(t)dt=\frac{d}{dx}\{F(x)-F(a)\}$$
$$=F'(x)-\boxed{❷}=f(x)$$

답 | ❶ $F(t)$ ❷ 0

개념 04 정적분의 성질 (1)

두 함수 $f(x)$, $g(x)$가 닫힌구간 $[a, b]$에서 연속일 때

① $\int_a^b kf(x)dx = \boxed{❶} \int_a^b f(x)dx$ (단, k는 상수)

② $\int_a^b \{f(x)+g(x)\}dx = \int_a^b f(x)dx + \int_a^b g(x)dx$

③ $\int_a^b \{f(x)-g(x)\}dx = \int_a^b f(x)dx \boxed{❷} \int_a^b g(x)dx$

답 | ❶ k ❷ $-$

QUIZ

다음 ⬚ 안에 알맞은 것을 써넣으시오.

(1) $\int_0^2 3f(x)dx = \boxed{❶} \int_0^2 f(x)dx$

(2) $\int_0^2 (x^2+x)dx - \int_0^2 (x^2-x)dx$

$= \int_0^2 \boxed{❷} dx = \boxed{❸}$

정답 |

❶ 3 ❷ $2x$ ❸ 4

개념 05 정적분의 성질 (2)

함수 $f(x)$가 임의의 세 실수 a, b, c를 포함하는 닫힌구간에서 연속일 때

$$\int_a^c f(x)dx + \int_c^b f(x)dx = \int_{\boxed{❶}}^{} f(x)dx$$

증명 $\int_a^c f(x)dx + \int_c^b f(x)dx = \Big[F(x) \Big]_a^c + \Big[F(x) \Big]_c^b$

$\qquad = \{F(c)-F(a)\}$
$\qquad\qquad + \{F(b) - \boxed{❷}\}$
$\qquad = F(b)-F(a)$
$\qquad = \int_a^b f(x)dx$

답 | ❶ b ❷ $F(c)$

QUIZ

다음 ⬚ 안에 알맞은 것을 써넣으시오.

(1) $\int_0^2 f(x)dx + \int_2^3 f(x)dx = \int_0^{\boxed{❶}} f(x)dx$

(2) $\int_0^1 xdx + \int_1^2 xdx = \int_0^2 \boxed{❷} dx = \boxed{❸}$

정답 |

❶ 3 ❷ x ❸ 2

개념 06 정적분 $\int_{-a}^a x^n dx$의 계산

n이 자연수일 때, 정적분 $\int_{-a}^a x^n dx$에 대하여 다음이 성립한다.

(1) n이 짝수일 때, $\int_{-a}^a x^n dx = 2\int_{\boxed{❶}}^a x^n dx$

(2) n이 홀수일 때, $\int_{-a}^a x^n dx = 0$

증명 $\int_{-a}^a x^n dx = \Big[\dfrac{1}{n+1}x^{n+1} \Big]_{-a}^a$

$\qquad = \dfrac{1}{n+1}a^{n+1} - \dfrac{1}{n+1}(\boxed{❷})^{n+1}$에서

(i) n이 짝수이면
$\int_{-a}^a x^n dx = \dfrac{1}{n+1}a^{n+1} + \dfrac{1}{n+1}a^{n+1} = \boxed{❸} \int_0^a x^n dx$

(ii) n이 홀수이면
$\int_{-a}^a x^n dx = \dfrac{1}{n+1}a^{n+1} - \dfrac{1}{n+1}a^{n+1} = 0$

답 | ❶ 0 ❷ $-a$ ❸ 2

QUIZ

다음 ⬚ 안에 알맞은 것을 써넣으시오.

$\int_{-2}^2 (x^3+x^2+x)dx$

$= \int_{-2}^2 x^3 dx + \int_{-2}^2 x^2 dx + \int_{-2}^2 \boxed{❶} dx$

$= 0 + \boxed{❷} \int_0^2 x^2 dx + 0$

$= 2\Big[\dfrac{x^3}{3} \Big]_0^{\boxed{❸}} = \boxed{❹}$

정답 |

❶ x ❷ 2 ❸ 2 ❹ $\dfrac{16}{3}$

 교과서 개념 확인 테스트

 9종 교과서 예제·유제 공통 문제

개념 **01** 정적분의 정의

1-1 다음 정적분의 값을 구하시오.

(1) $\displaystyle\int_{1}^{2} 2x\,dx$

(2) $\displaystyle\int_{-1}^{2} (3x^2-1)\,dx$

1-2 다음 정적분의 값을 구하시오.

(1) $\displaystyle\int_{1}^{2} 4x^3\,dx$

(2) $\displaystyle\int_{0}^{2} (2x^3-3)\,dx$

개념 **02** 정적분의 관계

2-1 다음 정적분의 값을 구하시오.

(1) $\displaystyle\int_{2}^{2} (x^2-3x)\,dx$

(2) $\displaystyle\int_{1}^{0} (4x^3+2x)\,dx$

2-2 다음 정적분의 값을 구하시오.

(1) $\displaystyle\int_{3}^{3} (-x^2-2x)\,dx$

(2) $\displaystyle\int_{2}^{-1} (4x^3+1)\,dx$

개념 **03** 정적분과 미분

3-1 다음 함수를 x에 대하여 미분하시오.

(1) $\displaystyle\int_{2}^{x} (4t-2)\,dt$

(2) $\displaystyle\int_{0}^{x} (2t-1)(t+1)\,dt$

3-2 다음 함수를 x에 대하여 미분하시오.

(1) $\displaystyle\int_{-1}^{x} (t^2-2)\,dt$

(2) $\displaystyle\int_{3}^{x} (2t-3)(t^2+1)\,dt$

개념 04 정적분의 성질

4-1 정적분 $\int_{1}^{2}(3x^2-4x+1)dx$의 값을 구하시오.

4-2 정적분 $\int_{0}^{2}(6x^2-2x+3)dx$의 값을 구하시오.

개념 05 정적분의 성질

5-1 다음 정적분의 값을 구하시오.

$$\int_{0}^{2}(3x^2-1)dx+\int_{2}^{3}(3x^2-1)dx$$

5-2 다음 정적분의 값을 구하시오.

$$\int_{-1}^{2}(3x^2+1)dx+\int_{2}^{3}(3x^2+1)dx$$

개념 06 정적분의 계산

6-1 다음 정적분의 값을 구하시오.

(1) $\int_{-1}^{1}(x^5-4x^3+3)dx$

(2) $\int_{-2}^{2}(-x^3-4x+3)dx$

6-2 다음 정적분의 값을 구하시오.

(1) $\int_{-1}^{1}(10x^4-9x^3+3x)dx$

(2) $\int_{-2}^{2}(4x^5-x^3-4x+5)dx$

유형 01 정적분의 정의

1-1 함수 $F(x)=x^2-x+3$에 대하여 $F'(x)=f(x)$일 때, 다음 정적분의 값을 구하시오.

(1) $\int_0^2 f(x)dx$

(2) $\int_{-2}^3 f(t)dt$

천재, 교학, 금성, 동아, 미래엔, 비상, 지학 유사

1-2 함수 $F(x)=x^3-2x$에 대하여 $F'(x)=f(x)$일 때, 다음 정적분의 값을 구하시오.

(1) $\int_0^3 f(x)dx$

(2) $\int_{-1}^2 f(t)dt$

유형 02 정적분의 정의

2-1 다음 정적분의 값을 구하시오.

(1) $\int_0^2 x^3 dx$

(2) $\int_{-2}^3 (3t^2+2t)dt$

천재, 교학, 금성, 동아, 비상, 좋은책, 지학 유사

2-2 다음 정적분의 값을 구하시오.

(1) $\int_1^2 5x^4 dx$

(2) $\int_{-1}^3 (3t^2-4t)dt$

유형 03 정적분의 관계

3-1 다음 정적분의 값을 구하시오.

(1) $\int_3^3 (x^2-2x)dx$

(2) $\int_1^0 (4x^3-2)dx$

천재, 교학, 미래엔, 비상, 좋은책, 지학 유사

3-2 다음 정적분의 값을 구하시오.

(1) $\int_2^2 (5x^2-3x)dx$

(2) $\int_2^{-1} (2x^3-3x^2+1)dx$

유형 **04** 정적분의 미분

4-1 다음 함수 $f(x)$를 x에 대하여 미분하시오.

$$f(x) = \int_{-3}^{x} (3t^3 - 4t - 2)dt$$

(천재, 금성, 동아, 미래엔, 비상, 좋은책, 지학 유사)

4-2 다음 함수 $f(x)$를 x에 대하여 미분하시오.

$$f(x) = \int_{-3}^{x} (t^3 - 3t^2 - 2)dt$$

유형 **05** 정적분의 미분

5-1 함수 $f(x)$가 모든 실수 x에 대하여

$$\int_{a}^{x} f(t)dt = x^2 - 2x - 3$$

을 만족시킬 때, 양수 a의 값을 구하시오.

(천재, 교학, 금성, 동아, 미래엔, 비상, 좋은책 유사)

5-2 함수 $f(x)$가 모든 실수 x에 대하여

$$\int_{a}^{x} f(t)dt = x^2 - 4x - 5$$

를 만족시킬 때, 실수 a의 값의 합을 구하시오.

유형 **06** 정적분의 미분

6-1 함수 $f(x)$가 모든 실수 x에 대하여

$$\int_{a}^{x} f(t)dt = x^2 - 2x$$

를 만족시킨다. 이때 0이 아닌 상수 a에 대하여 $f(a+2)$의 값을 구하시오.

(천재, 동아, 미래엔, 비상, 좋은책, 지학 유사)

6-2 함수 $f(x)$가 모든 실수 x에 대하여

$$\int_{a}^{x} f(t)dt = x^2 + 2x - 3$$

을 만족시킨다. 이때 양수 a에 대하여 $f(a)$의 값을 구하시오.

유형 **07** 정적분의 성질

7-1 정적분 $\int_0^3 (3x^2-4x+5)dx$의 값을 구하시오.

천재, 교학, 금성, 미래엔, 비상, 좋은책, 지학 유사

7-2 정적분 $\int_0^3 (3x^2+2x-4)dx$의 값을 구하시오.

유형 **08** 정적분의 성질

8-1 다음 정적분의 값을 구하시오.

(1) $\int_{-1}^2 (x+2)dx + \int_{-1}^2 (x-2)dx$

(2) $\int_{-1}^2 (3x+2)dx - \int_{-1}^2 (3x-2)dx$

천재, 교학, 금성, 미래엔, 비상, 좋은책, 지학 유사

8-2 다음 정적분의 값을 구하시오.

(1) $\int_{-1}^3 (x^2+2x)dx + \int_{-1}^3 (2x^2-2x)dx$

(2) $\int_{-1}^2 (x^2+2)dx - \int_{-1}^2 (x^2-3)dx$

유형 **09** 정적분의 성질

9-1 다음 정적분의 값을 구하시오.

$$\int_1^2 (3x^2-2x+1)dx \\ + \int_2^3 (3x^2-2x+1)dx$$

천재, 교학, 금성, 좋은책, 지학 유사

9-2 다음 정적분의 값을 구하시오.

$$\int_0^1 (x^2-2x)dx + \int_1^3 (x^2-2x)dx$$

유형 **10** 정적분의 성질

천재, 교학, 금성, 미래엔, 비상, 좋은책, 지학 유사

10-1 다음 정적분의 값을 구하시오.

$$\int_{-1}^{0}(5x^3-3x^2+2)dx$$
$$-\int_{1}^{0}(5x^3-3x^2+2)dx$$

10-2 다음 정적분의 값을 구하시오.

$$\int_{-1}^{0}(2x^3+3x^2-1)dx$$
$$-\int_{2}^{0}(2x^3+3x^2-1)dx$$

유형 **11** 정적분의 성질

천재, 교학, 금성, 동아, 좋은책, 지학 유사

11-1 정적분 $\int_{0}^{3}|x-1|dx$의 값을 구하시오.

11-2 정적분 $\int_{0}^{3}3x|x-2|dx$의 값을 구하시오.

유형 **12** 정적분의 계산

천재, 미래엔, 비상, 좋은책, 지학 유사

12-1 정적분 $\int_{-2}^{2}(7x^3-3x^2+2x)dx$의 값을 구하시오.

12-2 정적분 $\int_{-3}^{3}(7x^5-3x^3+3x^2-5x)dx$의 값을 구하시오.

 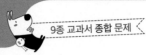
01 천재, 금성, 동아, 미래엔, 비상, 좋은책 유사 ≫ 출제율 95%

정적분 $\int_1^3 (x^2 - 2x - 1)dx$의 값은?

① -2 ② $-\dfrac{4}{3}$ ③ $-\dfrac{2}{3}$

④ $\dfrac{2}{3}$ ⑤ $\dfrac{4}{3}$

02 천재, 동아, 미래엔, 비상, 좋은책, 지학 유사 ≫ 출제율 95%

다음 정적분의 값을 구하시오.

$$\int_{-2}^0 x(x+2)(x-2)dx$$

03 천재, 미래엔, 비상, 좋은책, 지학 유사 ≫ 출제율 95%

정적분 $\int_{-1}^a (x-1)dx = 0$일 때, 상수 a의 값은?

(단, $a \neq -1$)

① 0   ② 1   ③ 2

④ 3   ⑤ 4

04 천재, 미래엔, 비상, 좋은책, 지학 유사 ≫ 출제율 95%

다음 정적분의 값을 구하시오.

$$\int_0^3 \frac{x^3}{x+1}dx + \int_0^3 \frac{1}{x+1}dx$$

05 천재, 교학, 금성, 미래엔, 비상, 좋은책 유사 ≫ 출제율 95%

정적분 $\int_0^3 |x^2 - 4|dx$의 값은?

① 7   ② $\dfrac{22}{3}$ ③ $\dfrac{23}{3}$

④ 8   ⑤ $\dfrac{25}{3}$

06 천재, 교학, 미래엔, 비상, 좋은책, 지학 유사 ≫ 출제율 80%

함수 $f(x) = 2x+1$에 대하여 정적분

$$\int_1^3 f(x)dx - \int_4^3 f(y)dy$$

의 값은?

① 14   ② 16   ③ 18

④ 20   ⑤ 22

07 천재, 미래엔, 비상, 좋은책, 지학 유사 　　》》》 출제율 68%

정적분 $\int_{-1}^{2}(x+1)^3 dx - \int_{-1}^{2}(x-1)^3 dx$의 값은?

① 20　　　　② 22　　　　③ 24

④ 26　　　　⑤ 28

08 천재, 교학, 금성, 동아, 미래엔, 비상 유사 　　》》》 출제율 68%

다음 정적분의 값은?

$$\int_0^1 (4x^3+2x-1)dx + \int_1^3 (4x^3+2x-1)dx$$

① 85　　　　② 86　　　　③ 87

④ 88　　　　⑤ 89

09 천재, 동아, 미래엔, 비상, 좋은책, 지학 유사 　》》》 출제율 68%

함수 $f(x)$가

$$f(x)=\begin{cases} -2x & (x<0) \\ x^2+x & (x\geq 0) \end{cases}$$

일 때, $\int_{-1}^{2} f(x)dx$의 값을 구하시오.

10 천재, 금성, 비상, 좋은책, 지학 유사 　　》》》 출제율 95%

닫힌구간 $[1, 3]$에서 연속인 두 함수 $f(x)$, $g(x)$에 대하여

$$\int_1^3 f(x)dx=3, \quad \int_1^3 \{2f(x)-g(x)\}dx=8$$

일 때, $\int_1^3 g(x)dx$의 값은?

① -2　　　② -1　　　③ 1

④ 2　　　　⑤ 3

11 천재, 교학, 미래엔, 비상 유사 　　》》》 출제율 68%

다음을 구하시오.

(1) $\dfrac{d}{dx}\displaystyle\int_0^x (2t-3)dt$

(2) $\dfrac{d}{dx}\displaystyle\int_{-2}^x (t+1)(3t^2-1)dt$

12 천재, 미래엔, 비상, 좋은책, 지학 유사 　》》》 출제율 75%

함수 $f(x)$가 모든 실수 x에 대하여

$$\int_a^x f(t)dt=x^2-4x+4$$

를 만족시킬 때, 상수 a의 값은?

① 1　　　　② 2　　　　③ 3

④ 4　　　　⑤ 5

13 천재, 교학, 금성, 좋은책, 지학 유사   >>> 출제율 78%

함수 $f(x)$가 모든 실수 x에 대하여

$$\int_{-1}^{x} f(t)dt = x^3 + ax + 3$$

을 만족시킬 때, 상수 a의 값을 구하시오.

14 천재, 미래엔, 비상, 지학 유사   >>> 출제율 78%

함수 $f(x)$가 모든 실수 x에 대하여

$$\int_{2}^{x} f(t)dt = x^3 + ax - 2$$

를 만족시킬 때, $f(2)$의 값은? (단, a는 상수)

① 6   ② 7   ③ 8
④ 9   ⑤ 10

15 천재, 금성, 동아, 비상, 좋은책, 지학 유사   >>> 출제율 80%

함수 $f(x)$가 모든 실수 x에 대하여

$$\int_{1}^{x} f(t)dt = x^2 - x + a$$

를 만족시킬 때, $a + f(1)$의 값은? (단, a는 상수)

① 1   ② 2   ③ 3
④ 4   ⑤ 5

16 천재, 교학, 금성, 미래엔, 비상 유사   >>> 출제율 85%

함수 $f(x)$가 모든 실수 x에 대하여

$$f(x) = 3x^2 + 2\int_{0}^{1} f(t)dt$$

를 만족시킬 때, $f(3)$의 값은?

① 21   ② 22   ③ 23
④ 24   ⑤ 25

17 천재, 미래엔, 비상, 좋은책, 지학 유사   >>> 출제율 65%

함수 $f(x) = 2x^2 - 4x + 5$에 대하여

$$\lim_{x \to 1} \frac{1}{x-1} \int_{1}^{x} f(t)dt$$

의 값은?

① 0   ② 1   ③ 2
④ 3   ⑤ 4

18 천재, 교학, 금성, 미래엔 유사   >>> 출제율 95%

함수 $f(x) = \int_{0}^{x} t(t-2)dt$의 극값을 구하시오.

19 천재, 교학, 금성, 미래엔 유사 ≫ 출제율 95%

자연수 n에 대하여

$$f(n)=\int_{-3}^{3}(x+5)x^{n}dx$$

일 때, $f(0)+f(1)+f(2)$의 값은?

① 136   ② 138   ③ 140

④ 142   ⑤ 144

20 천재, 금성, 미래엔, 비상, 좋은책, 지학 유사 ≫ 출제율 83%

다항함수 $f(x)$가 모든 실수 x에 대하여

$$\int_{1}^{x}f(t)dt=xf(x)-2x^{3}+3x^{2}$$

을 만족시킬 때, 다음에서 옳은 것만을 있는 대로 고른 것은?

> ㄱ. $f(0)=2$
>
> ㄴ. 함수 $f(x)$의 최솟값은 1이다.
>
> ㄷ. 함수 $xf(x)$는 극댓값과 극솟값을 갖는다.

① ㄱ   ② ㄷ   ③ ㄱ, ㄴ

④ ㄱ, ㄷ   ⑤ ㄱ, ㄴ, ㄷ

🔵 **과정을 평가하는 서술형입니다.**

[21~23] 다음 문제의 풀이 과정을 자세히 쓰시오.

21 천재, 미래엔, 비상, 좋은책, 지학 유사 ≫ 출제율 80%

정적분 $\int_{1}^{3}|x(x-2)|dx$의 값을 구하고, 그 풀이 과정을 쓰시오.

22 천재, 미래엔, 비상, 좋은책, 지학 유사 ≫ 출제율 80%

정적분

$$\int_{0}^{1}(x^{3}+3x^{2}+2)dx-\int_{0}^{-1}(t^{3}+3t^{2}+2)dt$$

의 값을 구하고, 그 풀이 과정을 쓰시오.

23 천재, 동아, 비상, 좋은책, 지학 유사 ≫ 출제율 75%

임의의 실수 x에 대하여

$$f(x)=3x^{2}+2x+2\int_{0}^{1}f(x)dx$$

를 만족시키는 함수 $f(x)$를 구하고, 그 풀이 과정을 쓰시오.

1

철수와 영희는 다음과 같이 함수를 원소로 가지는 무한집합을 각각 생각하였다.

> 철수: $\{f(x) \mid f'(x) = 2x+1\}$
> 영희: $\{g(x) \mid g(0) = 0\}$

두 집합을 보고 다음 물음에 답하시오.

(1) 철수가 생각한 집합에 속하는 함수 $f(x)$를 2개 구하시오.

(2) 위의 (1)에서 구한 두 함수에 대하여 $f(2) - f(0)$의 값을 각각 구하고, 구한 값이 서로 같은지 확인하시오.

(3) 철수와 영희가 생각한 집합에 동시에 속하는 함수를 구하시오.

2

용수철을 원래 길이에서 x m만큼 늘리는 데 필요한 힘의 크기를 $f(x)$ N이라 하고, 원래 길이에서 x m만큼 늘리는 데 필요한 일의 양을 W J이라 하면

$$f(x) = kx \ (k\text{는 상수}), \ W = \int_0^x f(t)dt$$

이다. 다음 물음에 답하시오. (단, N(뉴턴)은 힘의 크기를, J(줄)은 일의 양을 나타내는 단위이다.)

(1) 원래 길이가 0.2 m인 어떤 용수철을 길이가 0.3 m가 되도록 잡아당기는 데 필요한 힘의 크기가 40 N일 때, k의 값을 구하시오.

(2) 이 용수철의 길이를 0.2 m에서 0.4 m까지 늘리는 데 필요한 일의 양을 구하시오.

3

어느 일정한 시간 동안 심장에서 나오는 혈액의 양인 심박출량을 측정하는 방법의 하나로 염료의 양을 측정하는 방법이 있다. 이 방법은 염료를 우심방에 주입하여 심장을 거쳐 대동맥으로 들어간 후 염료의 농도가 0이 될 때까지 일정한 시간 간격으로 염료의 농도를 측정하는 방법이다. 이때 염료의 농도를 측정하는 시간 구간을 $[0, T]$, 시각 t에서의 염료의 농도를 $c(t)$라고 할 때, 구간 $[0, T]$에서의 심박출량 F는 다음과 같이 계산한다.

$$F = \frac{A}{\displaystyle\int_0^T c(t)dt} \text{ (단, } A\text{는 염료의 양이다.)}$$

염료 8 mg을 주입하여 12초 동안 시각 t에서의 염료의 농도 $c(t)$를 측정한 결과

$$c(t) = -0.3(t^2 - 12t)$$

일 때, 다음 물음에 답하시오.

⑴ 구간 $[0, 3]$에서의 심박출량을 구하시오.

⑵ 구간 $[0, 12]$에서의 심박출량을 구하시오.

4

다항함수 $f(x)$의 닫힌구간 $[a, b]$에서의 평균값은

$$\frac{1}{b-a}\int_a^b f(x)dx$$

로 정의된다. 온도 $t\,^\circ\mathrm{C}$에서의 산소의 비열 $H(t)\,\mathrm{kcal}/(\mathrm{kg}\cdot{}^\circ\mathrm{C})$는 대략

$$H(t) = 8 + \frac{1}{10^5}(26t - 1.8t^2)$$

이라고 한다. 다음 물음에 답하시오.

(단, $20 \leq t \leq 100$)

⑴ 함수 $H(t)$의 부정적분을 구하시오.

⑵ 닫힌구간 $[20, 100]$에서 산소의 비열의 평균값을 구하시오.

정적분의 활용

개념 01 · x축 위에 있는 곡선과 x축 사이의 넓이

함수 $f(x)$가 닫힌구간 $[a,b]$에서
❶〔 〕이고 $f(x) \geq 0$일 때, 곡선
$y=f(x)$와 x축 및 두 직선 $x=a$, $x=b$
로 둘러싸인 도형의 넓이 S는

$$S = \int_a^b f(x)dx$$

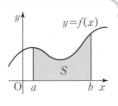

답 | ❶ 연속

QUIZ

오른쪽 그림은 구간 $[1,5]$
에서 연속인 함수 $f(x)$의 그
래프이다. 다음 빈칸을 채우
시오.

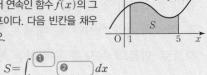

$$S = \int_1^{\boxed{❶}} \boxed{❷} \, dx$$

정답 |
❶ 5 ❷ $f(x)$

개념 02 · x축 아래에 있는 곡선과 x축 사이의 넓이

(1) 닫힌구간 $[a,b]$에서 $f(x) \leq 0$인 경우
곡선 $y=f(x)$는 곡선 $y=-f(x)$와
❶〔 〕축에 대하여 대칭이고
$-f(x) \geq 0$이므로

$$S = \int_a^b \{-f(x)\}dx = \int_a^b |f(x)|dx$$

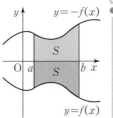

(2) 구간 $[a,c]$에서 $f(x) \leq 0$이고,
구간 $[c,b]$에서 $f(x) \geq 0$인 경우

$$S = \int_a^c \{\boxed{❷}\}dx$$
$$+ \int_c^b f(x)dx$$
$$= \int_a^c |f(x)|dx + \int_c^b |f(x)|dx$$
$$= \int_a^b |f(x)|dx$$

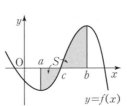

답 | ❶ x ❷ $-f(x)$

QUIZ

다음 그림은 구간 $[-3,5]$에서 연속인 함수 $f(x)$의 그
래프이다. 다음 빈칸을 채우시오.

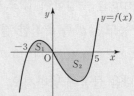

(1) $S_1 = \int_{-3}^0 |f(x)|dx = \int_{-3}^0 \boxed{❶} dx$

(2) $S_2 = \int_0^5 |f(x)|dx = \int_0^5 \{\boxed{❷}\}dx$

정답 |
❶ $f(x)$ ❷ $-f(x)$

개념 03 · 두 곡선 사이의 넓이

두 함수 $f(x)$, $g(x)$가 닫힌구간
$[a,b]$에서 연속일 때, 두 곡선
$y=f(x)$, $y=g(x)$와 두 직선
$x=a$, $x=b$로 둘러싸인 도형의 넓
이 S는

$$S = \int_a^b |\boxed{❶} - g(x)|dx$$

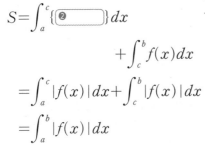

답 | ❶ $f(x)$

QUIZ

오른쪽 그림은 구간 $[2,4]$
에서 연속인 두 함수 $f(x)$,
$g(x)$의 그래프이다. 다음
빈칸을 채우시오.

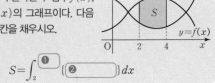

$$S = \int_2^{\boxed{❶}} \{\boxed{❷}\}dx$$

정답 |
❶ 4 ❷ $f(x)-g(x)$

개념 04 수직선 위를 움직이는 점의 위치와 위치의 변화량

수직선 위를 움직이는 점 P의 시각 t에서의 속도를 $v(t)$, 시각 $t=a$에서의 위치를 x_0이라 할 때

① 시각 t에서 점 P의 위치 x는

$$x = \boxed{① \quad} + \int_a^t v(t)dt$$

② 시각 $t=a$에서 $t=b$까지 점 P의 위치의 변화량은

$$\int_a^b \boxed{② \quad} dt$$

답 | ❶ x_0 ❷ $v(t)$

QUIZ

다음 빈칸을 채우시오.

수직선 위를 움직이는 점 P의 시각 t에서의 속도를 $v(t)$, 시각 $t=a$에서의 위치를 x_0이라 할 때 시각 t에서 점 P의 위치 x는

$$x = x_0 + \int_①^t \boxed{② \quad} dt$$

정답 |

❶ a ❷ $v(t)$

개념 05 점이 움직인 거리

수직선 위를 움직이는 점 P의 시각 t에서의 속도를 $v(t)$, 위치를 $f(t)$라 할 때, 시각 $t=a$에서 $t=b$까지 점 P가 움직인 거리 s는 다음과 같다.

(1) $v(t) > 0$인 경우

$f(t)$는 증가하므로 움직인 거리 s는

$$s = f(b) - \boxed{①\quad}$$
$$= \int_a^b v(t)dt$$
$$= \int_a^b |v(t)|dt$$

$v(t)$가 양수이므로 점 P는 양의 방향으로 움직인다.

$t=a \qquad t=b$
P
$f(a) \qquad f(b)$

(2) $v(t) < 0$인 경우

$f(t)$는 감소하므로 움직인 거리 s는

$$s = f(a) - f(b)$$
$$= \int_b^a v(t)dt$$
$$= \int_a^b \{\boxed{②\quad}\}dt$$
$$= \int_a^b |v(t)|dt$$

$v(t)$가 음수이므로 점 P는 음의 방향으로 움직인다.

$t=b \qquad t=a$
P
$f(b) \qquad f(a)$

(3) 시각 $t=a$에서 $t=c$까지 $v(t) > 0$, 시각 $t=c$에서 $t=b$까지 $v(t) < 0$인 경우

$f(t)$는 증가하다가 감소하므로 움직인 거리 s는

$$s = \int_a^c v(t)dt$$
$$+ \int_c^b \{-v(t)\}dt$$
$$= \int_a^c |v(t)|dt + \int_c^b |v(t)|dt$$
$$= \int_a^b \boxed{③\quad} dt$$

$t=a \ t=b \qquad t=c$
P
$f(a) \ f(b) \qquad f(c)$

답 | ❶ $f(a)$ ❷ $-v(t)$ ❸ $|v(t)|$

QUIZ

다음 빈칸을 채우시오.

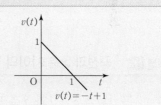

원점을 출발하여 수직선 위를 움직이는 점 P의 시각 t에서의 속도가 $v(t) = -t+1$일 때, 시각 $t=0$에서 $t=3$까지 점 P가 움직인 거리는

$$\int_0^3 |v(t)|dt = \int_0^1 v(t)dt + \int_1^3 \{\boxed{①\quad}\}dt$$
$$= \int_0^1 (-t+1)dt + \int_1^3 (t-1)dt$$
$$= \left[-\frac{1}{2}t^2 + t\right]_0^1 + \left[\frac{1}{2}t^2 - t\right]_1^3$$
$$= \boxed{②\quad}$$

정답 |

❶ $-v(t)$ ❷ $\frac{5}{2}$

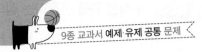
개념 01 곡선과 x축 사이의 넓이

1-1 오른쪽 그림과 같이 곡선 $y=-3x(x-1)$과 x축으로 둘러싸인 도형의 넓이를 구하시오.

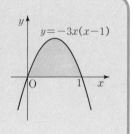

1-2 오른쪽 그림과 같이 곡선 $y=-x(x+2)$와 x축으로 둘러싸인 도형의 넓이를 구하시오.

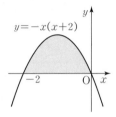

개념 02 곡선과 x축 사이의 넓이

2-1 곡선 $y=x^2+1$과 x축 및 두 직선 $x=1$, $x=2$로 둘러싸인 도형의 넓이를 구하시오.

2-2 곡선 $y=-x^2+4$와 x축 및 두 직선 $x=-1$, $x=1$로 둘러싸인 도형의 넓이를 구하시오.

개념 03 곡선과 x축 사이의 넓이

3-1 오른쪽 그림과 같이 곡선 $y=x^2+3x$와 x축 및 두 직선 $x=-1$, $x=1$로 둘러싸인 도형의 넓이를 구하시오.

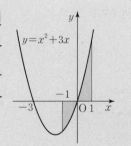

3-2 오른쪽 그림과 같이 곡선 $y=-x^2+2x$와 x축 및 두 직선 $x=-1$, $x=1$로 둘러싸인 도형의 넓이를 구하시오.

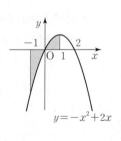

개념 04 곡선과 직선 사이의 넓이

4-1 곡선 $y=x^2-2x$와 직선 $y=x-2$로 둘러싸인 도형의 넓이를 구하시오.

4-2 곡선 $y=-x^2+2x$와 직선 $y=x$로 둘러싸인 도형의 넓이를 구하시오.

개념 05 수직선 위를 움직이는 점의 위치의 변화량

5-1 원점에서 출발하여 수직선 위를 움직이는 점 P의 시각 t에서의 속도가 $v(t)=2t+1$일 때, 다음을 구하시오. (단, $t \geq 0$)
(1) $t=2$에서 점 P의 위치
(2) $t=1$에서 $t=3$까지 점 P의 위치의 변화량

5-2 좌표가 5인 점에서 출발하여 수직선 위를 움직이는 점 P의 시각 t에서의 속도가 $v(t)=2t-4$일 때, 다음을 구하시오.
(단, $t \geq 0$)
(1) $t=2$에서 점 P의 위치
(2) $t=1$에서 $t=4$까지 점 P의 위치의 변화량

개념 06 점이 움직인 거리

6-1 수직선 위를 움직이는 점 P의 시각 t에서의 속도가 $v(t)=2t-2$일 때, $t=0$에서 $t=3$까지 점 P가 움직인 거리를 구하시오.
(단, $t \geq 0$)

6-2 수직선 위를 움직이는 점 P의 시각 t에서의 속도가 $v(t)=4t-2t^2$일 때, $t=0$에서 $t=3$까지 점 P가 움직인 거리를 구하시오.
(단, $t \geq 0$)

유형 01 곡선과 x축 사이의 넓이

1-1 곡선 $y=x^2+3$과 x축 및 두 직선 $x=-1$, $x=2$로 둘러싸인 도형의 넓이를 구하시오.

(천재, 교학, 금성, 동아, 미래엔, 비상, 좋은책, 지학 유사)

1-2 곡선 $y=x^2+x$와 x축 및 두 직선 $x=1$, $x=2$로 둘러싸인 도형의 넓이를 구하시오.

유형 02 곡선과 x축 사이의 넓이

2-1 곡선 $y=3x^2-12$와 x축으로 둘러싸인 도형의 넓이를 구하시오.

(천재, 교학, 동아, 비상, 미래엔, 좋은책, 지학 유사)

2-2 곡선 $y=-x^2+3x-2$와 x축으로 둘러싸인 도형의 넓이를 구하시오.

유형 03 곡선과 x축 사이의 넓이

3-1 곡선 $y=x(x+1)(x-1)$과 x축으로 둘러싸인 도형의 넓이를 구하시오.

(천재, 교학, 금성, 동아, 미래엔, 비상, 좋은책, 지학 유사)

3-2 곡선 $y=x(x+2)(1-x)$와 x축으로 둘러싸인 도형의 넓이를 구하시오.

유형 **04** 곡선과 x축 사이의 넓이

4-1 곡선 $y=x^2-4x$와 x축 및 두 직선 $x=-2$, $x=2$로 둘러싸인 도형의 넓이를 구하시오.

천재, 금성, 동아, 좋은책, 지학 유사

4-2 곡선 $y=x^2+2x$와 x축 및 두 직선 $x=-1$, $x=2$로 둘러싸인 도형의 넓이를 구하시오.

유형 **05** 곡선과 직선 사이의 넓이

5-1 곡선 $y=x^2+1$과 직선 $y=-x+3$으로 둘러싸인 도형의 넓이를 구하시오.

천재, 교학, 금성, 동아, 미래엔, 비상, 좋은책, 지학 유사

5-2 곡선 $y=x^2-1$과 직선 $y=x+1$로 둘러싸인 도형의 넓이를 구하시오.

유형 **06** 두 곡선 사이의 넓이

6-1 두 곡선 $y=x^2-2x$, $y=-x^2+6x-6$으로 둘러싸인 도형의 넓이를 구하시오.

천재, 교학, 동아, 미래엔, 비상, 좋은책, 지학 유사

6-2 두 곡선 $y=x^2-2x$, $y=-x^2+4$로 둘러싸인 도형의 넓이를 구하시오.

유형 07 점의 위치

7-1 좌표가 3인 점에서 출발하여 수직선 위를 움직이는 점 P의 시각 t에서의 속도가 $v(t)=4-t$일 때, $t=2$에서 점 P의 위치를 구하시오. (단, $t \geq 0$)

〔천재, 교학, 동아, 비상, 좋은책 유사〕

7-2 좌표가 3인 점에서 출발하여 수직선 위를 움직이는 점 P의 시각 t에서의 속도가 $v(t)=2t+1$일 때, $t=3$에서 점 P의 위치를 구하시오. (단, $t \geq 0$)

유형 08 점의 위치의 변화량

8-1 좌표가 5인 점에서 출발하여 수직선 위를 움직이는 점 P의 시각 t에서의 속도가 $v(t)=2t-2$일 때, $t=1$에서 $t=2$까지 점 P의 위치의 변화량을 구하시오. (단, $t \geq 0$)

〔천재, 교학, 금성, 동아, 미래엔, 비상, 좋은책, 지학 유사〕

8-2 좌표가 -3인 점에서 출발하여 수직선 위를 움직이는 점 P의 시각 t에서의 속도가 $v(t)=2t^2+4t$일 때, $t=1$에서 $t=3$까지 점 P의 위치의 변화량을 구하시오.

(단, $t \geq 0$)

유형 09 점이 움직인 거리

9-1 수직선 위를 움직이는 점 P의 시각 t에서의 속도가 $v(t)=t^2+2t$일 때, $t=1$에서 $t=4$까지 점 P가 움직인 거리를 구하시오.

(단, $t \geq 0$)

〔천재, 교학, 금성, 동아, 미래엔, 비상, 좋은책, 지학 유사〕

9-2 수직선 위를 움직이는 점 P의 시각 t에서의 속도가 $v(t)=-t^2+4t$일 때, $t=1$에서 $t=3$까지 점 P가 움직인 거리를 구하시오.

(단, $t \geq 0$)

유형 10 점이 움직인 거리

10-1 수직선 위를 움직이는 점 P의 시각 t에서의 속도가 $v(t)=2t^2-4t$일 때, 출발 후 $t=4$까지 점 P가 움직인 거리를 구하시오.

(단, $t \geq 0$)

천재, 교학, 금성, 동아, 미래엔, 비상, 좋은책, 지학 유사

10-2 수직선 위를 움직이는 점 P의 시각 t에서의 속도가 $v(t)=t^2-3t$일 때, $t=1$에서 $t=4$까지 점 P가 움직인 거리를 구하시오.

(단, $t \geq 0$)

유형 11 점이 움직인 거리

11-1 수직선 위를 움직이는 점 P의 시각 t에서의 속도가 $v(t)=t^2-2t$일 때, 출발 후 점 P가 처음으로 정지할 때까지 움직인 거리를 구하시오. (단, $t \geq 0$)

천재, 교학, 금성, 동아, 미래엔, 비상, 좋은책, 지학 유사

11-2 수직선 위를 움직이는 점 P의 시각 t에서의 속도가 $v(t)=3t^2-6t-9$일 때, 출발 후 점 P가 처음으로 정지할 때까지 움직인 거리를 구하시오. (단, $t \geq 0$)

유형 12 점이 움직인 거리

12-1 지면에서 20 m/s의 속도로 지면과 수직으로 던진 물체의 t초 후의 속도가 $v(t)=20-10t$ (m/s)일 때, 물체를 던진 후 3초 동안 물체가 움직인 거리를 구하시오.

천재, 교학, 금성, 동아, 미래엔, 비상, 좋은책, 지학 유사

12-2 지면으로부터 10 m의 높이에서 29.4 m/s의 속도로 지면과 수직으로 던진 물체의 t초 후의 속도가 $v(t)=29.4-9.8t$ (m/s)일 때, 물체를 던진 후 4초 동안 물체가 움직인 거리를 구하시오.

 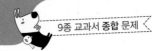
01 천재, 교학, 동아, 미래엔, 비상, 좋은책 유사 ≫≫ 출제율 95%

곡선 $y=-x^2-3x$와 x축으로 둘러싸인 도형의 넓이를 구하시오.

02 천재, 동아, 미래엔, 비상, 좋은책, 지학 유사 ≫≫ 출제율 95%

곡선 $y=x^2(2-x)$와 x축으로 둘러싸인 도형의 넓이는?

① $\dfrac{1}{3}$ ② $\dfrac{2}{3}$ ③ $\dfrac{4}{3}$

④ $\dfrac{5}{3}$ ⑤ $\dfrac{7}{3}$

03 천재, 미래엔, 비상, 좋은책, 지학 유사 ≫≫ 출제율 95%

곡선 $y=-x(x-a)$와 x축으로 둘러싸인 도형의 넓이가 $\dfrac{32}{3}$일 때, 양수 a의 값은?

① 3 ② $\dfrac{7}{2}$ ③ 4

④ $\dfrac{9}{2}$ ⑤ 5

04 천재, 미래엔, 비상, 좋은책, 지학 유사 ≫≫ 출제율 95%

함수 $f(x)=\begin{cases}-x^2+x+2\ (x\geq1)\\ x+1 \quad\ (x<1)\end{cases}$ 의 그래프와

x축으로 둘러싸인 도형의 넓이를 구하시오.

05 천재, 교학, 미래엔, 비상, 좋은책, 지학 유사 ≫≫ 출제율 95%

두 곡선 $y=x^2+4x-3$, $y=-x^2+3$으로 둘러싸인 도형의 넓이는?

① $\dfrac{62}{3}$ ② $\dfrac{64}{3}$ ③ 22

④ $\dfrac{68}{3}$ ⑤ $\dfrac{70}{3}$

06 천재, 금성, 동아, 좋은책, 지학 유사 ≫≫ 출제율 68%

두 곡선 $y=4x^2+2$, $y=x^2$과 두 직선 $x=-2$, $x=2$로 둘러싸인 도형의 넓이를 구하시오.

07 천재, 미래엔, 비상 유사   ≫ 출제율 68%

두 곡선 $y=x^2$, $y=4x^2$과 직선 $y=4$로 둘러싸인 도형의 넓이는?

① $\dfrac{10}{3}$　　　② 4　　　③ $\dfrac{14}{3}$

④ $\dfrac{16}{3}$　　　⑤ 6

08 천재, 비상, 좋은책, 지학 유사   ≫ 출제율 68%

곡선 $y=x^2+1$과 이 곡선 위의 점 $(1, 2)$에서의 접선 및 y축으로 둘러싸인 도형의 넓이를 구하시오.

09 천재, 교학, 비상, 좋은책 유사   ≫ 출제율 95%

오른쪽 그림과 같이 곡선 $y=x^2-2x+k$와 x축 및 y축으로 둘러싸인 두 도형의 넓이를 각각 A, B라 하자.

$A : B=1 : 2$일 때, 상수 k의 값은? (단, $0<k<4$)

① $\dfrac{1}{3}$　　　② $\dfrac{2}{3}$　　　③ 1

④ $\dfrac{4}{3}$　　　⑤ $\dfrac{5}{3}$

10 천재, 교학, 비상, 좋은책 유사   ≫ 출제율 95%

곡선 $y=x^2-2x$와 직선 $y=ax$로 둘러싸인 도형의 넓이가 36일 때, 양수 a의 값을 구하시오.

11 천재, 동아, 미래엔, 비상, 좋은책 유사   ≫ 출제율 75%

다음 그림과 같이 사차함수 $y=f(x)$의 그래프가 원점과 점 $(2, 0)$에서 x축과 접한다. 이 그래프와 x축으로 둘러싸인 도형의 넓이가 $\dfrac{4}{5}$일 때, 함수 $f(x)$를 구하시오.

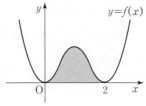

12 천재, 동아, 미래엔, 비상, 좋은책 유사   ≫ 출제율 75%

함수 $f(x)=x^2$ $(x\ge0)$의 역함수를 $g(x)$라 할 때, 두 곡선 $y=f(x)$, $y=g(x)$로 둘러싸인 도형의 넓이를 구하시오.

13 천재, 비상, 좋은책, 지학 유사 　　　　>>> 출제율 78%

원점을 출발하여 수직선 위를 움직이는 점 P의 시각 t에서의 속도가 $v(t)=t-t^2$일 때, $t=3$에서 점 P의 위치를 구하시오. (단, $t \geq 0$)

14 천재, 금성, 동아, 좋은책, 지학 유사 　　>>> 출제율 80%

원점을 출발하여 수직선 위를 움직이는 점 P의 시각 t에서의 속도가 $v(t)=2t-t^2$일 때, 점 P가 다시 원점으로 되돌아오는 시각은? (단, $t \geq 0$)

① 1 　　　　② 2 　　　　③ 3

④ 4 　　　　⑤ 5

15 천재, 금성, 좋은책, 지학 유사 　　　>>> 출제율 80%

원점을 출발하여 수직선 위를 움직이는 점 P의 시각 t에서의 속도가 $v(t)=-3t^2+6t$이다. 점 P의 좌표가 4일 때의 시각을 구하시오. (단, $t \geq 0$)

16 천재, 교학, 금성, 동아, 비상, 좋은책 유사 　>>> 출제율 78%

지점 P를 출발하여 직선 도로 위를 움직이는 자동차의 출발한 시점으로부터 t초 후의 속도는 $v(t)=-3t^2+60t$ (m/s)라고 한다. 이 자동차의 속도가 최대가 되는 지점과 지점 P 사이의 거리는?

(단, $0 \leq t \leq 20$)

① 1600 m 　　② 2000 m 　　③ 2400 m

④ 2800 m 　　⑤ 3200 m

17 천재, 비상, 좋은책, 지학 유사 　　　>>> 출제율 85%

수직선 위를 움직이는 점 P의 시각 t에서의 속도 $v(t)$가 다음과 같을 때, $t=0$에서 $t=5$까지 점 P가 움직인 거리를 구하시오.

$$v(t) = \begin{cases} 2t & (0 \leq t < 2) \\ -t^2+4t & (t \geq 2) \end{cases}$$

18 천재, 금성, 비상, 좋은책, 지학 유사 　　>>> 출제율 65%

지면으로부터 20 m의 높이에서 50 m/s의 속도로 지면과 수직으로 던진 물체의 t초 후의 속도가 $v(t)=50-10t$ (m/s)이다. 물체가 최고 높이에 도달했을 때 지면으로부터의 높이를 구하시오.

19 천재, 동아, 미래엔, 비상, 좋은책, 지학 유사 　　　　》》》 출제율 95%

원점을 출발하여 수직선 위를 움직이는 점 P의 시각 t에서의 속도 $v(t)$의 그래프가 오른쪽 그림과 같다. $t=0$에서 $t=6$까지 점 P가 움직인 거리는? (단, $0 \le t \le 6$)

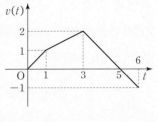

① 2 　　　　② 3 　　　　③ 4

④ 5 　　　　⑤ 6

20 천재, 미래엔, 비상, 좋은책, 지학 유사 　　　　》》》 출제율 83%

수직선 위를 움직이는 점 P의 시각 t에서의 속도를 $v(t)$라 하면 $y=v(t)$의 그래프는 오른쪽 그림과 같다. 점 P가 출발한 후 처음으로 방향을 바꿀 때부터 두 번째로 방향을 바꿀 때까지 움직인 거리를 구하시오. (단, $t \ge 0$)

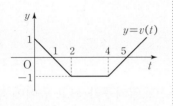

21 천재, 동아, 미래엔, 좋은책, 비상 유사 　　　　》》》 출제율 70%

어떤 승강기가 2 m/s의 속도로 내려오다가 제동이 걸린 시점으로부터 t초 후의 속도는

$$v(t) = 2 - \frac{1}{2}t \text{ (m/s)}$$

라고 한다. 이 승강기가 제동이 걸린 후부터 정지할 때까지 움직인 거리는? (단, $0 \le t \le 4$)

① 3 m 　　　　② 4 m 　　　　③ 5 m

④ 6 m 　　　　⑤ 7 m

과정을 평가하는 서술형입니다.

[22~24] 다음 문제의 풀이 과정을 자세히 쓰시오.

22 천재, 좋은책, 지학 유사 　　　　》》》 출제율 80%

곡선 $y=x^2+1$과 직선 $y=-x+3$으로 둘러싸인 도형의 넓이를 구하고, 그 풀이 과정을 쓰시오.

23 천재, 미래엔, 비상, 좋은책, 지학 유사 　　　　》》》 출제율 75%

곡선 $y=x^2+1$과 원점에서 이 곡선에 그은 두 접선으로 둘러싸인 도형의 넓이를 구하고, 그 풀이 과정을 쓰시오.

24 천재, 미래엔, 비상 유사 　　　　》》》 출제율 95%

직선 궤도를 a m/s의 속도로 달리고 있는 기차가 제동이 걸린 시점으로부터 t초 후의 속도는

$$v(t) = a - 10t \text{ (m/s)}$$

라고 한다. 이 기차가 제동이 걸린 후부터 정지할 때까지 달린 거리가 125 m일 때, 양수 a의 값을 구하고, 그 풀이 과정을 쓰시오. (단, $t \ge 0$)

창의력·융합형·서술형·코딩

정답과 해설 64쪽

1

다음 그림과 같이 입구 단면의 곡선 부분이 이차함수의 그래프의 일부와 같은 어떤 터널이 있다. 이 터널 입구의 바닥 부분의 폭은 24 m, 높이는 8 m일 때, 다음 물음에 답하시오.

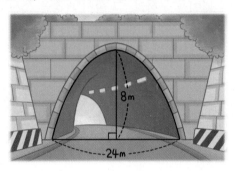

(1) 입구 단면의 곡선을 나타내는 이차함수의 식을 구하시오.

(2) 정적분을 이용하여 터널 입구 단면의 넓이를 구하시오.

2

지면과 수직으로 움직이는 열기구가 지면을 출발한 지 t초 후의 속도를 $v(t)$ m/s라 하면

$$v(t) = \begin{cases} \dfrac{3}{2}t & (0 \le t \le 20) \\ 80 - \dfrac{5}{2}t & (20 < t \le 40) \end{cases}$$

라 한다. 다음 물음에 답하시오.

(1) 10초 후의 열기구의 높이를 구하시오.

(2) 열기구가 최고 높이에 다다르는 순간은 출발 후 몇 초인지 구하시오.

(3) $t = 30$일 때, 이 열기구의 지면으로부터의 높이를 구하시오.

교과서 **다:품**

교과서

다:품

정답과 해설

넌 ♥
잘할거야

수학 II

정답과 해설

Ⅰ 함수의 극한과 연속

01 함수의 극한

본문 10~11쪽

STEP 1 교과서 개념 확인 테스트

1-1 (1) 1 (2) 3 (3) 0 (4) 0 　　**1-2** (1) 1 (2) 0 (3) 1 (4) 3

2-1 (1) 1 (2) 존재하지 않는다.

2-2 (1) 2 (2) 존재하지 않는다.

3-1 (1) 0 (2) $-\infty$ 　　　　　**3-2** (1) 0 (2) ∞

4-1 12 　　　　　　　　　　**4-2** (1) 21 (2) 10

5-1 (1) 2 (2) $\dfrac{1}{4}$ 　　　　　**5-2** (1) 2 (2) $\dfrac{1}{4}$

6-1 1 　　　　　　　　　　**6-2** $\dfrac{1}{3}$

1-1 (1) $\lim\limits_{x\to 0-} f(x)=1$

(2) $\lim\limits_{x\to 2-} f(x)=3$

(3) $\lim\limits_{x\to 2+} f(x)=0$

(4) $\lim\limits_{x\to 10+} f(x)=0$

1-2 (1) $\lim\limits_{x\to 0-} f(x)=1$

(2) $\lim\limits_{x\to 1-} f(x)=0$

(3) $\lim\limits_{x\to 1+} f(x)=1$

(4) $\lim\limits_{x\to 3+} f(x)=3$

2-1 (1) $\lim\limits_{x\to -1} f(x)=1$

(2) $\lim\limits_{x\to 1-} f(x)=-1$, $\lim\limits_{x\to 1+} f(x)=1$이므로

$\lim\limits_{x\to 1-} f(x)\neq \lim\limits_{x\to 1+} f(x)$

따라서 $\lim\limits_{x\to 1} f(x)$는 존재하지 않는다.

2-2 (1) $\lim\limits_{x\to 1} f(x)=2$

(2) $\lim\limits_{x\to 2-} f(x)=1$, $\lim\limits_{x\to 2+} f(x)=0$이므로

$\lim\limits_{x\to 2-} f(x)\neq \lim\limits_{x\to 2+} f(x)$

따라서 $\lim\limits_{x\to 2} f(x)$는 존재하지 않는다.

3-1 (1) $f(x)=\dfrac{5}{x}$로 놓으면 함수

$y=f(x)$의 그래프는 오른쪽 그림과 같고, x의 값이 한없이 커질 때 $f(x)$의 값은 0에 한없이 가까워지므로

$\lim\limits_{x\to \infty} \dfrac{5}{x}=0$

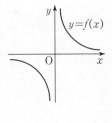

(2) $f(x)=\dfrac{2}{x+1}-x$로 놓으면 함수 $y=f(x)$의 그래프는 오른쪽 그림과 같고, x의 값이 한없이 커질 때 $f(x)$의 값은 음수이면서 그 절댓값이 한없이 커지므로

$\lim\limits_{x\to \infty} \left(\dfrac{2}{x+1}-x\right)=-\infty$

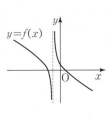

3-2 (1) $f(x)=\dfrac{3}{x+2}$으로 놓으면 함수 $y=f(x)$의 그래프는 오른쪽 그림과 같고, x의 값이 한없이 커질 때 $f(x)$의 값은 0에 한없이 가까워지므로

$\lim\limits_{x\to \infty} \dfrac{3}{x+2}=0$

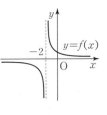

(2) $f(x)=2x^2-10$으로 놓으면 함수 $y=f(x)$의 그래프는 오른쪽 그림과 같고, x의 값이 음수이면서 그 절댓값이 한없이 커질 때 $f(x)$의 값은 한없이 커지므로

$\lim\limits_{x\to -\infty} (2x^2-10)=\infty$

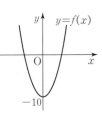

4-1 $\lim\limits_{x\to -2} \{3f(x)-2g(x)\}$

$= \lim\limits_{x\to -2} 3f(x) - \lim\limits_{x\to -2} 2g(x)$

$=3\lim\limits_{x\to -2} f(x) - 2\lim\limits_{x\to -2} g(x)$

$=3\times 2-2\times(-3)=12$

4-2 (1) $\lim\limits_{x\to 1} \{5f(x)-4\}=\lim\limits_{x\to 1} 5f(x)-\lim\limits_{x\to 1} 4$

$=5\lim\limits_{x\to 1} f(x)-4$

$=5\times 5-4=21$

(2) $\lim\limits_{x\to 1} \{f(x)g(x)\}=\lim\limits_{x\to 1} f(x)\lim\limits_{x\to 1} g(x)$

$=5\times 2=10$

5-1 (1) $\lim\limits_{x\to 1} \dfrac{x^2-1}{x-1}=\lim\limits_{x\to 1} \dfrac{(x+1)(x-1)}{x-1}$

$=\lim\limits_{x\to 1} (x+1)=2$

(2) $\lim\limits_{x\to 0} \dfrac{\sqrt{x+4}-2}{x}=\lim\limits_{x\to 0} \dfrac{(\sqrt{x+4}-2)(\sqrt{x+4}+2)}{x(\sqrt{x+4}+2)}$

$=\lim\limits_{x\to 0} \dfrac{x}{x(\sqrt{x+4}+2)}$

$=\lim\limits_{x\to 0} \dfrac{1}{\sqrt{x+4}+2}=\dfrac{1}{4}$

5-2 (1) $\lim\limits_{x \to 2}\dfrac{x^2-4}{x^2-2x}=\lim\limits_{x \to 2}\dfrac{(x+2)(x-2)}{x(x-2)}$

$\qquad\qquad =\lim\limits_{x \to 2}\dfrac{x+2}{x}=2$

(2) $\lim\limits_{x \to 1}\dfrac{\sqrt{x+3}-2}{x-1}$

$\quad =\lim\limits_{x \to 1}\dfrac{(\sqrt{x+3}-2)(\sqrt{x+3}+2)}{(x-1)(\sqrt{x+3}+2)}$

$\quad =\lim\limits_{x \to 1}\dfrac{x-1}{(x-1)(\sqrt{x+3}+2)}$

$\quad =\lim\limits_{x \to 1}\dfrac{1}{\sqrt{x+3}+2}=\dfrac{1}{4}$

6-1 $\lim\limits_{x \to 1}(2x-1)=\lim\limits_{x \to 1}x^2=1$이므로 함수의 극한의 대
소 관계에 의하여 $\lim\limits_{x \to 1}f(x)=1$

6-2 $\lim\limits_{x \to \infty}\dfrac{x+1}{3x+2}=\lim\limits_{x \to \infty}\dfrac{x+1}{3x+1}=\dfrac{1}{3}$이므로 함수의 극한
의 대소 관계에 의하여

$\lim\limits_{x \to \infty}f(x)=\dfrac{1}{3}$

STEP 2 기출 기초 테스트 | 본문 12~15쪽

1-1 (1) 1 (2) 0   **1-2** (1) 2 (2) 4

2-1 (1) -1 (2) -3 **2-2** (1) 2 (2) 2

3-1 존재하지 않는다.   **3-2** 2

4-1 (1) 2 (2) 0   **4-2** (1) 0 (2) 2

5-1 (1) 10 (2) 8   **5-2** 13

6-1 (1) -12 (2) -2 **6-2** (1) 15 (2) 1

7-1 (1) -6 (2) -5 **7-2** (1) 3 (2) $-\dfrac{2}{3}$

8-1 (1) $\dfrac{1}{2}$ (2) $\dfrac{1}{4}$ **8-2** (1) $\dfrac{1}{4}$ (2) -8

9-1 (1) 2 (2) 1   **9-2** (1) 2 (2) 3

10-1 $a=3, b=2$

10-2 (1) $a=3, b=2$ (2) $a=-2, b=3$

11-1 $a=-1, b=\dfrac{1}{2}$ **11-2** $a=3, b=4$

12-1 $\dfrac{1}{2}$ **12-2** $\dfrac{1}{5}$

1-1 (1) $\lim\limits_{x \to 1-}f(x)=1$

(2) $\lim\limits_{x \to 2+}f(x)=0$

1-2 (1) $\lim\limits_{x \to 1-}f(x)=2$

(2) $\lim\limits_{x \to 2+}f(x)=2,\ \lim\limits_{x \to 3-}f(x)=2$이므로

$\lim\limits_{x \to 2+}f(x)+\lim\limits_{x \to 3-}f(x)=4$

2-1 함수 $y=f(x)$의 그래프는 오른쪽 그림과 같다.

(1) $\lim\limits_{x \to -2-}f(x)=-1$

(2) $\lim\limits_{x \to -2+}f(x)=-3$

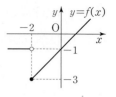

2-2 함수 $y=f(x)$의 그래프는 오른쪽 그림과 같다.

(1) $\lim\limits_{x \to 1-}f(x)=2$

(2) $\lim\limits_{x \to 1+}f(x)=2$

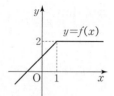

3-1 함수 $y=f(x)$의 그래프는 오른쪽 그림과 같으므로

$\lim\limits_{x \to 1-}f(x)=-1,$

$\lim\limits_{x \to 1+}f(x)=1$

$\therefore \lim\limits_{x \to 1-}f(x)\neq\lim\limits_{x \to 1+}f(x)$

따라서 $\lim\limits_{x \to 1}f(x)$는 존재하지 않는다.

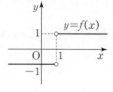

3-2 함수 $y=f(x)$의 그래프는 오른쪽 그림과 같으므로

$\lim\limits_{x \to 1-}f(x)=2,$

$\lim\limits_{x \to 1+}f(x)=2$

$\therefore \lim\limits_{x \to 1}f(x)=2$

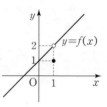

4-1 (1) $f(x)=\dfrac{1}{x}+2$로 놓으면

$y=f(x)$의 그래프는 오른쪽 그림과 같으므로

$\lim\limits_{x \to \infty}\left(\dfrac{1}{x}+2\right)=2$

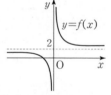

(2) $f(x)=\dfrac{3}{1-x}$으로 놓으면

$y=f(x)$의 그래프는 오른쪽 그림과 같으므로

$\lim\limits_{x \to -\infty}\dfrac{3}{1-x}=0$

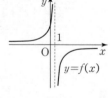

4-2 (1) $f(x)=\dfrac{5}{x-1}$로 놓으면

$y=f(x)$의 그래프는 오른쪽 그림과 같으므로

$\lim\limits_{x \to -\infty}\dfrac{5}{x-1}=0$

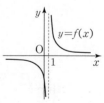

(2) $f(x)=\dfrac{1}{x+3}+2$로 놓으면

$y=f(x)$의 그래프는 오른쪽 그림과 같으므로

$\lim\limits_{x \to \infty}\left(\dfrac{1}{x+3}+2\right)=2$

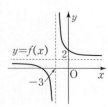

5-1 (1) $\lim\limits_{x \to 2} 5f(x) = 5 \lim\limits_{x \to 2} f(x) = 5 \times 2 = 10$

(2) $\lim\limits_{x \to 2} \{f(x) - 2g(x)\} = \lim\limits_{x \to 2} f(x) - 2 \lim\limits_{x \to 2} g(x)$
$$= 2 - 2 \times (-3) = 8$$

5-2 $\lim\limits_{x \to 1} \dfrac{2f(x)+3}{g(x)-1} = \dfrac{\lim\limits_{x \to 1}\{2f(x)+3\}}{\lim\limits_{x \to 1}\{g(x)-1\}}$
$$= \dfrac{2\lim\limits_{x \to 1}f(x)+3}{\lim\limits_{x \to 1}g(x)-1}$$
$$= \dfrac{2 \times 5 + 3}{2 - 1} = 13$$

6-1 (1) $\lim\limits_{x \to 1} \{(x+5)(x^2-3)\} = (1+5)(1-3) = -12$

(2) $\lim\limits_{x \to 0} \dfrac{5x-6}{x^2+3} = \dfrac{-6}{3} = -2$

6-2 (1) $\lim\limits_{x \to 2} \{(x^2-1)(x^2+1)\} = (2^2-1)(2^2+1) = 15$

(2) $\lim\limits_{x \to -1} \dfrac{2x+4}{x^2+1} = \dfrac{-2+4}{(-1)^2+1} = 1$

7-1 (1) $\lim\limits_{x \to -2} \dfrac{x^2-2x-8}{x+2} = \lim\limits_{x \to -2} \dfrac{(x+2)(x-4)}{x+2}$
$$= \lim\limits_{x \to -2} (x-4) = -6$$

(2) $\lim\limits_{x \to -1} \dfrac{x^2-3x-4}{x+1} = \lim\limits_{x \to -1} \dfrac{(x+1)(x-4)}{x+1}$
$$= \lim\limits_{x \to -1} (x-4) = -5$$

7-2 (1) $\lim\limits_{x \to 2} \dfrac{x^2-x-2}{x-2} = \lim\limits_{x \to 2} \dfrac{(x+1)(x-2)}{x-2}$
$$= \lim\limits_{x \to 2}(x+1) = 3$$

(2) $\lim\limits_{x \to -1} \dfrac{x^2-1}{x^3+1} = \lim\limits_{x \to -1} \dfrac{(x+1)(x-1)}{(x+1)(x^2-x+1)}$
$$= \lim\limits_{x \to -1} \dfrac{x-1}{x^2-x+1} = -\dfrac{2}{3}$$

8-1 (1) $\lim\limits_{x \to 1} \dfrac{\sqrt{x}-1}{x-1} = \lim\limits_{x \to 1} \dfrac{(\sqrt{x}-1)(\sqrt{x}+1)}{(x-1)(\sqrt{x}+1)}$
$$= \lim\limits_{x \to 1} \dfrac{x-1}{(x-1)(\sqrt{x}+1)}$$
$$= \lim\limits_{x \to 1} \dfrac{1}{\sqrt{x}+1} = \dfrac{1}{2}$$

(2) $\lim\limits_{x \to 2} \dfrac{\sqrt{x+2}-2}{x-2}$
$$= \lim\limits_{x \to 2} \dfrac{(\sqrt{x+2}-2)(\sqrt{x+2}+2)}{(x-2)(\sqrt{x+2}+2)}$$
$$= \lim\limits_{x \to 2} \dfrac{x-2}{(x-2)(\sqrt{x+2}+2)}$$
$$= \lim\limits_{x \to 2} \dfrac{1}{\sqrt{x+2}+2} = \dfrac{1}{4}$$

8-2 (1) $\lim\limits_{x \to 4} \dfrac{\sqrt{x}-2}{x-4} = \lim\limits_{x \to 4} \dfrac{(\sqrt{x}-2)(\sqrt{x}+2)}{(x-4)(\sqrt{x}+2)}$
$$= \lim\limits_{x \to 4} \dfrac{x-4}{(x-4)(\sqrt{x}+2)}$$
$$= \lim\limits_{x \to 4} \dfrac{1}{\sqrt{x}+2} = \dfrac{1}{4}$$

(2) $\lim\limits_{x \to -1} \dfrac{x^2-1}{\sqrt{x+5}-2}$
$$= \lim\limits_{x \to -1} \dfrac{(x^2-1)(\sqrt{x+5}+2)}{(\sqrt{x+5}-2)(\sqrt{x+5}+2)}$$
$$= \lim\limits_{x \to -1} \dfrac{(x+1)(x-1)(\sqrt{x+5}+2)}{x+1}$$
$$= \lim\limits_{x \to -1} \{(x-1)(\sqrt{x+5}+2)\}$$
$$= -8$$

9-1 (1) $\lim\limits_{x \to \infty} \dfrac{4x^2+3x}{2x^2+3} = \lim\limits_{x \to \infty} \dfrac{4+\dfrac{3}{x}}{2+\dfrac{3}{x^2}} = 2$

(2) $\lim\limits_{x \to \infty} (\sqrt{x^2+x} - \sqrt{x^2-x})$
$$= \lim\limits_{x \to \infty} \dfrac{(\sqrt{x^2+x}-\sqrt{x^2-x})(\sqrt{x^2+x}+\sqrt{x^2-x})}{\sqrt{x^2+x}+\sqrt{x^2-x}}$$
$$= \lim\limits_{x \to \infty} \dfrac{2x}{\sqrt{x^2+x}+\sqrt{x^2-x}}$$
$$= \lim\limits_{x \to \infty} \dfrac{2}{\sqrt{1+\dfrac{1}{x}}+\sqrt{1-\dfrac{1}{x}}} = 1$$

9-2 (1) $\lim\limits_{x \to \infty} \dfrac{10x^2+3x-7}{5x^2+2} = \lim\limits_{x \to \infty} \dfrac{10+\dfrac{3}{x}-\dfrac{7}{x^2}}{5+\dfrac{2}{x^2}} = 2$

(2) $\lim\limits_{x \to \infty} (\sqrt{x^2+4x} - \sqrt{x^2-2x})$
$$= \lim\limits_{x \to \infty} \dfrac{(\sqrt{x^2+4x}-\sqrt{x^2-2x})(\sqrt{x^2+4x}+\sqrt{x^2-2x})}{\sqrt{x^2+4x}+\sqrt{x^2-2x}}$$
$$= \lim\limits_{x \to \infty} \dfrac{6x}{\sqrt{x^2+4x}+\sqrt{x^2-2x}}$$
$$= \lim\limits_{x \to \infty} \dfrac{6}{\sqrt{1+\dfrac{4}{x}}+\sqrt{1-\dfrac{2}{x}}} = 3$$

10-1 $x \to -1$일 때 (분모)$\to 0$이고 극한값이 존재하므로 (분자)$\to 0$이다.
즉 $\lim\limits_{x \to -1}(x^2+ax+b) = 0$이므로 $1-a+b=0$
$\therefore b = a-1$
$b = a-1$을 주어진 식에 대입하면
$\lim\limits_{x \to -1} \dfrac{x^2+ax+a-1}{x+1} = \lim\limits_{x \to -1} \dfrac{(x+1)(x+a-1)}{x+1}$
$$= \lim\limits_{x \to -1}(x+a-1)$$
$$= a-2$$
$a-2 = 1$이므로 $a=3$, $b=2$

10-2 (1) $x \to -2$일 때 (분모) $\to 0$이고 극한값이 존재하므로 (분자) $\to 0$이다.

즉 $\lim_{x \to -2} (x^2 + ax + b) = 0$이므로 $4 - 2a + b = 0$

$\therefore b = 2a - 4$

$b = 2a - 4$를 주어진 식에 대입하면

$\lim_{x \to -2} \dfrac{x^2 + ax + 2a - 4}{x + 2}$

$= \lim_{x \to -2} \dfrac{(x+2)(x+a-2)}{x+2}$

$= \lim_{x \to -2} (x + a - 2) = a - 4$

$a - 4 = -1$이므로 $a = 3, b = 2$

(2) $x \to 2$일 때 (분모) $\to 0$이고 극한값이 존재하므로 (분자) $\to 0$이다.

즉 $\lim_{x \to 2}(x^2 - x + a) = 0$이므로 $4 - 2 + a = 0$

$\therefore a = -2$

$a = -2$를 주어진 식에 대입하면

$b = \lim_{x \to 2} \dfrac{x^2 - x - 2}{x - 2}$

$= \lim_{x \to 2} \dfrac{(x+1)(x-2)}{x-2}$

$= \lim_{x \to 2} (x + 1) = 3$

11-1 $x \to 2$일 때 (분모) $\to 0$이고 극한값이 존재하므로 (분자) $\to 0$이다.

즉 $\lim_{x \to 2} (\sqrt{x+a} - 1) = 0$이므로 $\sqrt{2+a} - 1 = 0$

$\therefore a = -1$

$a = -1$을 주어진 식에 대입하면

$b = \lim_{x \to 2} \dfrac{\sqrt{x-1} - 1}{x - 2}$

$= \lim_{x \to 2} \dfrac{(\sqrt{x-1} - 1)(\sqrt{x-1} + 1)}{(x-2)(\sqrt{x-1} + 1)}$

$= \lim_{x \to 2} \dfrac{x - 2}{(x-2)(\sqrt{x-1} + 1)}$

$= \lim_{x \to 2} \dfrac{1}{\sqrt{x-1} + 1} = \dfrac{1}{2}$

11-2 $x \to 1$일 때 (분자) $\to 0$이고 0이 아닌 극한값이 존재하므로 (분모) $\to 0$이다.

즉 $\lim_{x \to 1} (\sqrt{x+a} - 2) = 0$이므로 $\sqrt{1+a} - 2 = 0$

$\therefore a = 3$

$a = 3$을 주어진 식에 대입하면

$b = \lim_{x \to 1} \dfrac{x - 1}{\sqrt{x+3} - 2}$

$= \lim_{x \to 1} \dfrac{(x-1)(\sqrt{x+3} + 2)}{(\sqrt{x+3} - 2)(\sqrt{x+3} + 2)}$

$= \lim_{x \to 1} \dfrac{(x-1)(\sqrt{x+3} + 2)}{x - 1}$

$= \lim_{x \to 1} (\sqrt{x+3} + 2) = 4$

12-1 $\lim_{x \to \infty} \dfrac{x^2 + 2x}{2x^2 + 2} = \lim_{x \to \infty} \dfrac{x^2 + 4x + 1}{2x^2 + 1} = \dfrac{1}{2}$이므로

함수의 극한의 대소 관계에 의하여

$\lim_{x \to \infty} f(x) = \dfrac{1}{2}$

12-2 $\lim_{x \to \infty} \dfrac{x^2 + x}{5x^2 + 3} = \lim_{x \to \infty} \dfrac{x^2 + 3x + 1}{5x^2 + 2} = \dfrac{1}{5}$이므로

함수의 극한의 대소 관계에 의하여

$\lim_{x \to \infty} f(x) = \dfrac{1}{5}$

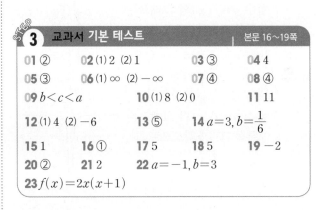

STEP 3 교과서 기본 테스트   본문 16~19쪽

01 ②	**02** (1) 2 (2) 1	**03** ③	**04** 4
05 ③	**06** (1) ∞ (2) $-\infty$	**07** ④	**08** ④
09 $b < c < a$		**10** (1) 8 (2) 0	**11** 11
12 (1) 4 (2) -6		**13** ⑤	**14** $a = 3, b = \dfrac{1}{6}$
15 1	**16** ①	**17** 5	**18** 5 **19** -2
20 ②	**21** 2	**22** $a = -1, b = 3$	
23 $f(x) = 2x(x+1)$			

01 $\lim_{x \to 1-} f(x) = 2$, $\lim_{x \to 2+} f(x) = 0$이므로

$\lim_{x \to 1-} f(x) + \lim_{x \to 2+} f(x) = 2 + 0 = 2$

02 (1) $\lim_{x \to -1-} f(x) = a + 1$에서

$a + 1 = 3$ $\therefore a = 2$

(2) $\lim_{x \to -1+} f(x) = a - 1 = 2 - 1 = 1$

03 $\lim_{x \to 1-} f(x) = 0$, $\lim_{x \to 1+} f(x) = 0$, $\lim_{x \to 1+} g(x) = 1$이므로

$\lim_{x \to 1-} f(x) + \lim_{x \to 1+} \{f(x)g(x)\}$

$= \lim_{x \to 1-} f(x) + \lim_{x \to 1+} f(x) \lim_{x \to 1+} g(x)$

$= 0 + 0 \times 1 = 0$

04 함수 $y = f(x)$의 그래프는 오른쪽 그림과 같으므로

$\lim_{x \to -1-} f(x) = 1$,

$\lim_{x \to -1+} f(x) = 3$

$\therefore \lim_{x \to -1-} f(x) + \lim_{x \to -1+} f(x)$

$= 1 + 3 = 4$

05 $f(x)=\begin{cases} -x+1 \ (x<-1) \\ x-1 \ \ \ (x>-1) \end{cases}$

함수 $y=f(x)$의 그래프는 오른쪽 그림과 같으므로

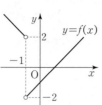

$a=\lim\limits_{x\to-1-} f(x)=2$,

$b=\lim\limits_{x\to-1+} f(x)=-2$

$\therefore a+2b=2-4=-2$

06 (1) $f(x)=\dfrac{2}{|x-1|}$로 놓으면

$f(x)=\begin{cases} -\dfrac{2}{x-1} \ (x<1) \\ \dfrac{2}{x-1} \ \ \ (x>1) \end{cases}$

함수 $y=f(x)$의 그래프는 오른쪽 그림과 같으므로

$\lim\limits_{x\to 1}\dfrac{2}{|x-1|}=\infty$

(2) $f(x)=5-\dfrac{1}{x^2}$로 놓으면

함수 $y=f(x)$의 그래프는 오른쪽 그림과 같으므로

$\lim\limits_{x\to 0}\left(5-\dfrac{1}{x^2}\right)=-\infty$

07 $\lim\limits_{x\to 1}\dfrac{x^2-1}{\sqrt{x}-1}=\lim\limits_{x\to 1}\dfrac{(x^2-1)(\sqrt{x}+1)}{(\sqrt{x}-1)(\sqrt{x}+1)}$

$\qquad =\lim\limits_{x\to 1}\dfrac{(x+1)(x-1)(\sqrt{x}+1)}{x-1}$

$\qquad =\lim\limits_{x\to 1}\{(x+1)(\sqrt{x}+1)\}=4$

08 $\lim\limits_{x\to -1}\dfrac{x^2-1}{x^2-x-2}=\lim\limits_{x\to -1}\dfrac{(x+1)(x-1)}{(x+1)(x-2)}$

$\qquad =\lim\limits_{x\to -1}\dfrac{x-1}{x-2}=\dfrac{2}{3}$

09 $a=\lim\limits_{x\to 1}(x+1)=1+1=2$

$b=\lim\limits_{x\to -1}\dfrac{x^2-1}{x+1}=\lim\limits_{x\to -1}\dfrac{(x+1)(x-1)}{x+1}$

$\quad =\lim\limits_{x\to -1}(x-1)=-2$

$c=\lim\limits_{x\to\infty}\dfrac{1}{x+3}=0$

$\therefore b<c<a$

10 (1) $\lim\limits_{x\to\infty}\dfrac{(2x+1)(4x-1)}{x^2-x+5}=\lim\limits_{x\to\infty}\dfrac{8x^2+2x-1}{x^2-x+5}$

$\qquad\qquad =\lim\limits_{x\to\infty}\dfrac{8+\dfrac{2}{x}-\dfrac{1}{x^2}}{1-\dfrac{1}{x}+\dfrac{5}{x^2}}=8$

(2) $\lim\limits_{x\to\infty}\dfrac{2x+1}{3x^2+5}=\lim\limits_{x\to\infty}\dfrac{\dfrac{2}{x}+\dfrac{1}{x^2}}{3+\dfrac{5}{x^2}}=0$

11 $\lim\limits_{x\to\infty}(\sqrt{9x^2+x}-\sqrt{9x^2-4x})$

$=\lim\limits_{x\to\infty}\dfrac{(\sqrt{9x^2+x}-\sqrt{9x^2-4x})(\sqrt{9x^2+x}+\sqrt{9x^2-4x})}{\sqrt{9x^2+x}+\sqrt{9x^2-4x}}$

$=\lim\limits_{x\to\infty}\dfrac{5x}{\sqrt{9x^2+x}+\sqrt{9x^2-4x}}$

$=\lim\limits_{x\to\infty}\dfrac{5}{\sqrt{9+\dfrac{1}{x}}+\sqrt{9-\dfrac{4}{x}}}=\dfrac{5}{6}$

따라서 $p=6, q=5$이므로 $p+q=11$

12 (1) $\lim\limits_{x\to 0}\{f(x)+2g(x)\}$

$\quad =\lim\limits_{x\to 0}f(x)+\lim\limits_{x\to 0}2g(x)$

$\quad =\lim\limits_{x\to 0}f(x)+2\lim\limits_{x\to 0}g(x)$

$\quad =-2+2\times 3=4$

(2) $\lim\limits_{x\to 0}\{f(x)g(x)\}=\lim\limits_{x\to 0}f(x)\lim\limits_{x\to 0}g(x)$

$\qquad\qquad\qquad =-2\times 3=-6$

13 $x\to 1$일 때 (분모)$\to 0$이고 극한값이 존재하므로 (분자)$\to 0$이다.

즉 $\lim\limits_{x\to 1}(x^2+ax+b)=0$이므로 $1+a+b=0$

$\therefore b=-a-1$

$b=-a-1$을 주어진 식에 대입하면

$\lim\limits_{x\to 1}\dfrac{x^2+ax+b}{x-1}=\lim\limits_{x\to 1}\dfrac{x^2+ax-a-1}{x-1}$

$\qquad\qquad\qquad =\lim\limits_{x\to 1}\dfrac{(x-1)(x+a+1)}{x-1}$

$\qquad\qquad\qquad =\lim\limits_{x\to 1}(x+a+1)=a+2$

$a+2=5$이므로 $a=3, b=-4$

$\therefore a^2+b^2=9+16=25$

14 $x\to 0$일 때 (분모)$\to 0$이고 극한값이 존재하므로 (분자)$\to 0$이다.

즉 $\lim\limits_{x\to 0}(\sqrt{x+9}-a)=0$이므로 $3-a=0$

$\therefore a=3$

$a=3$을 주어진 식에 대입하면

$$b=\lim_{x \to 0}\frac{\sqrt{x+9}-3}{x}$$

$$=\lim_{x \to 0}\frac{(\sqrt{x+9}-3)(\sqrt{x+9}+3)}{x(\sqrt{x+9}+3)}$$

$$=\lim_{x \to 0}\frac{x}{x(\sqrt{x+9}+3)}$$

$$=\lim_{x \to 0}\frac{1}{\sqrt{x+9}+3}=\frac{1}{6}$$

15
$$\lim_{x \to 0-}f(x)=\lim_{x \to 0-}(2x^2+1)=1$$

$$\lim_{x \to 0+}f(x)=\lim_{x \to 0+}k=k$$

이때 $\lim_{x \to 0}f(x)$가 존재하려면

$$\lim_{x \to 0-}f(x)=\lim_{x \to 0+}f(x)$$이어야 하므로

$$k=1$$

16
$$\lim_{x \to 1-}f(x)=\lim_{x \to 1-}(x^2-3x+2)=0$$

$$\lim_{x \to 1+}f(x)=\lim_{x \to 1+}(-x+k)=k-1$$

이때 $\lim_{x \to 1}f(x)$가 존재하려면

$$\lim_{x \to 1-}f(x)=\lim_{x \to 1+}f(x)$$이어야 하므로

$$0=k-1 \qquad \therefore k=1$$

17
$$\lim_{x \to \infty}\left(5-\frac{1}{x}\right)=\lim_{x \to \infty}\left(5+\frac{1}{x}\right)=5$$이므로

함수의 극한의 대소 관계에 의하여

$$\lim_{x \to \infty}f(x)=5$$

18 $x>0$이므로 주어진 부등식의 각 변을 x로 나누면

$$\frac{5x+2}{x}\leq\frac{f(x)}{x}\leq\frac{5x+3}{x}$$

$$\lim_{x \to \infty}\frac{5x+2}{x}=\lim_{x \to \infty}\frac{5x+3}{x}=5$$이므로

함수의 극한의 대소 관계에 의하여

$$\lim_{x \to \infty}\frac{f(x)}{x}=5$$

19 $\lim_{x \to -\infty}f(x)=1$, 즉 $\lim_{x \to -\infty}\left(\frac{1}{x+a}+b\right)=1$이므로

$$b=1$$

$x=3$에서의 극한이 존재하지 않으므로

$$\lim_{x \to 3-}f(x)\neq\lim_{x \to 3+}f(x)$$

따라서 $a=-3$이므로 $a+b=-2$

20 $4f(x)-2g(x)=h(x)$로 놓으면

$$g(x)=\frac{4f(x)-h(x)}{2}$$이고 $\lim_{x \to \infty}h(x)=1$이다.

$$\therefore \lim_{x \to \infty}\frac{f(x)+3g(x)}{9f(x)-5g(x)}$$

$$=\lim_{x \to \infty}\frac{f(x)+3\times\dfrac{4f(x)-h(x)}{2}}{9f(x)-5\times\dfrac{4f(x)-h(x)}{2}}$$

$$=\lim_{x \to \infty}\frac{14f(x)-3h(x)}{-2f(x)+5h(x)}$$

$$=\lim_{x \to \infty}\frac{14-3\times\dfrac{h(x)}{f(x)}}{-2+5\times\dfrac{h(x)}{f(x)}}$$

$$=-7\left(\because \lim_{x \to \infty}\frac{h(x)}{f(x)}=0\right)$$

21
$$\lim_{x \to 0}\frac{x}{\sqrt{x+1}-1}=\lim_{x \to 0}\frac{x(\sqrt{x+1}+1)}{(\sqrt{x+1}-1)(\sqrt{x+1}+1)}$$

$$=\lim_{x \to 0}\frac{x(\sqrt{x+1}+1)}{x}$$

$$=\lim_{x \to 0}(\sqrt{x+1}+1)=2$$

22 $x \to 2$일 때 (분모) $\to 0$이고 극한값이 존재하므로 (분자) $\to 0$이다.

즉 $\lim_{x \to 2}(x^2+ax-2)=0$이므로 $4+2a-2=0$

$$\therefore a=-1$$

$a=-1$을 주어진 식에 대입하면

$$b=\lim_{x \to 2}\frac{x^2-x-2}{x^2-3x+2}$$

$$=\lim_{x \to 2}\frac{(x+1)(x-2)}{(x-1)(x-2)}$$

$$=\lim_{x \to 2}\frac{x+1}{x-1}=3$$

23 $\lim_{x \to \infty}\frac{f(x)}{2x^2+3x-1}=1$에서 $f(x)$는 이차항의 계수가 2인 이차식이다.

$\lim_{x \to 0}\frac{f(x)}{x}=2$에서 $x \to 0$일 때 (분모) $\to 0$이고 극한값이 존재하므로 (분자) $\to 0$이다.

$$\therefore f(0)=0$$

즉 $f(x)=2x(x+a)$ (a는 상수)로 놓을 수 있으므로

$$\lim_{x \to 0}\frac{f(x)}{x}=\lim_{x \to 0}\frac{2x(x+a)}{x}$$

$$=\lim_{x \to 0}2(x+a)=2a$$

$2a=2$이므로 $a=1$

$$\therefore f(x)=2x(x+1)$$

1 (1) 감소한다. (2) 0 (3) 증가한다.
2 (1) 4 (2) 4 (3) 존재하지 않는다.
3 (1) 풀이 참조 (2) 커진다. (3) 풀이 참조
4 (1) ㉢ (2) 풀이 참조 (3) -1, 풀이 참조

1 (1) 감소한다.

(2) $\lim\limits_{r \to \infty} F = \lim\limits_{r \to \infty} G\dfrac{Mm}{r^2} = 0$

(3) $F = G\dfrac{Mm}{r^2}$에서 r가 감소함에 따라 F가 증가하므로 만유인력의 크기는 증가한다.

2 (1) $I(1) = 4$

(2) $\lim\limits_{t \to 8-} I(t) = 4$

(3) $\lim\limits_{t \to 8+} I(t) = 0$이므로 $\lim\limits_{t \to 8-} I(t) \neq \lim\limits_{t \to 8+} I(t)$

따라서 $\lim\limits_{t \to 8} I(t)$의 값이 존재하지 않는다.

3 (1) $P > 0$, $V > 0$이므로 $k > 0$

따라서 $P = \dfrac{k}{V}$의 그래프는 오른쪽 그림과 같다.

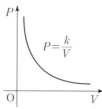

(2) 일정한 온도에서 풍선이 높이 올라가면 압력은 낮아지므로 부피가 커진다. 따라서 풍선의 크기는 커진다.

(3) 높이가 올라갈수록 풍선의 크기가 점점 커지다가 일정한 높이에서 풍선이 더 이상 팽창을 견디지 못해서 터진다.

4 (1) ㉢

(2) $\lim\limits_{x \to \infty} \dfrac{x}{\dfrac{1}{x} - 1} \neq \lim\limits_{x \to \infty} (-x)$

(3) $\lim\limits_{x \to \infty} \left(\dfrac{x^2}{1-x} + x \right) = \lim\limits_{x \to \infty} \dfrac{x^2 + (x - x^2)}{1-x}$

$= \lim\limits_{x \to \infty} \dfrac{x}{1-x}$

$= \lim\limits_{x \to \infty} \dfrac{1}{\dfrac{1}{x} - 1} = -1$

---

02 함수의 연속

STEP 1 교과서 개념 확인 테스트

1-1 (1) 연속 (2) 연속 (3) 불연속
1-2 (1) 연속 (2) 불연속
2-1 (1) $[-2, 3]$ (2) $[1, 5)$ (3) $(-5, 2]$ (4) $(4, \infty)$
2-2 ㄱ과 ㄹ, ㄴ과 ㄷ
3-1 (1) $[-1, \infty)$ (2) $(-\infty, 3)$, $(3, \infty)$
3-2 (1) $(-\infty, \infty)$ (2) $(-\infty, -2)$, $(-2, 2)$, $(2, \infty)$
4-1 (1) $(-\infty, \infty)$ (2) $(-\infty, 1)$, $(1, \infty)$
4-2 (1) $(-\infty, \infty)$ (2) $(-\infty, \infty)$
5-1 (1) 최댓값: 1, 최솟값: 0 (2) 최댓값: 1, 최솟값: 없다.
5-2 (1) 최댓값: 4, 최솟값: 0 (2) 최댓값: 2, 최솟값: $\dfrac{5}{4}$
6-1 연속, $>$, 사잇값의 정리
6-2 연속, $<$, 하나

1-1 (1) $\lim\limits_{x \to -2} f(x) = f(-2) = 0$

이므로 $f(x)$는 $x = -2$에서 연속이다.

(2) $\lim\limits_{x \to 0} f(x) = f(0) = 2$

이므로 $f(x)$는 $x = 0$에서 연속이다.

(3) $\lim\limits_{x \to 2} f(x) = 4$, $f(2) = 2$이므로

$\lim\limits_{x \to 2} f(x) \neq f(2)$

즉 $f(x)$는 $x = 2$에서 불연속이다.

1-2 (1) $\lim\limits_{x \to 0} f(x) = \lim\limits_{x \to 0} (x^2 + 1) = 1$, $f(0) = 1$에서

$\lim\limits_{x \to 0} f(x) = f(0)$이므로 $f(x)$는 $x = 0$에서 연속이다.

(2) $\lim\limits_{x \to 1} f(x) = \lim\limits_{x \to 1} (x^2 + 1) = 2$, $f(1) = 0$에서

$\lim\limits_{x \to 1} f(x) \neq f(1)$이므로 $f(x)$는 $x = 1$에서 불연속이다.

2-1 (1) $[-2, 3]$ (2) $[1, 5)$
(3) $(-5, 2]$ (4) $(4, \infty)$

2-2 ㄱ. $[-2, 1]$ ㄴ. $[-2, \infty)$
따라서 서로 같은 것은 ㄱ과 ㄹ, ㄴ과 ㄷ이다.

3-1 (1) 함수 $y = \sqrt{x+1}$은 $x \geq -1$, 즉 반닫힌 구간 $[-1, \infty)$에서 연속이다.

(2) 함수 $y = \dfrac{x}{x-3}$는 $x \neq 3$인 모든 실수, 즉 열린구간 $(-\infty, 3)$, $(3, \infty)$에서 연속이다.

3-2 (1) 함수 $y = \sqrt{x^2 + 1}$은 모든 실수, 즉 열린구간 $(-\infty, \infty)$에서 연속이다.

(2) $y=\dfrac{x}{x^2-4}=\dfrac{x}{(x-2)(x+2)}$

함수 $y=\dfrac{x}{x^2-4}$는 $x\neq-2$, $x\neq2$인 모든 실수,

즉 열린구간 $(-\infty,\,-2),\,(-2,\,2),\,(2,\,\infty)$에서

연속이다.

4-1 (1) $f(x)g(x)=(x^2+2)(x-1)$에서 두 함수 x^2+2, $x-1$이 모든 실수에서 연속이므로 함수 $f(x)g(x)$는 모든 실수, 즉 열린구간 $(-\infty,\,\infty)$에서 연속이다.

(2) $\dfrac{f(x)}{g(x)}=\dfrac{x^2+2}{x-1}$

함수 $\dfrac{f(x)}{g(x)}$는 $x\neq1$인 모든 실수, 즉 열린구간 $(-\infty,\,1),\,(1,\,\infty)$에서 연속이다.

4-2 (1) $f(x)+2g(x)=x+1+2(x^2+1)$
$$=2x^2+x+3$$
이므로 함수 $f(x)+2g(x)$는 모든 실수, 즉 열린구간 $(-\infty,\,\infty)$에서 연속이다.

(2) $\dfrac{f(x)}{g(x)}=\dfrac{x+1}{x^2+1}$

모든 실수 x에 대하여 $x^2+1\neq0$이므로 함수 $\dfrac{f(x)}{g(x)}$는 모든 실수, 즉 열린구간 $(-\infty,\,\infty)$에서 연속이다.

5-1 (1) $f(x)=-x^2+2x=-(x-1)^2+1$

함수 $f(x)=-x^2+2x$는 닫힌구간 $[0,\,2]$에서 연속 이고 이 구간에서 함수 $y=f(x)$의 그래프는 오른 쪽 그림과 같다.

따라서 $f(x)$는 $x=1$에서 최댓값 $f(1)=1$, $x=0$ 또는 $x=2$에서 최솟값 $f(0)=f(2)=0$을 갖는다.

(2) 함수 $f(x)=\dfrac{3}{x+1}$은

반닫힌 구간 $[2,\,5)$에서 연속이고 이 구간에서 함수 $y=f(x)$의 그래프는 오른쪽 그림과 같다.

따라서 $f(x)$는 $x=2$에서 최댓값 $f(2)=1$을 갖고 최솟값은 없다.

5-2 (1) $f(x)=x^2-2x+1=(x-1)^2$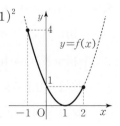

함수 $f(x)=x^2-2x+1$은 닫힌구간 $[-1,\,2]$에서 연속이고 이 구간에서 함수 $y=f(x)$의 그래프는 오른쪽 그림과 같다.

따라서 $f(x)$는 $x=-1$에서 최댓값 $f(-1)=4$, $x=1$에서 최솟값 $f(1)=0$을 갖는다.

(2) $f(x)=\dfrac{x}{x-1}=\dfrac{1}{x-1}+1$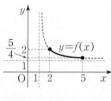

함수 $f(x)=\dfrac{x}{x-1}$는 닫 힌구간 $[2,\,5]$에서 연속 이고 이 구간에서 함수 $y=f(x)$의 그래프는 오 른쪽 그림과 같다.

따라서 $f(x)$는 $x=2$에서 최댓값 $f(2)=2$, $x=5$ 에서 최솟값 $f(5)=\dfrac{5}{4}$를 갖는다.

6-1 $f(x)=x^3+3x^2-1$이라 하면 함수 $f(x)$는 닫힌구간 $[0,\,1]$에서 $\boxed{\text{연속}}$이고
$$f(0)<0,\ f(1)\boxed{>}0$$
이므로 $\boxed{\text{사잇값의 정리}}$에 의하여 $f(c)=0$인 c가 열린 구간 $(0,\,1)$에 적어도 하나 존재한다.

즉 방정식 $x^3+3x^2-1=0$은 열린구간 $(0,\,1)$에서 적어도 하나의 실근을 갖는다.

6-2 $f(x)=2x^3+x-1$이라 하면 함수 $f(x)$는 닫힌구간 $[0,\,1]$에서 $\boxed{\text{연속}}$이고
$$f(0)\boxed{<}0,\ f(1)>0$$
이므로 사잇값의 정리에 의하여 $f(c)=0$인 c가 열린 구간 $(0,\,1)$에 적어도 $\boxed{\text{하나}}$ 존재한다.

즉 방정식 $2x^3+x-1=0$은 열린구간 $(0,\,1)$에서 적 어도 하나의 실근을 갖는다.

STEP 2 기출 기초 테스트 본문 26~29쪽

1-1 (1) 연속 (2) 불연속　　**1-2** (1) 불연속 (2) 불연속

2-1 6　　　　　　　　　**2-2** 5

3-1 (1) 연속 (2) 불연속　　**3-2** (1) 연속 (2) 불연속

4-1 연속　　**4-2** 불연속　　**5-1** -3　　**5-2** 1

6-1 (1) $\left(-\infty,\,\dfrac{3}{2}\right]$ (2) $[-2,\,2]$

6-2 (1) $[2,\,\infty)$ (2) $(-\infty,\,-1),\,(-1,\,\infty)$

7-1 (1) $(-\infty,\,\infty)$ (2) $(-\infty,\,-2),\,(-2,\,\infty)$

7-2 (1) $(-\infty,\,\infty)$ (2) $(-\infty,\,1),\,(1,\,\infty)$

8-1 ③　　**8-2** ④　　**9-1** -3　　**9-2** 11

10-1 최댓값: 2, 최솟값: -2

10-2 (1) 최댓값: 1, 최솟값: -3 (2) 최댓값: $\dfrac{3}{2}$, 최솟값: $\dfrac{3}{7}$

11-1 풀이 참조　　　　**11-2** 풀이 참조

12-1 풀이 참조　　　　**12-2** 풀이 참조

1-1 (1) $\lim\limits_{x\to-1}f(x)=f(-1)=0$

이므로 $f(x)$는 $x=-1$에서 연속이다.

(2) $\lim\limits_{x \to 0} f(x)=1$, $f(0)=0$이므로

$\lim\limits_{x \to 0} f(x) \neq f(0)$

즉 $f(x)$는 $x=0$에서 불연속이다.

1-2 (1) $\lim\limits_{x \to -1-} f(x)=0$, $\lim\limits_{x \to -1+} f(x)=2$이므로

$\lim\limits_{x \to -1-} f(x) \neq \lim\limits_{x \to -1+} f(x)$

즉 $\lim\limits_{x \to -1} f(x)$가 존재하지 않으므로 $f(x)$는

$x=-1$에서 불연속이다.

(2) $\lim\limits_{x \to 2-} f(x)=0$, $\lim\limits_{x \to 2+} f(x)=2$이므로

$\lim\limits_{x \to 2-} f(x) \neq \lim\limits_{x \to 2+} f(x)$

즉 $\lim\limits_{x \to 2} f(x)$가 존재하지 않으므로 $f(x)$는 $x=2$에

서 불연속이다.

2-1 (ⅰ) $x=-2$일 때의 함숫값은 $f(-2)=-1$

$x \to -2$일 때의 극한값은

$\lim\limits_{x \to -2-} f(x)=\lim\limits_{x \to -2+} f(x)=0$이므로

$\lim\limits_{x \to -2} f(x)=0$

따라서 $\lim\limits_{x \to -2} f(x) \neq f(-2)$이므로 $f(x)$는

$x=-2$에서 불연속이다.

(ⅱ) $x \to -1$일 때의 극한값은

$\lim\limits_{x \to -1-} f(x)=1$, $\lim\limits_{x \to -1+} f(x)=-1$이므로

$\lim\limits_{x \to -1-} f(x) \neq \lim\limits_{x \to -1+} f(x)$

따라서 $\lim\limits_{x \to -1} f(x)$가 존재하지 않으므로 $f(x)$는

$x=-1$에서 불연속이다.

(ⅲ) $x \to 1$일 때의 극한값은

$\lim\limits_{x \to 1-} f(x)=-1$, $\lim\limits_{x \to 1+} f(x)=1$이므로

$\lim\limits_{x \to 1-} f(x) \neq \lim\limits_{x \to 1+} f(x)$

따라서 $\lim\limits_{x \to 1} f(x)$가 존재하지 않으므로 $f(x)$는

$x=1$에서 불연속이다.

(ⅳ) $x=2$일 때의 함숫값은 $f(2)=-1$

$x \to 2$일 때의 극한값은

$\lim\limits_{x \to 2-} f(x)=\lim\limits_{x \to 2+} f(x)=0$이므로

$\lim\limits_{x \to 2} f(x)=0$

따라서 $\lim\limits_{x \to 2} f(x) \neq f(2)$이므로 $f(x)$는 $x=2$에서

불연속이다.

(ⅰ)~(ⅳ)에서 $x=-1$, $x=1$일 때 극한값이 존재하지

않으므로 $a=2$

$x=-2$, $x=-1$, $x=1$, $x=2$일 때 불연속이므로

$b=4$

$\therefore a+b=6$

2-2 (ⅰ) $x \to -1$일 때의 극한값은

$\lim\limits_{x \to -1-} f(x)=1$, $\lim\limits_{x \to -1+} f(x)=-1$이므로

$\lim\limits_{x \to -1-} f(x) \neq \lim\limits_{x \to -1+} f(x)$

따라서 $\lim\limits_{x \to -1} f(x)$가 존재하지 않으므로 $f(x)$는

$x=-1$에서 불연속이다.

(ⅱ) $x=0$일 때의 함숫값은 $f(0)=-1$

$x \to 0$일 때의 극한값은

$\lim\limits_{x \to 0-} f(x)=\lim\limits_{x \to 0+} f(x)=0$이므로

$\lim\limits_{x \to 0} f(x)=0$

따라서 $\lim\limits_{x \to 0} f(x) \neq f(0)$이므로 $f(x)$는 $x=0$에서

불연속이다.

(ⅲ) 함숫값 $f(1)$이 존재하지 않으므로 $f(x)$는 $x=1$에

서 불연속이다.

(ⅰ)~(ⅲ)에서 $x=-1$일 때 극한값이 존재하지 않으므

로 $a=1$

$x=1$일 때 함숫값이 존재하지 않으므로 $b=1$

$x=-1$, $x=0$, $x=1$일 때 불연속이므로 $c=3$

$\therefore a+b+c=5$

3-1 (1) $x=2$에서의 함숫값은 $f(2)=0$

$x \to 2$일 때의 극한값은

$\lim\limits_{x \to 2} f(x)=\lim\limits_{x \to 2} (x-2)=0$

따라서 $\lim\limits_{x \to 2} f(x)=f(2)$이므로 $f(x)$는 $x=2$에서

연속이다.

(2) 함숫값 $f(2)$가 존재하지 않으므로 $f(x)$는 $x=2$

에서 불연속이다.

3-2 (1) $x=1$에서의 함숫값은 $f(1)=2$

$x \to 1$일 때의 극한값은

$\lim\limits_{x \to 1} f(x)=\lim\limits_{x \to 1} (3x^2-x)=2$

따라서 $\lim\limits_{x \to 1} f(x)=f(1)$이므로 $f(x)$는 $x=1$에서

연속이다.

(2) 함숫값 $f(1)$이 존재하지 않으므로 $f(x)$는 $x=1$

에서 불연속이다.

4-1 $f(2)=2$, $\lim\limits_{x \to 2} f(x)=\lim\limits_{x \to 2} \left(\dfrac{x^2-2x}{x-2}\right)=\lim\limits_{x \to 2} x=2$

따라서 $\lim\limits_{x \to 2} f(x)=f(2)$이므로 $f(x)$는 $x=2$에서 연

속이다.

4-2 $\lim\limits_{x \to 2-} f(x)=\lim\limits_{x \to 2-} (1-x)=-1$,

$\lim\limits_{x \to 2+} f(x)=\lim\limits_{x \to 2+} (x^2-1)=3$이므로

$\lim\limits_{x \to 2-} f(x) \neq \lim\limits_{x \to 2+} f(x)$

따라서 $\lim\limits_{x \to 2} f(x)$가 존재하지 않으므로 $f(x)$는 $x=2$

에서 불연속이다.

5-1 함수 $f(x)$가 $x=-1$에서 연속이려면

$\lim\limits_{x\to-1}f(x)=f(-1)$이어야 하므로

$$\lim\limits_{x\to-1}\frac{x^2-x-2}{x+1}=\lim\limits_{x\to-1}\frac{(x+1)(x-2)}{x+1}$$
$$=\lim\limits_{x\to-1}(x-2)$$
$$=-3$$

$\therefore a=-3$

5-2 함수 $f(x)$가 $x=1$에서 연속이려면

$\lim\limits_{x\to1}f(x)=f(1)$이어야 하므로

$$\lim\limits_{x\to1}\frac{a(x^2-x)}{x-1}=\lim\limits_{x\to1}\frac{ax(x-1)}{x-1}$$
$$=\lim\limits_{x\to1}ax$$
$$=a$$

$\therefore a=1$

6-1 (1) 함수 $f(x)=\sqrt{3-2x}$의 정의역은

$\left\{x\,\middle|\,x\leq\dfrac{3}{2}\right\}$이므로 구간의 기호로 나타내면

$\left(-\infty,\dfrac{3}{2}\right]$

(2) 함수 $f(x)=\sqrt{4-x^2}$의 정의역은

$4-x^2\geq0$, $(x+2)(x-2)\leq0$, $-2\leq x\leq2$에서

$\{x\,|\,-2\leq x\leq2\}$이므로 구간의 기호로 나타내면

$[-2,2]$

6-2 (1) 함수 $f(x)=\sqrt{x-2}$의 정의역은 $\{x\,|\,x\geq2\}$이므로 구간의 기호로 나타내면 $[2,\infty)$

(2) 함수 $f(x)=\dfrac{1}{x+1}$의 정의역은

$\{x\,|\,x\neq-1$인 모든 실수$\}$이므로 구간의 기호로 나타내면 $(-\infty,-1)$, $(-1,\infty)$

7-1 (1) $2f(x)-g(x)=2x^2-(x+2)$
$$=2x^2-x-2$$

이므로 함수 $2f(x)-g(x)$는 모든 실수, 즉 열린구간 $(-\infty,\infty)$에서 연속이다.

(2) $\dfrac{f(x)}{g(x)}=\dfrac{x^2}{x+2}$

함수 $\dfrac{f(x)}{g(x)}$는 $x\neq-2$인 모든 실수, 즉 열린구간 $(-\infty,-2)$, $(-2,\infty)$에서 연속이다.

7-2 (1) $f(x)g(x)=(-x^2+1)(x-1)$에서 두 함수 $-x^2+1$, $x-1$이 모든 실수에서 연속이므로 함수 $f(x)g(x)$는 모든 실수, 즉 열린구간 $(-\infty,\infty)$에서 연속이다.

(2) $\dfrac{f(x)}{g(x)}=\dfrac{-x^2+1}{x-1}$

함수 $\dfrac{f(x)}{g(x)}$는 $x\neq1$인 모든 실수, 즉 열린구간 $(-\infty,1)$, $(1,\infty)$에서 연속이다.

8-1 함수 $f(x)$가 실수 전체의 집합에서 연속이려면 $x=1$에서도 연속이어야 한다.

즉 $\lim\limits_{x\to1}f(x)=f(1)$이어야 하므로

$$\lim\limits_{x\to1}\frac{x^2+ax-2}{x-1}=b \quad\cdots\cdots\ \bigcirc$$

$x\to1$일 때 (분모) $\to0$이고 극한값이 존재하므로 (분자) $\to0$이다.

즉 $\lim\limits_{x\to1}(x^2+ax-2)=0$이므로 $1+a-2=0$

$\therefore a=1 \quad\cdots\cdots\ \bigcirc\!\!\!\bigcirc$

$\bigcirc\!\!\!\bigcirc$을 $\bigcirc$에 대입하면

$$b=\lim\limits_{x\to1}\frac{x^2+x-2}{x-1}=\lim\limits_{x\to1}\frac{(x-1)(x+2)}{x-1}=3$$

$\therefore a^2+b^2=10$

8-2 함수 $f(x)$가 실수 전체의 집합에서 연속이려면 $x=2$에서도 연속이어야 한다.

즉 $\lim\limits_{x\to2}f(x)=f(2)$이어야 하므로

$$\lim\limits_{x\to2}\frac{x^2+ax+a-1}{x-2}=b \quad\cdots\cdots\ \bigcirc$$

$x\to2$일 때 (분모) $\to0$이고 극한값이 존재하므로 (분자) $\to0$이다.

즉 $\lim\limits_{x\to2}(x^2+ax+a-1)=0$이므로

$4+2a+a-1=0$

$\therefore a=-1 \quad\cdots\cdots\ \bigcirc\!\!\!\bigcirc$

$\bigcirc\!\!\!\bigcirc$을 $\bigcirc$에 대입하면

$$b=\lim\limits_{x\to2}\frac{x^2-x-2}{x-2}=\lim\limits_{x\to2}\frac{(x+1)(x-2)}{x-2}=3$$

$\therefore f(2)+f(3)=3+4=7$

9-1 두 함수 $f(x)$, $g(x)$가 연속함수이므로

$\lim\limits_{x\to1}f(x)=f(1)=1$, $\lim\limits_{x\to1}g(x)=g(1)=-2$

$\therefore \lim\limits_{x\to1}\{f(x)+2g(x)\}=\lim\limits_{x\to1}f(x)+2\lim\limits_{x\to1}g(x)$
$$=1+2\times(-2)=-3$$

9-2 두 함수 $f(x)$, $g(x)$가 연속함수이므로

$\lim\limits_{x\to0}f(x)=f(0)=1$, $\lim\limits_{x\to0}g(x)=g(0)=-3$

$\therefore \lim\limits_{x\to0+}f(x)=1$, $\lim\limits_{x\to0+}g(x)=-3$

$\therefore \lim\limits_{x\to0+}\{2f(x)-3g(x)\}$
$$=2\lim\limits_{x\to0+}f(x)-3\lim\limits_{x\to0+}g(x)$$
$$=2\times1-3\times(-3)=11$$

10-1 $f(x)=-x^2+2x+1$
$\qquad\quad =-(x-1)^2+2$

함수 $f(x)=-x^2+2x+1$은
닫힌구간 $[-1, 2]$에서 연속
이고 이 구간에서 함수

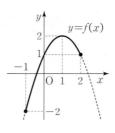

$y=f(x)$의 그래프는 오른쪽
그림과 같다.
따라서 $f(x)$는 $x=1$에서 최댓값 $f(1)=2$, $x=-1$
에서 최솟값 $f(-1)=-2$를 갖는다.

10-2 (1) $f(x)=x^2-4x+1=(x-2)^2-3$

함수 $f(x)=x^2-4x+1$은
닫힌구간 $[2, 4]$에서 연속
이고 이 구간에서 함수

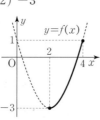

$y=f(x)$의 그래프는 오른
쪽 그림과 같다.
따라서 $f(x)$는 $x=4$에서
최댓값 $f(4)=1$, $x=2$에서 최솟값 $f(2)=-3$을
갖는다.

(2) 함수 $f(x)=\dfrac{3}{x+2}$은 닫힌
구간 $[0, 5]$에서 연속이고
이 구간에서 함수 $y=f(x)$

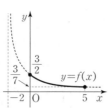

의 그래프는 오른쪽 그림
과 같다.
따라서 $f(x)$는 $x=0$에서 최댓값 $f(0)=\dfrac{3}{2}$, $x=5$

에서 최솟값 $f(5)=\dfrac{3}{7}$을 갖는다.

11-1 함수 $f(x)$는 닫힌구간 $[0, 2]$에서 연속이고
$f(0)=-1<0, f(2)=1>0$
이므로 사잇값의 정리에 의하여 $f(c)=0$인 c가 열린
구간 $(0, 2)$에 적어도 하나 존재한다.

11-2 함수 $f(x)$는 닫힌구간 $[0, 2]$에서 연속이고
$f(0)=0, f(2)=2$, 즉 $f(0)\neq f(2)$이므로
$f(0)<1<f(2)$인 1에 대하여 $f(c)=1$인 c가 열린
구간 $(0, 2)$에 적어도 하나 존재한다.

12-1 $f(x)=x^3-2x^2-1$이라 하면 함수 $f(x)$는 닫힌구
간 $[2, 3]$에서 연속이고
$f(2)=-1<0, f(3)=8>0$
이므로 사잇값의 정리에 의하여 $f(c)=0$인 c가 열린
구간 $(2, 3)$에 적어도 하나 존재한다.
즉 방정식 $x^3-2x^2-1=0$은 열린구간 $(2, 3)$에서
적어도 하나의 실근을 갖는다.

12-2 $f(x)=x^3+3x-1$이라 하면 함수 $f(x)$는 닫힌구
간 $[0, 2]$에서 연속이고
$f(0)=-1<0, f(2)=13>0$
이므로 사잇값의 정리에 의하여 $f(c)=0$인 c가 열린
구간 $(0, 2)$에 적어도 하나 존재한다.
즉 방정식 $x^3+3x-1=0$은 열린구간 $(0, 2)$에서 적
어도 하나의 실근을 갖는다.

STEP 3 교과서 **기본 테스트** 본문 30~33쪽

01 ①	**02** ④	**03** 4	**04** $\dfrac{3}{2}$	**05** ②
06 ②	**07** ②	**08** $\dfrac{9}{2}$	**09** $a=-2, b=-3$	
10 ③	**11** ①	**12** $(-\infty, -1), (-1, 2), (2, \infty)$		
13 ㄱ, ㄴ, ㄷ		**14** ②	**15** ④	

16 (1) 최댓값과 최솟값을 갖는다.
　　(2) 최댓값과 최솟값을 갖는다.
17 ㄴ, ㄷ　　**18** ②　　**19** 4개　　**20** ④
21 풀이 참조　　　　**22** 불연속　　**23** 풀이 참조

01 (i) 함숫값 $f(-2)$가 존재하지 않으므로 $f(x)$는
$x=-2$에서 불연속이다.

(ii) $\displaystyle\lim_{x\to -1-}f(x)=0, \lim_{x\to -1+}f(x)=-1$이므로

$\displaystyle\lim_{x\to -1-}f(x)\neq\lim_{x\to -1+}f(x)$

따라서 $\displaystyle\lim_{x\to -1}f(x)$가 존재하지 않으므로 $f(x)$는

$x=-1$에서 불연속이다.

(iii) $f(2)=1, \displaystyle\lim_{x\to 2}f(x)=2$이므로

$\displaystyle\lim_{x\to 2}f(x)\neq f(2)$

따라서 $f(x)$는 $x=2$에서 불연속이다.

(i)~(iii)에서 함수 $f(x)$가 불연속이 되는 x의 값은
$-2, -1, 2$이므로 그 합은 -1이다.

02 함수 $f(x)=\dfrac{x+1}{x-a}$은 $x=a$에서 정의되지 않으므로

$f(x)$는 $x=a$에서 불연속이다.
$\therefore a=2$

03 함수 $f(x)=\dfrac{2x+1}{x+a}$은 $x=-a$에서 정의되지 않으므

로 $f(x)$는 $x=-a$에서 불연속이다.
즉 $-a=1$이므로 $a=-1$

따라서 $f(x)=\dfrac{2x+1}{x-1}$이므로

$$f(0)+\lim_{x\to 2}f(x)=-1+\lim_{x\to 2}\dfrac{2x+1}{x-1}=4$$

04 (i) $\lim\limits_{x\to -1-}f(x)=2$, $\lim\limits_{x\to -1+}f(x)=1$이므로

$$\lim_{x\to -1-}f(x)\neq \lim_{x\to -1+}f(x)$$

따라서 $\lim\limits_{x\to -1}f(x)$가 존재하지 않으므로 $f(x)$는

$x=-1$에서 불연속이다.

(ii) $\lim\limits_{x\to 1-}f(x)=1$, $\lim\limits_{x\to 1+}f(x)=-1$이므로

$$\lim_{x\to 1-}f(x)\neq \lim_{x\to 1+}f(x)$$

따라서 $\lim\limits_{x\to 1}f(x)$가 존재하지 않으므로 $f(x)$는

$x=1$에서 불연속이다.

(iii) $f\left(\dfrac{3}{2}\right)=-1$, $\lim\limits_{x\to \frac{3}{2}}f(x)=0$이므로

$$\lim_{x\to \frac{3}{2}}f(x)\neq f\left(\dfrac{3}{2}\right)$$

따라서 $f(x)$는 $x=\dfrac{3}{2}$에서 불연속이다.

(i)~(iii)에서 함수 $f(x)$가 불연속이 되는 x의 값은

-1, 1, $\dfrac{3}{2}$이므로 그 합은 $\dfrac{3}{2}$이다.

05 (i) $f(1)=2$, $\lim\limits_{x\to 1}f(x)=1$이므로

$$\lim_{x\to 1}f(x)\neq f(1)$$

따라서 $f(x)$는 $x=1$에서 불연속이다.

(ii) $\lim\limits_{x\to 2-}f(x)=0$, $\lim\limits_{x\to 2+}f(x)=2$이므로

$$\lim_{x\to 2-}f(x)\neq \lim_{x\to 2+}f(x)$$

따라서 $\lim\limits_{x\to 2}f(x)$가 존재하지 않으므로 $f(x)$는

$x=2$에서 불연속이다.

(i), (ii)에서 함수 $f(x)$는 $x=2$에서 극한이 존재하지

않으므로 $m=1$

$x=1$, $x=2$에서 불연속이므로 $n=2$

$\therefore m-n=-1$

06 함수 $f(x)$가 연속함수이므로

$$\lim_{x\to 1}f(x)=f(1)=5$$

$\therefore \lim\limits_{x\to 1-}f(x)=\lim\limits_{x\to 1+}f(x)=5$

$\therefore \lim\limits_{x\to 1-}f(x)+\lim\limits_{x\to 1+}f(x)=10$

07 함수 $f(x)$가 모든 실수 x에서 연속이려면 $x=1$에서

연속이어야 하므로

$$\lim_{x\to 1+}f(x)=\lim_{x\to 1-}f(x)=f(1)$$

$a+2=1$ $\quad\therefore a=-1$

08 함수 $f(x)$가 $x=1$에서 연속이려면 $\lim\limits_{x\to 1}f(x)=f(1)$

이어야 하므로

$$\lim_{x\to 1}\dfrac{a\sqrt{x}-3}{x-1}=b \quad \cdots\cdots ㉠$$

$x\to 1$일 때 (분모) $\to 0$이고 극한값이 존재하므로

(분자) $\to 0$이다.

즉 $\lim\limits_{x\to 1}(a\sqrt{x}-3)=0$이므로 $a-3=0$

$\therefore a=3 \quad \cdots\cdots ㉡$

㉡을 ㉠에 대입하면

$$b=\lim_{x\to 1}\dfrac{3\sqrt{x}-3}{x-1}=\lim_{x\to 1}\dfrac{3(\sqrt{x}-1)}{x-1}$$

$$=\lim_{x\to 1}\dfrac{3(\sqrt{x}-1)(\sqrt{x}+1)}{(x-1)(\sqrt{x}+1)}$$

$$=\lim_{x\to 1}\dfrac{3(x-1)}{(x-1)(\sqrt{x}+1)}$$

$$=\lim_{x\to 1}\dfrac{3}{\sqrt{x}+1}=\dfrac{3}{2}$$

$\therefore a+b=\dfrac{9}{2}$

09 함수 $f(x)$가 $x=-1$에서 연속이려면

$\lim\limits_{x\to -1}f(x)=f(-1)$이어야 하므로

$$\lim_{x\to -1}\dfrac{x^2-x+a}{x+1}=b \quad \cdots\cdots ㉠$$

$x\to -1$일 때 (분모) $\to 0$이고 극한값이 존재하므

로 (분자) $\to 0$이다.

즉 $\lim\limits_{x\to -1}(x^2-x+a)=0$이므로 $2+a=0$

$\therefore a=-2 \quad \cdots\cdots ㉡$

㉡을 ㉠에 대입하면

$$b=\lim_{x\to -1}\dfrac{x^2-x-2}{x+1}$$

$$=\lim_{x\to -1}\dfrac{(x-2)(x+1)}{x+1}$$

$$=\lim_{x\to -1}(x-2)=-3$$

10 함수 $f(x)$가 연속함수이려면 $x=1$에서 연속이어야

하므로 $\lim\limits_{x\to 1}f(x)=f(1)=2$

$$\therefore \lim_{x\to 1}\dfrac{x^2+ax+b}{x-1}=2 \quad \cdots\cdots ㉠$$

$x\to 1$일 때 (분모) $\to 0$이고 극한값이 존재하므로

(분자) $\to 0$이다.

즉 $\lim\limits_{x\to 1}(x^2+ax+b)=0$이므로 $1+a+b=0$

$\therefore b=-a-1 \quad \cdots\cdots ㉡$

㉡을 ㉠에 대입하면

$$\lim_{x\to 1}\dfrac{x^2+ax-a-1}{x-1}=\lim_{x\to 1}\dfrac{(x-1)(x+a+1)}{x-1}$$

$$=\lim_{x\to 1}(x+a+1)$$

$$=a+2=2$$

따라서 $a=0$, $b=-1$이므로 $a-b=1$

11 $\lim\limits_{x \to 1} \dfrac{(x^2-1)f(x)}{x-1} = \lim\limits_{x \to 1} \dfrac{(x-1)(x+1)f(x)}{x-1}$
$\qquad\qquad\qquad\quad = \lim\limits_{x \to 1}(x+1)f(x)$
$\qquad\qquad\qquad\quad = 2f(1) = 8$
$\quad \therefore f(1) = 4$

12 $\dfrac{f(x)}{g(x)} = \dfrac{x+3}{x^2-x-2} = \dfrac{x+3}{(x+1)(x-2)}$

함수 $\dfrac{f(x)}{g(x)}$ 는 $x \neq -1$, $x \neq 2$인 모든 실수, 즉 열린구간 $(-\infty, -1)$, $(-1, 2)$, $(2, \infty)$에서 연속이다.

13 ㄱ. $f(x)+g(x) = x^2-x+(3x^2+x) = 4x^2$이므로 함수 $f(x)+g(x)$는 모든 실수에서 연속이다.
ㄴ. $f(x)-g(x) = x^2-x-(3x^2+x) = -2x^2-2x$ 이므로 함수 $f(x)-g(x)$는 모든 실수에서 연속이다.
ㄷ. $f(x)g(x) = (x^2-x)(3x^2+x)$이므로 함수 $f(x)g(x)$는 모든 실수에서 연속이다.
ㄹ. $\dfrac{g(x)}{f(x)} = \dfrac{3x^2+x}{x^2-x} = \dfrac{3x^2+x}{x(x-1)}$
함수 $\dfrac{g(x)}{f(x)}$는 $x \neq 0$, $x \neq 1$인 모든 실수, 즉 열린구간 $(-\infty, 0)$, $(0, 1)$, $(1, \infty)$에서 연속이다.
따라서 모든 실수에서 연속인 함수는 ㄱ, ㄴ, ㄷ이다.

14 $x \neq -1$일 때 $f(x) = \dfrac{x^2-1}{x+1}$이고, 함수 $f(x)$가 실수 전체의 집합에서 연속이면 $x=-1$에서도 연속이므로
$f(-1) = \lim\limits_{x \to -1}f(x) = \lim\limits_{x \to -1}\dfrac{x^2-1}{x+1}$
$\qquad\quad = \lim\limits_{x \to -1}\dfrac{(x+1)(x-1)}{x+1}$
$\qquad\quad = \lim\limits_{x \to -1}(x-1) = -2$

15 $x \neq 1$일 때 $f(x) = \dfrac{x^2+2x+a}{x-1}$이고, 함수 $f(x)$가 실수 전체의 집합에서 연속이면 $x=1$에서도 연속이므로
$f(1) = \lim\limits_{x \to 1}f(x) = \lim\limits_{x \to 1}\dfrac{x^2+2x+a}{x-1}$
$x \to 1$일 때 (분모) $\to 0$이고 극한값이 존재하므로 (분자) $\to 0$이다.
즉 $\lim\limits_{x \to 1}(x^2+2x+a) = 0$이므로
$1+2+a = 0 \qquad \therefore a = -3$
$\therefore f(1) = \lim\limits_{x \to 1}\dfrac{x^2+2x-3}{x-1}$
$\qquad\quad = \lim\limits_{x \to 1}\dfrac{(x-1)(x+3)}{x-1}$
$\qquad\quad = \lim\limits_{x \to 1}(x+3) = 4$
$\therefore a+f(1) = -3+4 = 1$

16 (1) 함수 $f(x) = \dfrac{x-2}{x^2+1}$는 닫힌구간 $[0, 3]$에서 연속이므로 최대·최소 정리에 의하여 최댓값과 최솟값을 갖는다.
참고 $f(x)$는 $x=0$에서 최솟값 $f(0) = -2$, $x=3$에서 최댓값 $f(3) = \dfrac{1}{10}$을 갖는다.

(2) 함수 $f(x) = \dfrac{1}{\sqrt{3-x}}$은 닫힌구간 $[-1, 2]$에서 연속이므로 최대·최소 정리에 의하여 최댓값과 최솟값을 갖는다.
참고 $f(x)$는 $x=-1$에서 최솟값 $f(-1) = \dfrac{1}{2}$, $x=2$에서 최댓값 $f(2) = 1$을 갖는다.

17 ㄴ. $f_2(x) = f(x) - x^2$이라 하면 함수 $f_2(x)$는 닫힌구간 $[0, 2]$에서 연속이고
$f_2(0) = f(0) - 0 = 2 > 0$,
$f_2(2) = f(2) - 4 = -5 < 0$
이므로 사잇값의 정리에 의하여 $f_2(c) = 0$인 c가 열린구간 $(0, 2)$에 적어도 하나 존재한다.
즉 방정식 $f(x) - x^2 = 0$은 열린구간 $(0, 2)$에서 적어도 하나의 실근을 갖는다.
ㄷ. $f_3(x) = f(x) - \dfrac{1}{x+1}$이라 하면 함수 $f_3(x)$는 닫힌구간 $[0, 2]$에서 연속이고
$f_3(0) = f(0) - 1 = 1 > 0$,
$f_3(2) = f(2) - \dfrac{1}{3} = -\dfrac{4}{3} < 0$
이므로 사잇값의 정리에 의하여 $f_3(c) = 0$인 c가 열린구간 $(0, 2)$에 적어도 하나 존재한다.
즉 방정식 $f(x) - \dfrac{1}{x+1} = 0$은 열린구간 $(0, 2)$에서 적어도 하나의 실근을 갖는다.
따라서 열린구간 $(0, 2)$에 실근이 반드시 존재하는 방정식은 ㄴ, ㄷ이다.

18 $F(x) = f(x) - x^2$이라 하면 함수 $F(x)$는 닫힌구간 $[-1, 2]$에서 연속이고
$F(-1) = f(-1) - 1 > 0$, $F(2) = f(2) - 4 < 0$
이므로 사잇값의 정리에 의하여 $F(c) = 0$인 c가 열린구간 $(-1, 2)$에 적어도 하나 존재한다.
이 실근이 열린구간 $(0, 1)$에 존재하려면
$F(0) = f(0) = a+1 > 0$,
$F(1) = f(1) - 1 = a-3 < 0$이어야 한다.
$\therefore -1 < a < 3$
따라서 이를 만족시키는 정수 a는 0, 1, 2이고, 그 개수는 3이다.

19 $g(x) = f(x) - x$라 하면 함수 $g(x)$는 닫힌구간 $[0, 1]$에서 연속이고

$$g(0)=f(0)-0=-\frac{1}{2},$$

$$g\left(\frac{1}{3}\right)=f\left(\frac{1}{3}\right)-\frac{1}{3}=\frac{1}{6},$$

$$g\left(\frac{1}{2}\right)=f\left(\frac{1}{2}\right)-\frac{1}{2}=-\frac{5}{6},$$

$$g\left(\frac{2}{3}\right)=f\left(\frac{2}{3}\right)-\frac{2}{3}=\frac{1}{12},$$

$$g\left(\frac{3}{4}\right)=f\left(\frac{3}{4}\right)-\frac{3}{4}=\frac{1}{20},$$

$$g(1)=f(1)-1=-\frac{1}{6}$$

이므로

$$g(0)g\left(\frac{1}{3}\right)<0,\ g\left(\frac{1}{3}\right)g\left(\frac{1}{2}\right)<0,\ g\left(\frac{1}{2}\right)g\left(\frac{2}{3}\right)<0,$$

$$g\left(\frac{2}{3}\right)g\left(\frac{3}{4}\right)>0,\ g\left(\frac{3}{4}\right)g(1)<0$$

사잇값의 정리에 의하여 방정식 $g(x)=0$은 열린구간 $\left(0,\frac{1}{3}\right),\left(\frac{1}{3},\frac{1}{2}\right),\left(\frac{1}{2},\frac{2}{3}\right),\left(\frac{3}{4},1\right)$에서 각각 적어도 하나의 실근을 갖는다.
따라서 방정식 $g(x)=0$, 즉 $f(x)-x=0$은 열린구간 $(0,1)$에서 적어도 4개의 실근을 갖는다.

20 함수 $f(x)g(x)$가 $x=1$에서 연속이면
$\displaystyle\lim_{x\to 1}\{f(x)g(x)\}$가 존재하므로
$$\lim_{x\to 1-}\{f(x)g(x)\}=\lim_{x\to 1+}\{f(x)g(x)\}$$
$$\lim_{x\to 1-}\{(x+k)(x+1)\}=\lim_{x\to 1+}\{(x+k)(-x+2)\}$$
$$2(1+k)=1+k \qquad \therefore k=-1$$

21 $\displaystyle\lim_{x\to c-}f(x)=a,\ \lim_{x\to c+}f(x)=b$이므로
$$\lim_{x\to c-}f(x)\neq\lim_{x\to c+}f(x)$$
따라서 $\displaystyle\lim_{x\to c}f(x)$가 존재하지 않으므로 $f(x)$는 $x=c$에서 불연속이다.

22 $\displaystyle\lim_{x\to 1-}f(x)=\lim_{x\to 1-}|x-1|=\lim_{x\to 1-}(1-x)=0,$
$$\lim_{x\to 1+}f(x)=\lim_{x\to 1+}1=1$$
이므로 $\displaystyle\lim_{x\to 1-}f(x)\neq\lim_{x\to 1+}f(x)$
따라서 $\displaystyle\lim_{x\to 1}f(x)$가 존재하지 않으므로 $f(x)$는 $x=1$에서 불연속이다.

23 $f(x)=x^4+x-7$이라 하면 함수 $f(x)$는 닫힌구간 $[0,2]$에서 연속이고
$$f(0)=-7<0,\ f(2)=11>0$$
이므로 사잇값의 정리에 의하여 $f(c)=0$인 c가 열린구간 $(0,2)$에 적어도 하나 존재한다.
즉 방정식 $x^4+x-7=0$은 열린구간 $(0,2)$에서 적어도 하나의 실근을 갖는다.

1 (1) 풀이 참조 (2) 4500 (3) 없다.
2 (1) 풀이 참조 (2) 1 (3) 거짓
3 (1) 2번 (2) 2번 (3) 2번
4 (1) 풀이 참조 (2) 0

1 (1) $0<t\leq 30$일 때 $f(t)=3000$
　$30<t\leq 120$일 때
　$$f(t)=3000+(t-30)\times 100=100t$$
　$t>120$일 때
　$$f(t)=12000+(t-120)\times 150$$
　$$\quad=150t-6000$$
　$$\therefore f(t)=\begin{cases} 3000 & (0<t\leq 30) \\ 100t & (30<t\leq 120) \\ 150t-6000 & (t>120) \end{cases}$$
(2) $f(45)=100\times 45=4500$
(3) $\displaystyle\lim_{t\to 30-}f(t)=3000,\ \lim_{t\to 30+}f(t)=\lim_{t\to 30+}100t=3000$
　$$\therefore \lim_{t\to 30}f(t)=3000$$
　$\displaystyle\lim_{t\to 30}f(t)=f(30)$이므로 $f(t)$는 $t=30$에서 연속이다.
　따라서 $0<t<60$에서 $f(t)$의 그래프가 불연속이 되는 t의 값은 없다.

2 (1) 출발 후 t분 후의 자동차의 속력을 $f(t)$라 하면
　$f(0)=0,\ f(30)=70,\ f(60)=110$이다.
　이때 함수 $f(t)$는 닫힌구간 $[0,30]$에서 연속이고 $f(0)\neq f(30)$이므로 $f(0)<50<f(30)$인 50에 대하여 $f(c)=50$인 c가 열린구간 $(0,30)$에 적어도 하나 존재한다.
　따라서 출발 후 30분까지 시속 50 km로 달린 지점은 적어도 하나 존재한다.
(2) 함수 $f(t)$는 닫힌구간 $[0,60]$에서 연속이고 $f(0)\neq f(60)$이므로 $f(0)<60<f(60)$인 60에 대하여 $f(c)=60$인 c가 열린구간 $(0,60)$에 적어도 하나 존재한다.
　따라서 출발 후 1시간 동안 시속 60 km로 달린 순간이 적어도 $\boxed{1}$번 있었다.
(3) $100<k<110$인 k에 대하여 $f(0)<k<f(60)$이므로 사잇값의 정리에 의하여 $f(c)=k$인 c가 열린구간 $(0,60)$에 적어도 하나 존재한다.
　따라서 운전자는 1시간 동안 운행하면서 1시간일 때를 제외하고도 속력이 100 km/h를 넘는 순간이 있었다.

3 출발 후 t시간 후의 비행기의 고도를 $f(t)$라 하면
$$f(0)=0,\ f(1)=6000,\ f(2)=11000,\ f(5)=4000,$$
$$f(6)=0$$이다.

(1) 함수 $f(t)$는 닫힌구간 $[1, 2]$에서 연속이고
$f(1) \neq f(2)$이므로 $f(1) < 10000 < f(2)$인 10000
에 대하여 $f(c) = 10000$인 c가 열린구간 $(1, 2)$에
적어도 하나 존재한다.
또 함수 $f(t)$는 닫힌구간 $[2, 5]$에서 연속이고
$f(2) \neq f(5)$이므로 $f(5) < 10000 < f(2)$인 10000
에 대하여 $f(c) = 10000$인 c가 열린구간 $(2, 5)$에
적어도 하나 존재한다.
따라서 고도 10000 m의 높이를 적어도 2번 지났다.

(2) 함수 $f(t)$는 닫힌구간 $[0, 1]$에서 연속이고
$f(0) \neq f(1)$이므로 $f(0) < 5000 < f(1)$인 5000에
대하여 $f(c) = 5000$인 c가 열린구간 $(0, 1)$에 적어
도 하나 존재한다.
또 함수 $f(t)$는 닫힌구간 $[2, 5]$에서 연속이고
$f(2) \neq f(5)$이므로 $f(5) < 5000 < f(2)$인 5000에
대하여 $f(c) = 5000$인 c가 열린구간 $(2, 5)$에 적어
도 하나 존재한다.
따라서 비행기가 고도 5000 m인 지점을 적어도 2번
지났다.

(3) 출발 후 t시간 후의 온도를 $g(t)$라 하면
$g(0) = 10$, $g(1) = -15$, $g(2) = -25$,
$g(5) = -10$, $g(6) = 12$이다.
이때 함수 $g(t)$는 닫힌구간 $[1, 2]$에서 연속이고
$g(1) \neq g(2)$이므로 $g(2) < -20 < g(1)$인 -20에
대하여 $g(c) = -20$인 c가 열린구간 $(1, 2)$에 적어
도 하나 존재한다.
또 함수 $g(t)$는 닫힌구간 $[2, 5]$에서 연속이고
$g(2) \neq g(5)$이므로 $g(2) < -20 < g(5)$인 -20에
대하여 $g(c) = -20$인 c가 열린구간 $(2, 5)$에 적어
도 하나 존재한다.
따라서 비행기가 운항하는 동안 온도가 영하 20 ℃인
순간은 적어도 2번이다.

4 (1) 연 소득 x만 원에 대한 세금 $f(x)$만 원은
$x \leq 1200$일 때 $f(x) = 0.06x$
$1200 < x \leq 4600$일 때
$f(x) = 0.15x - 108$
$4600 < x \leq 8800$일 때
$f(x) = 0.24x - 522$
$8800 < x \leq 15000$일 때
$f(x) = 0.35x - 1490$
$x > 15000$일 때
$f(x) = 0.38x - 1940$
$$\therefore f(x) = \begin{cases} 0.06x & (x \leq 1200) \\ 0.15x - 108 & (1200 < x \leq 4600) \\ 0.24x - 522 & (4600 < x \leq 8800) \\ 0.35x - 1490 & (8800 < x \leq 15000) \\ 0.38x - 1940 & (x > 15000) \end{cases}$$

(2) $f(1200) = 0.06 \times 1200 = 72$이고,
$\lim\limits_{x \to 1200-} f(x) = \lim\limits_{x \to 1200-} 0.06x = 72$,
$\lim\limits_{x \to 1200+} f(x) = \lim\limits_{x \to 1200+} (0.15x - 108) = 72$이므로
$\lim\limits_{x \to 1200} f(x) = 72$
따라서 $\lim\limits_{x \to 1200} f(x) = f(1200)$이므로 $f(x)$는
$x = 1200$에서 연속이다.
또 $f(4600) = 0.15 \times 4600 - 108 = 582$이고,
$\lim\limits_{x \to 4600-} f(x) = \lim\limits_{x \to 4600-} (0.15x - 108) = 582$,
$\lim\limits_{x \to 4600+} f(x) = \lim\limits_{x \to 4600+} (0.24x - 522) = 582$이므로
$\lim\limits_{x \to 4600} f(x) = 582$
따라서 $\lim\limits_{x \to 4600} f(x) = f(4600)$이므로 $f(x)$는
$x = 4600$에서 연속이다.
이상에서 함수 $f(x)$는 $0 < x < 5000$에서 연속이므
로 불연속인 점의 개수는 0이다.

II 미분

03 미분계수와 도함수

| 본문 40~41쪽

STEP 1 교과서 개념 **확인 테스트**

1-1 (1) 3 (2) 3   **1-2** (1) 2 (2) 4
2-1 (1) 2 (2) 6   **2-2** (1) 4 (2) 8
3-1 풀이 참조   **3-2** 풀이 참조
4-1 $f'(x)=2x-1$ **4-2** $f'(x)=2x+3$
5-1 (1) $f'(x)=4x^3$ (2) $f'(x)=0$
5-2 (1) $f'(x)=10x^4$ (2) $f'(x)=0$
6-1 (1) $y'=-2$ (2) $y'=14x-1$
6-2 (1) $y'=-4x+1$ (2) $y'=3x^2-6x$

1-1 (1) $\dfrac{\Delta y}{\Delta x}=\dfrac{f(3)-f(0)}{3-0}=\dfrac{10-1}{3}=3$

(2) $\dfrac{\Delta y}{\Delta x}=\dfrac{f(5)-f(1)}{5-1}=\dfrac{16-4}{4}=3$

1-2 (1) $\dfrac{\Delta y}{\Delta x}=\dfrac{f(2)-f(0)}{2-0}=\dfrac{4-0}{2}=2$

(2) $\dfrac{\Delta y}{\Delta x}=\dfrac{f(3)-f(1)}{3-1}=\dfrac{9-1}{2}=4$

2-1 (1) $f'(3)=\lim\limits_{\Delta x\to0}\dfrac{f(3+\Delta x)-f(3)}{\Delta x}$

$=\lim\limits_{\Delta x\to0}\dfrac{\{2(3+\Delta x)-1\}-5}{\Delta x}$

$=\lim\limits_{\Delta x\to0}\dfrac{2\Delta x}{\Delta x}=2$

(2) $f'(3)=\lim\limits_{\Delta x\to0}\dfrac{f(3+\Delta x)-f(3)}{\Delta x}$

$=\lim\limits_{\Delta x\to0}\dfrac{\{(3+\Delta x)^2+1\}-10}{\Delta x}$

$=\lim\limits_{\Delta x\to0}\dfrac{6\Delta x+(\Delta x)^2}{\Delta x}$

$=\lim\limits_{\Delta x\to0}(6+\Delta x)=6$

2-2 (1) $f'(1)=\lim\limits_{\Delta x\to0}\dfrac{f(1+\Delta x)-f(1)}{\Delta x}$

$=\lim\limits_{\Delta x\to0}\dfrac{\{4(1+\Delta x)+3\}-7}{\Delta x}$

$=\lim\limits_{\Delta x\to0}\dfrac{4\Delta x}{\Delta x}=4$

(2) $f'(2)=\lim\limits_{\Delta x\to0}\dfrac{f(2+\Delta x)-f(2)}{\Delta x}$

$=\lim\limits_{\Delta x\to0}\dfrac{\{2(2+\Delta x)^2+1\}-9}{\Delta x}$

$=\lim\limits_{\Delta x\to0}\dfrac{8\Delta x+2(\Delta x)^2}{\Delta x}$

$=\lim\limits_{\Delta x\to0}(8+2\Delta x)=8$

3-1 $\lim\limits_{x\to1}f(x)=f(1)=0$이므로 함수 $f(x)$는 $x=1$에서 연속이다.

$\lim\limits_{\Delta x\to0-}\dfrac{f(1+\Delta x)-f(1)}{\Delta x}=\lim\limits_{\Delta x\to0-}\dfrac{-\Delta x}{\Delta x}=-1$

$\lim\limits_{\Delta x\to0+}\dfrac{f(1+\Delta x)-f(1)}{\Delta x}=\lim\limits_{\Delta x\to0+}\dfrac{\Delta x}{\Delta x}=1$

즉 $\lim\limits_{\Delta x\to0}\dfrac{f(1+\Delta x)-f(1)}{\Delta x}$이 존재하지 않으므로 함수 $f(x)$는 $x=1$에서 미분가능하지 않다.

3-2 $\lim\limits_{x\to0}f(x)=f(0)=0$이므로 함수 $f(x)$는 $x=0$에서 연속이다.

$\lim\limits_{\Delta x\to0-}\dfrac{f(0+\Delta x)-f(0)}{\Delta x}=0$

$\lim\limits_{\Delta x\to0+}\dfrac{f(0+\Delta x)-f(0)}{\Delta x}=\lim\limits_{\Delta x\to0+}\dfrac{2\Delta x}{\Delta x}=2$

즉 $\lim\limits_{\Delta x\to0}\dfrac{f(0+\Delta x)-f(0)}{\Delta x}$이 존재하지 않으므로 함수 $f(x)$는 $x=0$에서 미분가능하지 않다.

4-1 $f'(x)=\lim\limits_{h\to0}\dfrac{f(x+h)-f(x)}{h}$

$=\lim\limits_{h\to0}\dfrac{\{(x+h)^2-(x+h)\}-(x^2-x)}{h}$

$=\lim\limits_{h\to0}(2x+h-1)=2x-1$

4-2 $f'(x)=\lim\limits_{h\to0}\dfrac{f(x+h)-f(x)}{h}$

$=\lim\limits_{h\to0}\dfrac{\{(x+h)^2+3(x+h)+2\}-(x^2+3x+2)}{h}$

$=\lim\limits_{h\to0}(2x+h+3)=2x+3$

5-1 (1) $f'(x)=4x^3$

(2) $f'(x)=0$

5-2 (1) $f'(x)=10x^4$

(2) $f'(x)=0$

6-1 (1) $y'=(-2x+5)'=(-2x)'+(5)'=-2$

(2) $y'=(7x^2-x+4)'$

$=(7x^2)'-(x)'+(4)'$

$=14x-1$

6-2 (1) $y'=(-2x^2+x+1)'$

$=(-2x^2)'+(x)'+(1)'$

$=-4x+1$

(2) $y'=(x^3-3x^2+4)'$

$=(x^3)'-(3x^2)'+(4)'$

$=3x^2-6x$

1-1 (1) 4 (2) -1　　　　**1-2** (1) 1 (2) -5

2-1 -2　　　　　　　　　**2-2** 2

3-1 (1) 0 (2) 4　　　　　　**3-2** (1) -1 (2) 7

4-1 (1) 3 (2) $\dfrac{5}{2}$　　　　**4-2** (1) -4 (2) 8

5-1 3　　　　　　　　　　**5-2** (1) -5 (2) 7

6-1 (1) 연속이다. (2) 미분가능하지 않다.

6-2 (1) 연속이다. (2) 미분가능하다.

7-1 $f'(x)=-2x+2$

7-2 (1) $f'(x)=-2$ (2) $f'(x)=4x-4$

8-1 (1) $f'(x)=4x$ (2) 4

8-2 (1) $f'(x)=6x+1$ (2) 13

9-1 (1) $y'=-5$ (2) $y'=6x^2-2x+6$

9-2 (1) $y'=2x-6$ (2) $y'=4x^3+2x$

10-1 (1) $y'=9x^2+2x-6$ (2) $y'=6x^2+10x+5$

10-2 (1) $y'=4x-1$ (2) $y'=2x+2$ (3) $y'=3x^2+4x-1$

11-1 -2　　　　　　　　**11-2** 1

12-1 20　　　　　　　　　**12-2** 72

1-1 (1) $\dfrac{\varDelta y}{\varDelta x}=\dfrac{f(2)-f(0)}{2-0}=\dfrac{8-0}{2}=4$

(2) $\dfrac{\varDelta y}{\varDelta x}=\dfrac{f(2)-f(0)}{2-0}=\dfrac{-2-0}{2}=-1$

1-2 (1) $\dfrac{\varDelta y}{\varDelta x}=\dfrac{f(2)-f(1)}{2-1}=\dfrac{0-(-1)}{1}=1$

(2) $\dfrac{\varDelta y}{\varDelta x}=\dfrac{f(2)-f(1)}{2-1}=\dfrac{-8-(-3)}{1}=-5$

2-1 $\dfrac{f(2)-f(0)}{2-0}=\dfrac{2a+8}{2}=a+4$

$a+4=2$이므로 $a=-2$

2-2 $\dfrac{f(2)-f(-1)}{2-(-1)}=\dfrac{(4a+2)-(a-1)}{3}=a+1$

$a+1=3$이므로 $a=2$

3-1 $f(x)=x^2-2$에서 $f'(x)=2x$

(1) $f'(0)=0$

(2) $f'(2)=4$

3-2 $f(x)=2x^2+3x$에서 $f'(x)=4x+3$

(1) $f'(-1)=-1$

(2) $f'(1)=7$

4-1 $f(x)=x^2+x$에서 $f'(x)=2x+1$

(1) $\displaystyle\lim_{h\to0}\dfrac{f(1+h)-f(1)}{h}=f'(1)=3$

(2) $\displaystyle\lim_{h\to0}\dfrac{f(2+h)-f(2)}{2h}$

$=\displaystyle\lim_{h\to0}\left\{\dfrac{f(2+h)-f(2)}{h}\times\dfrac{1}{2}\right\}$

$=\dfrac{1}{2}f'(2)=\dfrac{1}{2}\times5=\dfrac{5}{2}$

4-2 $f(x)=x^2-2x$에서 $f'(x)=2x-2$

(1) $\displaystyle\lim_{h\to0}\dfrac{f(-1+h)-f(-1)}{h}=f'(-1)=-4$

(2) $\displaystyle\lim_{h\to0}\dfrac{f(3+2h)-f(3)}{h}$

$=\displaystyle\lim_{h\to0}\left\{\dfrac{f(3+2h)-f(3)}{2h}\times2\right\}$

$=2f'(3)=2\times4=8$

5-1 $f(x)=-x^2+x$에서 $f'(x)=-2x+1$이므로 점 $(-1,\ -2)$에서의 접선의 기울기는 $f'(-1)=3$

5-2 $f(x)=2x^2-x$에서 $f'(x)=4x-1$

(1) 점 $(-1,\ 3)$에서의 접선의 기울기는
$f'(-1)=-5$

(2) 점 $(2,\ 6)$에서의 접선의 기울기는 $f'(2)=7$

6-1 (1) $\displaystyle\lim_{x\to0}f(x)=f(0)=0$이므로 함수 $f(x)$는 $x=0$에서 연속이다.

(2) $\displaystyle\lim_{\varDelta x\to0-}\dfrac{f(0+\varDelta x)-f(0)}{\varDelta x}=\lim_{\varDelta x\to0-}\dfrac{\varDelta x}{\varDelta x}=1$

$\displaystyle\lim_{\varDelta x\to0+}\dfrac{f(0+\varDelta x)-f(0)}{\varDelta x}=\lim_{\varDelta x\to0+}\dfrac{-\varDelta x}{\varDelta x}=-1$

즉 $\displaystyle\lim_{\varDelta x\to0}\dfrac{f(0+\varDelta x)-f(0)}{\varDelta x}$이 존재하지 않으므로
함수 $f(x)$는 $x=0$에서 미분가능하지 않다.

6-2 (1) $\displaystyle\lim_{x\to0}f(x)=f(0)=0$이므로 함수 $f(x)$는 $x=0$에서 연속이다.

(2) $\displaystyle\lim_{\varDelta x\to0-}\dfrac{f(0+\varDelta x)-f(0)}{\varDelta x}=\lim_{\varDelta x\to0-}\dfrac{-(\varDelta x)^2}{\varDelta x}$

$\displaystyle=\lim_{\varDelta x\to0-}(-\varDelta x)=0$

$\displaystyle\lim_{\varDelta x\to0+}\dfrac{f(0+\varDelta x)-f(0)}{\varDelta x}=\lim_{\varDelta x\to0+}\dfrac{(\varDelta x)^2}{\varDelta x}$

$\displaystyle=\lim_{\varDelta x\to0+}\varDelta x=0$

이므로 $\displaystyle\lim_{\varDelta x\to0}\dfrac{f(0+\varDelta x)-f(0)}{\varDelta x}=f'(0)=0$

따라서 $f(x)$는 $x=0$에서 미분가능하다.

7-1 $f'(x)=-2x+2$

7-2 (1) $f'(x)=-2$

(2) $f'(x)=4x-4$

8-1 (1) $f'(x)=4x$

(2) $f'(1)=4$

8-2 (1) $f'(x)=6x+1$

(2) $f'(2)=13$

9-1 (1) $y'=-5$

(2) $y'=6x^2-2x+6$

9-2 (1) $y'=2x-6$

(2) $y'=4x^3+2x$

10-1 (1) $y'=(x^2-2)'(3x+1)+(x^2-2)(3x+1)'$
$=2x(3x+1)+(x^2-2)\times3$
$=9x^2+2x-6$

(2) $y'=(2x+3)'(x^2+x+1)+(2x+3)(x^2+x+1)'$
$=2(x^2+x+1)+(2x+3)(2x+1)$
$=6x^2+10x+5$

10-2 (1) $y'=(x+1)'(2x-3)+(x+1)(2x-3)'$
$=2x-3+(x+1)\times2$
$=4x-1$

(2) $y'=2(x+1)(x+1)'$
$=2(x+1)$
$=2x+2$

(3) $y'=(x-1)'(x+1)(x+2)$
$\qquad+(x-1)(x+1)'(x+2)$
$\qquad+(x-1)(x+1)(x+2)'$
$=(x+1)(x+2)+(x-1)(x+2)$
$\qquad+(x-1)(x+1)$
$=(x^2+3x+2)+(x^2+x-2)+(x^2-1)$
$=3x^2+4x-1$

11-1 $\lim\limits_{h\to0}\dfrac{f(1+h)-f(1)}{h}=f'(1)=5$

이때 $f'(x)=3x^2-a$에서 $f'(1)=3-a$이므로
$3-a=5$ $\therefore a=-2$

11-2 $f(x)=2x^4-ax^2+1$에서 $f'(x)=8x^3-2ax$
$f'(-1)=-8+2a$에서 $-8+2a=-6$
$\therefore a=1$

12-1 $f'(x)=(x+1)'(x+2)(x-3)$
$\qquad+(x+1)(x+2)'(x-3)$
$\qquad+(x+1)(x+2)(x-3)'$
$=(x+2)(x-3)+(x+1)(x-3)$
$\qquad+(x+1)(x+2)$
$=(x^2-x-6)+(x^2-2x-3)$
$\qquad+(x^2+3x+2)$
$=3x^2-7$

이므로 $f'(3)=20$

12-2 $f(x)=(x+1)(2x+2)(3x+3)$
$\qquad=6(x+1)^3$

이므로
$f'(x)=6\times3(x+1)^2(x+1)'$
$\qquad=18(x+1)^2$

$\therefore f'(1)=72$

01 ⑤	02 ④	03 $\dfrac{2}{5}$	04 ㄴ, ㄹ	05 ⑤
06 ①	07 ①	08 ⑤		

09 (1) $y'=2x^3+6x^2-1$ (2) $y'=8x^3+9x^2-4x-3$

10 ④	11 ②	12 ②

13 $(-1,4),(0,5),(1,4)$ 14 ④   15 ④

16 ②	17 $a=1,b=1$	18 $a=-50,b=49$
19 ③	20 ⑤	21 5	22 $a=\dfrac{7}{6},b=\dfrac{3}{2}$

23 $f(x)=3x^2-2x+1$ 24 7

01 $f(x)=2x^2-x+1$이라 하면 x의 값이 1에서 3까지 변할 때의 함수 $f(x)$의 평균변화율은

$\dfrac{f(3)-f(1)}{3-1}=\dfrac{16-2}{2}=7$

02 함수 $f(x)$에서 x의 값이 1에서 5까지 변할 때의 평균변화율은

$\dfrac{f(5)-f(1)}{5-1}=\dfrac{5-(-7)}{4}=3$

또 함수 $f(x)$의 $x=a$에서의 미분계수는

$f'(a)=\lim\limits_{h\to0}\dfrac{f(a+h)-f(a)}{h}$

$\qquad=\lim\limits_{h\to0}\dfrac{\{(a+h)^2-3(a+h)-5\}-(a^2-3a-5)}{h}$

$\qquad=\lim\limits_{h\to0}(2a+h-3)=2a-3$

따라서 $2a-3=3$이므로 $a=3$

03 $\lim\limits_{h\to0}\dfrac{f(3+2h)-f(3)}{5h}=\lim\limits_{h\to0}\dfrac{f(3+2h)-f(3)}{2h}\times\dfrac{2}{5}$

$\qquad=\dfrac{2}{5}f'(3)=\dfrac{2}{5}$

04 ㄱ. $\lim\limits_{x\to-2}f(x)=f(-2)=-1$이므로 함수 $f(x)$는

$x=-2$에서 연속이다.

$\lim\limits_{h\to0}\dfrac{f(-2+h)-f(-2)}{h}$

$=\lim\limits_{h\to0}\dfrac{(h-1)-(-1)}{h}=1$

이므로 $f'(-2)=1$

즉 함수 $f(x)$는 $x=-2$에서 미분가능하다.

ㄴ. $\lim\limits_{x \to -2} f(x) = f(-2) = 0$이므로 함수 $f(x)$는

$x = -2$에서 연속이다.

$\lim\limits_{h \to 0-} \dfrac{f(-2+h)-f(-2)}{h} = \lim\limits_{h \to 0-} \dfrac{-h}{h} = -1$

$\lim\limits_{h \to 0+} \dfrac{f(-2+h)-f(-2)}{h} = \lim\limits_{h \to 0+} \dfrac{h}{h} = 1$

즉 $\lim\limits_{h \to 0} \dfrac{f(-2+h)-f(-2)}{h}$가 존재하지 않으므

로 함수 $f(x)$는 $x = -2$에서 미분가능하지 않다.

ㄷ. $\lim\limits_{x \to -2} f(x) = f(-2) = 8$이므로 함수 $f(x)$는

$x = -2$에서 연속이다.

$\lim\limits_{h \to 0} \dfrac{f(-2+h)-f(-2)}{h} = \lim\limits_{h \to 0} \dfrac{(h^2-4h+8)-8}{h}$

$= \lim\limits_{h \to 0} (h-4) = -4$

이므로 $f'(-2) = -4$

즉 함수 $f(x)$는 $x = -2$에서 미분가능하다.

ㄹ. $\lim\limits_{x \to -2} f(x) = f(-2) = 0$이므로 함수 $f(x)$는

$x = -2$에서 연속이다.

$\lim\limits_{h \to 0-} \dfrac{f(-2+h)-f(-2)}{h} = \lim\limits_{h \to 0-} \dfrac{h^2-4h}{h}$

$= \lim\limits_{h \to 0-} (h-4) = -4$

$\lim\limits_{h \to 0+} \dfrac{f(-2+h)-f(-2)}{h} = \lim\limits_{h \to 0+} \dfrac{-h^2+4h}{h}$

$= \lim\limits_{h \to 0+} (-h+4) = 4$

즉 $\lim\limits_{h \to 0} \dfrac{f(-2+h)-f(-2)}{h}$가 존재하지 않으므

로 함수 $f(x)$는 $x = -2$에서 미분가능하지 않다.

따라서 $x = -2$에서 연속이지만 미분가능하지 않은

함수는 ㄴ, ㄹ이다.

05 ㄱ. $\lim\limits_{h \to 0-} \dfrac{f(0+h)-f(0)}{h} = \lim\limits_{h \to 0-} \dfrac{-h}{h} = -1$

$\lim\limits_{h \to 0+} \dfrac{f(0+h)-f(0)}{h} = \lim\limits_{h \to 0+} \dfrac{h}{h} = 1$

즉 $\lim\limits_{h \to 0} \dfrac{f(0+h)-f(0)}{h}$이 존재하지 않으므로 함

수 $f(x)$는 $x = 0$에서 미분가능하지 않다.

ㄴ. $\lim\limits_{h \to 0-} \dfrac{f(0+h)-f(0)}{h} = \lim\limits_{h \to 0-} \dfrac{-h^2}{h}$

$= \lim\limits_{h \to 0-} (-h) = 0$

$\lim\limits_{h \to 0+} \dfrac{f(0+h)-f(0)}{h} = \lim\limits_{h \to 0+} \dfrac{h^2}{h} = \lim\limits_{h \to 0+} h = 0$

이므로 $f'(0) = 0$

따라서 함수 $f(x)$는 $x = 0$에서 미분가능하다.

ㄷ. $\lim\limits_{h \to 0-} \dfrac{f(0+h)-f(0)}{h} = \lim\limits_{h \to 0-} \dfrac{h^3}{h} = \lim\limits_{h \to 0-} h^2 = 0$

$\lim\limits_{h \to 0+} \dfrac{f(0+h)-f(0)}{h} = \lim\limits_{h \to 0+} \dfrac{-h^3}{h}$

$= \lim\limits_{h \to 0+} (-h^2) = 0$

이므로 $f'(0) = 0$

따라서 함수 $f(x)$는 $x = 0$에서 미분가능하다.

이상에서 $x = 0$에서 미분가능한 함수는 ㄴ, ㄷ이다.

06 함수 $f(x)$가 $x = 1$에서 미분가능하므로 $x = 1$에서 연

속이다.

즉 $\lim\limits_{x \to 1} f(x) = f(1)$에서

$a+4 = b+2$ $\therefore a-b = -2$ ...... ㉠

또 $f'(1)$이 존재하므로

$\lim\limits_{h \to 0-} \dfrac{f(1+h)-f(1)}{h}$

$= \lim\limits_{h \to 0-} \dfrac{\{4(1+h)+a\}-(b+2)}{h}$

$= \lim\limits_{h \to 0-} \dfrac{4h+a-b+2}{h}$

$= \lim\limits_{h \to 0-} \dfrac{4h}{h} = 4$

$\lim\limits_{h \to 0+} \dfrac{f(1+h)-f(1)}{h}$

$= \lim\limits_{h \to 0+} \dfrac{\{b(1+h)^2+2(1+h)\}-(b+2)}{h}$

$= \lim\limits_{h \to 0+} (2b+bh+2) = 2b+2$

즉 $2b+2 = 4$ $\therefore b = 1$

$b = 1$을 ㉠에 대입하면 $a = -1$

$\therefore f(-1) = -4-1 = -5$

07 함수 $f(x)$가 $x = 1$에서 미분가능하므로 $x = 1$에서 연

속이다.

즉 $\lim\limits_{x \to 1} f(x) = f(1)$에서

$b+1 = a+1$ $\therefore a = b$ ...... ㉠

또 $f'(1)$이 존재하므로

$\lim\limits_{h \to 0-} \dfrac{f(1+h)-f(1)}{h}$

$= \lim\limits_{h \to 0-} \dfrac{\{(1+h)+b\}-(a+1)}{h}$

$= \lim\limits_{h \to 0-} \dfrac{h}{h} = 1$

$\lim\limits_{h \to 0+} \dfrac{f(1+h)-f(1)}{h}$

$= \lim\limits_{h \to 0+} \dfrac{\{(1+h)^3+a(1+h)^2\}-(a+1)}{h}$

$= \lim\limits_{h \to 0+} \{h^2+(3+a)h+2a+3\} = 2a+3$

즉 $2a+3 = 1$ $\therefore a = -1$

$a = -1$을 ㉠에 대입하면 $b = -1$

$\therefore a+b = -2$

08 곡선 $y = f(x)$ 위의 점 $(2, f(2))$에서의 접선의 기울

기가 8이므로 $f'(2) = 8$

$\lim\limits_{x \to 2} \dfrac{f(x)-f(2)}{x^2-4} = \lim\limits_{x \to 2} \left\{ \dfrac{f(x)-f(2)}{x-2} \times \dfrac{1}{x+2} \right\}$

$= \dfrac{1}{4} f'(2) = \dfrac{1}{4} \times 8 = 2$

09 (1) $y'=2x^3+6x^2-1$

(2) $y'=(x^3-x)'(2x+3)+(x^3-x)(2x+3)'$
$=(3x^2-1)(2x+3)+(x^3-x)\times 2$
$=8x^3+9x^2-4x-3$

10 $f'(x)=2(2x+4)(2x+4)'$
$=2(2x+4)\times 2$
$=8(x+2)$
이므로 $f'(0)=16$

11 $f(x)=(x-1)(x-2)(x-3)$이라 하면
$f'(x)=(x-1)'(x-2)(x-3)$
$\qquad\qquad +(x-1)(x-2)'(x-3)$
$\qquad\qquad +(x-1)(x-2)(x-3)'$
$=(x-2)(x-3)+(x-1)(x-3)$
$\qquad\qquad +(x-1)(x-2)$
따라서 곡선 $y=f(x)$ 위의 점 $(2, 0)$에서의 접선의
기울기는 $f'(2)=-1$

12 $f'(x)=4x^3-2$이므로
$\lim\limits_{h\to 0}\dfrac{f(1+2h)-f(1)}{h}=\lim\limits_{h\to 0}\left\{\dfrac{f(1+2h)-f(1)}{2h}\times 2\right\}$
$\qquad\qquad\qquad =2f'(1)=2\times 2=4$

13 $f(x)=x^4-2x^2+5$라 하면
$f'(x)=4x^3-4x$
곡선 $y=f(x)$ 위의 점 P에서의 접선이 x축과 평행하
므로 그 기울기는 0이다. 즉
$4x^3-4x=0, \ 4x(x^2-1)=0$
$4x(x+1)(x-1)=0$
$\therefore x=-1$ 또는 $x=0$ 또는 $x=1$
따라서 구하는 점 P의 좌표는 $(-1, 4), (0, 5), (1, 4)$
이다.

14 $g'(x)=(x^2)'f(x)+x^2f'(x)$
$=2xf(x)+x^2f'(x)$
$\therefore \lim\limits_{h\to 0}\dfrac{g(1+h)-g(1)}{h}=g'(1)$
$\qquad\qquad\qquad =2f(1)+f'(1)$
$\qquad\qquad\qquad =2\times 3+1=7$

15 $f'(x)=4x^3-3x^2+a$이므로
$f'(1)=4-3+a=2$
$\therefore a=1$

16 $f(0)=2$에서 $b=2$
$f'(x)=2x+a$이므로 $f'(1)=1$에서
$2+a=1 \qquad \therefore a=-1$

따라서 $f(x)=x^2-x+2$이므로
$f(2)=4-2+2=4$

17 $f'(x)=3x^2+2ax+b$
$f'(-1)=2$에서 $3-2a+b=2$
$\therefore 2a-b=1 \quad \cdots\cdots \ \bigcirc$
$f'(1)=6$에서 $3+2a+b=6$
$\therefore 2a+b=3 \quad \cdots\cdots \ \bigcirc\!\!\!\!\bigcirc$
$\bigcirc$, $\bigcirc\!\!\!\!\bigcirc$을 연립하여 풀면 $a=1, b=1$

18 $x^{100}+ax^2+b$를 $(x-1)^2$으로 나누었을 때의 몫을
$Q(x)$라 하면 나머지가 0이므로
$x^{100}+ax^2+b=(x-1)^2Q(x) \qquad \cdots\cdots \ \bigcirc$
$\bigcirc$의 양변에 $x=1$을 대입하면
$1+a+b=0 \qquad\qquad \cdots\cdots \ \bigcirc\!\!\!\!\bigcirc$
$\bigcirc$의 양변을 x에 대하여 미분하면
$100x^{99}+2ax=2(x-1)Q(x)+(x-1)^2Q'(x)$
위의 식의 양변에 $x=1$을 대입하면 $100+2a=0$
$\therefore a=-50$
이를 $\bigcirc\!\!\!\!\bigcirc$에 대입하면 $b=49$

19 $\lim\limits_{x\to 2}\dfrac{f(x)-6}{x-2}=3$에서 $x\to 2$일 때 (분모)$\to 0$이고
극한값이 존재하므로 (분자)$\to 0$이다.
즉 $\lim\limits_{x\to 2}\{f(x)-6\}=0$이므로 $f(2)=6$
$\lim\limits_{x\to 2}\dfrac{f(x)-6}{x-2}=\lim\limits_{x\to 2}\dfrac{f(x)-f(2)}{x-2}$
$\qquad\qquad\qquad =f'(2)=3$
$\therefore f(2)+f'(2)=6+3=9$

20 $\dfrac{1}{x}=h$로 놓으면 $x\to\infty$일 때 $h\to 0$이므로
$\lim\limits_{x\to\infty}x\left\{f\left(3+\dfrac{1}{x}\right)-f(3)\right\}=\lim\limits_{h\to 0}\dfrac{f(3+h)-f(3)}{h}$
$\qquad\qquad\qquad\qquad =f'(3)$
이때 $f(x)=(x-1)(x^2+5)$에서
$f'(x)=(x-1)'(x^2+5)+(x-1)(x^2+5)'$
$=(x^2+5)+(x-1)\times 2x$
$=3x^2-2x+5$
$\therefore f'(3)=26$

21 $g(x)=xf(x)+5$에서 $g'(x)=f(x)+xf'(x)$
$\lim\limits_{x\to 2}\dfrac{f(x)+1}{x-2}=3$에서 $x\to 2$일 때 (분모)$\to 0$이고
극한값이 존재하므로 (분자)$\to 0$이다.
즉 $\lim\limits_{x\to 2}\{f(x)+1\}=0$이므로 $f(2)=-1$
$\therefore \lim\limits_{x\to 2}\dfrac{f(x)+1}{x-2}=\lim\limits_{x\to 2}\dfrac{f(x)-f(2)}{x-2}$
$\qquad\qquad\qquad =f'(2)=3$

따라서 곡선 $y=g(x)$ 위의 점 $(2, g(2))$에서의 접선의 기울기는
$$g'(2)=f(2)+2f'(2)=-1+2\times3=5$$

22 함수 $f(x)$가 $x=3$에서 미분가능하므로 $x=3$에서 연속이다.
즉 $\lim_{x\to3} f(x)=f(3)$에서
$$12=9a+b \quad \cdots\cdots \text{㉠}$$
또 $f'(3)$이 존재하므로
$$\lim_{h\to0-}\frac{f(3+h)-f(3)}{h}$$
$$=\lim_{h\to0-}\frac{\{(3+h)^2+(3+h)\}-(9a+b)}{h}$$
$$=\lim_{h\to0-}\frac{h^2+7h+12-12}{h} \ (\because \text{㉠})$$
$$=\lim_{h\to0-}(h+7)=7$$
$$\lim_{h\to0+}\frac{f(3+h)-f(3)}{h}$$
$$=\lim_{h\to0+}\frac{\{a(3+h)^2+b\}-(9a+b)}{h}$$
$$=\lim_{h\to0+}(6a+ah)=6a$$
즉 $6a=7$ $\qquad \therefore a=\dfrac{7}{6}$
$a=\dfrac{7}{6}$을 ㉠에 대입하면 $b=\dfrac{3}{2}$

23 $f(x)=ax^2+bx+c$ $(a, b, c$는 상수, $a\neq0)$라 하면
$f(0)=1$에서 $c=1$
이때 $f'(x)=2ax+b$이므로
$f'(0)=-2$에서 $b=-2$
$f'(1)=4$에서 $2a+b=4, 2a-2=4$ $\quad \therefore a=3$
$\therefore f(x)=3x^2-2x+1$

24 $\lim_{x\to1}\dfrac{f(x)-1}{x-1}=2$에서 $x\to1$일 때 (분모)$\to0$이고 극한값이 존재하므로 (분자)$\to0$이다.
즉 $\lim_{x\to1}\{f(x)-1\}=0$이므로 $f(1)=1$
$$\therefore \lim_{x\to1}\frac{f(x)-1}{x-1}=\lim_{x\to1}\frac{f(x)-f(1)}{x-1}$$
$$=f'(1)=2$$
또 $\lim_{x\to1}\dfrac{g(x)-3}{x-1}=1$에서 $x\to1$일 때 (분모)$\to0$이고 극한값이 존재하므로 (분자)$\to0$이다.
즉 $\lim_{x\to1}\{g(x)-3\}=0$이므로 $g(1)=3$
$$\therefore \lim_{x\to1}\frac{g(x)-3}{x-1}=\lim_{x\to1}\frac{g(x)-g(1)}{x-1}$$
$$=g'(1)=1$$
$y'=f'(x)g(x)+f(x)g'(x)$이므로 $x=1$에서의 미분계수는
$$f'(1)g(1)+f(1)g'(1)=2\times3+1\times1=7$$

1 (1) A (2) 같다. (3) B
2 (1) $\dfrac{3600}{41}$ km/h (2) $\dfrac{720}{7}$ km/h (3) Q
3 (1) 18 C (2) $Q'(t)=t^2+2t$ (3) 120 A
4 (1) 50 L (2) 50 (3) -50

1

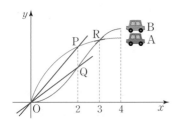

(1) (직선 OQ의 기울기)<(직선 OP의 기울기)이므로 평균변화율이 더 큰 자동차는 A이다.
(2) 두 자동차 A, B가 출발한 후 3분 동안 달린 거리가 같으므로 A, B의 평균속도는 같다.
(3) 점 R에서의 접선의 기울기는 자동차 B의 그래프가 더 크므로 순간속도가 더 큰 자동차는 B이다.

2 (1) 자동차 P가 A 지점에서 B 지점까지 가는 동안 걸린 시간은 6분 50초, 즉 $\dfrac{41}{360}$시간이므로 평균속도는
$$\frac{10}{\frac{41}{360}}=\frac{3600}{41}\,(\text{km/h})$$
(2) 자동차 Q가 A 지점에서 B 지점까지 가는 동안 걸린 시간은 5분 50초, 즉 $\dfrac{7}{72}$시간이므로 평균속도는
$$\frac{10}{\frac{7}{72}}=\frac{720}{7}\,(\text{km/h})$$
(3) 주행 속도를 위반한 자동차는 두 지점 A, B 사이의 평균속도가 $100\,\text{km/h}$를 초과한 차량이므로 Q이다.

3 (1) $Q(3)=\dfrac{1}{3}\times27+9=18\,(\text{C})$
(2) $Q'(t)=t^2+2t$
(3) $t=10$일 때, 이 전선에 흐르는 전류의 세기는
$$Q'(10)=10^2+2\times10=120\,(\text{A})$$

4 (1) $V(1)=1000\left(1-\dfrac{1}{20}\right)=950$
이므로 1분 동안 물탱크에서 빼낸 물의 부피는
$$1000-950=50\,(\text{L})$$
(2) $\dfrac{1000-V(10)-\{1000-V(5)\}}{10-5}$
$$=\frac{V(5)-V(10)}{5}$$
$$=\frac{750-500}{5}=50$$
(3) $V'(x)=-50$이므로
$$V'(5)=-50$$

04 접선의 방정식

본문 54~55쪽

STEP 1 교과서 개념 확인 테스트

1-1 $y=x$

1-2 (1) $y=-x+1$ (2) $y=10x-16$

2-1 $y=x-3$ **2-2** $y=2x-4$

3-1 $y=2x-5$ **3-2** $y=-x+3$

4-1 $y=-2x+1$ 또는 $y=6x-7$

4-2 $y=-2x+4$ 또는 $y=6x-12$

5-1 $\dfrac{1}{2}$ **5-2** (1) 1 (2) 1

6-1 2   **6-2** (1) 2 (2) $\dfrac{\sqrt{3}}{3}$

1-1 $f(x)=x^2-x+1$로 놓으면 $f'(x)=2x-1$
곡선 $y=f(x)$ 위의 점 $(1, 1)$에서의 접선의 기울기는
$f'(1)=1$
따라서 기울기가 1이고 점 $(1, 1)$을 지나는 접선의 방정식은 $y-1=x-1$
$\therefore y=x$

1-2 (1) $f(x)=2x^2-x+1$로 놓으면 $f'(x)=4x-1$
곡선 $y=f(x)$ 위의 점 $(0, 1)$에서의 접선의 기울기는 $f'(0)=-1$
따라서 기울기가 -1이고 점 $(0, 1)$을 지나는 접선의 방정식은 $y-1=-x$
$\therefore y=-x+1$

(2) $f(x)=x^3-2x$로 놓으면 $f'(x)=3x^2-2$
곡선 $y=f(x)$ 위의 점 $(2, 4)$에서의 접선의 기울기는 $f'(2)=10$
따라서 기울기가 10이고 점 $(2, 4)$를 지나는 접선의 방정식은 $y-4=10(x-2)$
$\therefore y=10x-16$

2-1 $f(x)=x^2-x-2$로 놓으면 $f'(x)=2x-1$
접점의 좌표를 (a, a^2-a-2)라 하면 접선의 기울기가 1이므로 $f'(a)=2a-1=1$
$\therefore a=1$
따라서 접점의 좌표는 $(1, -2)$이므로 구하는 직선의 방정식은 $y+2=x-1$
$\therefore y=x-3$

2-2 $f(x)=x^2-2x$로 놓으면 $f'(x)=2x-2$
접점의 좌표를 (a, a^2-2a)라 하면 접선의 기울기가 2이므로 $f'(a)=2a-2=2$
$\therefore a=2$
따라서 접점의 좌표는 $(2, 0)$이므로 구하는 직선의 방정식은 $y=2(x-2)$
$\therefore y=2x-4$

3-1 $f(x)=3x^2-4x-2$로 놓으면
$f'(x)=6x-4$
접점의 좌표를 $(a, 3a^2-4a-2)$라 하면 직선 $y=2x+3$과 평행한 접선의 기울기는 2이므로
$f'(a)=6a-4=2$
$\therefore a=1$
따라서 접점의 좌표는 $(1, -3)$이므로 구하는 접선의 방정식은
$y+3=2(x-1)$
$\therefore y=2x-5$

3-2 $f(x)=x^2-x+3$으로 놓으면
$f'(x)=2x-1$
접점의 좌표를 (a, a^2-a+3)이라 하면 직선 $y=-x+6$과 평행한 접선의 기울기는 -1이므로
$f'(a)=2a-1=-1$
$\therefore a=0$
따라서 접점의 좌표는 $(0, 3)$이므로 구하는 접선의 방정식은
$y-3=-x$
$\therefore y=-x+3$

4-1 $f(x)=x^2+2$로 놓으면
$f'(x)=2x$
접점의 좌표를 (t, t^2+2)라 하면 이 점에서의 접선의 기울기는 $f'(t)=2t$이므로 접선의 방정식은
$y-(t^2+2)=2t(x-t)$
$\therefore y=2tx-t^2+2$ …… ㉠
이 직선이 점 $(1, -1)$을 지나므로
$-1=2t-t^2+2$, $t^2-2t-3=0$
$(t+1)(t-3)=0$
$\therefore t=-1$ 또는 $t=3$
이 값을 ㉠에 대입하면 구하는 접선의 방정식은
$y=-2x+1$ 또는 $y=6x-7$

4-2 $f(x)=x^2-2x+4$로 놓으면
$f'(x)=2x-2$
접점의 좌표를 (t, t^2-2t+4)라 하면 이 점에서의 접선의 기울기는 $f'(t)=2t-2$이므로 접선의 방정식은
$y-(t^2-2t+4)=(2t-2)(x-t)$
$\therefore y=(2t-2)x-t^2+4$ …… ㉠
이 직선이 점 $(2, 0)$을 지나므로
$0=4t-4-t^2+4$, $t^2-4t=0$
$t(t-4)=0$
$\therefore t=0$ 또는 $t=4$
이 값을 ㉠에 대입하면 구하는 접선의 방정식은
$y=-2x+4$ 또는 $y=6x-12$

5-1 함수 $f(x)=-x^2+x$는 닫힌구간 $[0, 1]$에서 연속이고 열린구간 $(0, 1)$에서 미분가능하다.

또 $f(0)=f(1)=0$이므로 롤의 정리에 의하여 $f'(c)=0$인 c가 열린구간 $(0, 1)$에 적어도 하나 존재한다.

이때 $f'(x)=-2x+1$이므로

$$f'(c)=-2c+1=0 \qquad \therefore c=\frac{1}{2}$$

5-2 (1) 함수 $f(x)=-x^2+2x$는 닫힌구간 $[0, 2]$에서 연속이고 열린구간 $(0, 2)$에서 미분가능하다.

또 $f(0)=f(2)=0$이므로 롤의 정리에 의하여 $f'(c)=0$인 c가 열린구간 $(0, 2)$에 적어도 하나 존재한다.

이때 $f'(x)=-2x+2$이므로

$$f'(c)=-2c+2=0 \qquad \therefore c=1$$

(2) 함수 $f(x)=x^3-3x$는 닫힌구간 $[0, \sqrt{3}]$에서 연속이고 열린구간 $(0, \sqrt{3})$에서 미분가능하다.

또 $f(0)=f(\sqrt{3})=0$이므로 롤의 정리에 의하여 $f'(c)=0$인 c가 열린구간 $(0, \sqrt{3})$에 적어도 하나 존재한다.

이때 $f'(x)=3x^2-3$이므로

$$f'(c)=3c^2-3=0 \qquad \therefore c=1\ (\because 0<c<\sqrt{3})$$

6-1 함수 $f(x)=-x^2+2x-1$은 닫힌구간 $[0, 4]$에서 연속이고 열린구간 $(0, 4)$에서 미분가능하므로 평균값 정리에 의하여

$$\frac{f(4)-f(0)}{4-0}=\frac{-9-(-1)}{4}=-2=f'(c)$$

인 c가 열린구간 $(0, 4)$에 적어도 하나 존재한다.

이때 $f'(x)=-2x+2$이므로

$$f'(c)=-2c+2=-2 \qquad \therefore c=2$$

6-2 (1) 함수 $f(x)=x^2-2x$는 닫힌구간 $[1, 3]$에서 연속이고 열린구간 $(1, 3)$에서 미분가능하므로 평균값 정리에 의하여

$$\frac{f(3)-f(1)}{3-1}=\frac{3-(-1)}{2}=2=f'(c)$$

인 c가 열린구간 $(1, 3)$에 적어도 하나 존재한다.

이때 $f'(x)=2x-2$이므로

$$f'(c)=2c-2=2 \qquad \therefore c=2$$

(2) 함수 $f(x)=x^3+2x$는 닫힌구간 $[0, 1]$에서 연속이고 열린구간 $(0, 1)$에서 미분가능하므로 평균값 정리에 의하여

$$\frac{f(1)-f(0)}{1-0}=3=f'(c)$$

인 c가 열린구간 $(0, 1)$에 적어도 하나 존재한다.

이때 $f'(x)=3x^2+2$이므로

$$f'(c)=3c^2+2=3$$

$$\therefore c=\frac{\sqrt{3}}{3}\ (\because 0<c<1)$$

2 기출 기초 테스트

1-1 (1) $y=x-4$ (2) $y=x-1$

1-2 (1) $y=-x-2$ (2) $y=5x-3$

2-1 $y=-3x-1$ **2-2** $y=5x-2$

3-1 -1 **3-2** -2

4-1 $y=3x-4$ **4-2** $y=-x-\dfrac{5}{2}$

5-1 $(-1, 0),\ (1, -2)$ **5-2** $(-1, -6),\ (1, 0)$

6-1 $y=2x+5$ **6-2** $y=3x+1$

7-1 $y=-2\sqrt{2}x+1$ 또는 $y=2\sqrt{2}x+1$

7-2 $y=-1$ 또는 $y=4x-5$

8-1 -12 **8-2** 1

9-1 1 **9-2** $\pm\dfrac{2\sqrt{3}}{3}$

10-1 $\dfrac{3}{4}$ **10-2** $-\sqrt{3}$

11-1 (1) $\dfrac{3}{2}$ (2) $\pm\dfrac{\sqrt{3}}{3}$ **11-2** (1) 2 (2) $\pm\dfrac{\sqrt{3}}{3}$

12-1 3 **12-2** 2

1-1 (1) $f(x)=x^2-3x$로 놓으면 $f'(x)=2x-3$

곡선 $y=f(x)$ 위의 점 $(2, -2)$에서의 접선의 기울기는 $f'(2)=1$

따라서 기울기가 1이고 점 $(2, -2)$를 지나는 접선의 방정식은

$$y+2=x-2$$

$$\therefore y=x-4$$

(2) $f(x)=x^3-2x+1$로 놓으면 $f'(x)=3x^2-2$

곡선 $y=f(x)$ 위의 점 $(1, 0)$에서의 접선의 기울기는 $f'(1)=1$

따라서 기울기가 1이고 점 $(1, 0)$을 지나는 접선의 방정식은

$$y=x-1$$

1-2 (1) $f(x)=2x^2+3x$로 놓으면 $f'(x)=4x+3$

곡선 $y=f(x)$ 위의 점 $(-1, -1)$에서의 기울기는 $f'(-1)=-1$

따라서 기울기가 -1이고 점 $(-1, -1)$을 지나는 접선의 방정식은

$$y+1=-(x+1)$$

$$\therefore y=-x-2$$

(2) $f(x)=2x^3-x+1$로 놓으면 $f'(x)=6x^2-1$

곡선 $y=f(x)$ 위의 점 $(1, 2)$에서의 접선의 기울기는 $f'(1)=5$

따라서 기울기가 5이고 점 $(1, 2)$를 지나는 접선의 방정식은

$$y-2=5(x-1)$$

$$\therefore y=5x-3$$

2-1 점 $(-1, a)$가 곡선 $y=x^2-x$ 위의 점이므로

$$a=2$$

$f(x)=x^2-x$로 놓으면
$f'(x)=2x-1$
곡선 $y=f(x)$ 위의 점 $(-1, 2)$에서의 접선의 기울기는 $f'(-1)=-3$
따라서 기울기가 -3이고 점 $(-1, 2)$를 지나는 접선의 방정식은
$y-2=-3(x+1)$
$\therefore y=-3x-1$

2-2 점 $(1, 3)$이 곡선 $y=2x^3+ax+2$ 위의 점이므로
$3=2+a+2$
$\therefore a=-1$
$f(x)=2x^3-x+2$로 놓으면
$f'(x)=6x^2-1$
곡선 $y=f(x)$ 위의 점 $(1, 3)$에서의 접선의 기울기는 $f'(1)=5$
따라서 기울기가 5이고 점 $(1, 3)$을 지나는 접선의 방정식은
$y-3=5(x-1)$
$\therefore y=5x-2$

3-1 $f(x)=x^3-x$로 놓으면
$f'(x)=3x^2-1$
곡선 $y=f(x)$ 위의 점 $(1, 0)$에서의 접선의 기울기는 $f'(1)=2$
곡선 $y=f(x)$ 위의 점 (a, b)에서의 접선의 기울기는 $f'(a)=3a^2-1$
즉 $3a^2-1=2, 3a^2=3$
$\therefore a=-1\ (\because a\neq1)$
점 $(-1, b)$가 곡선 $y=x^3-x$ 위의 점이므로
$b=-1+1=0$
$\therefore a+b=-1$

3-2 $f(x)=2x^3-x$로 놓으면
$f'(x)=6x^2-1$
곡선 $y=f(x)$ 위의 점 $(1, 1)$에서의 접선의 기울기는 $f'(1)=5$
곡선 $y=f(x)$ 위의 점 (a, b)에서의 접선의 기울기는 $f'(a)=6a^2-1$
즉 $6a^2-1=5, 6a^2=6$
$\therefore a=-1\ (\because a\neq1)$
점 $(-1, b)$가 곡선 $y=2x^3-x$ 위의 점이므로
$b=-2+1=-1$
$\therefore a+b=-2$

4-1 $f(x)=x^2-x$로 놓으면
$f'(x)=2x-1$

접점의 좌표를 (a, a^2-a)라 하면 접선의 기울기가 3이므로
$f'(a)=2a-1=3, 2a=4$
$\therefore a=2$
따라서 접점의 좌표는 $(2, 2)$이므로 구하는 직선의 방정식은
$y-2=3(x-2)$
$\therefore y=3x-4$

4-2 $f(x)=2x^2-3x-2$로 놓으면
$f'(x)=4x-3$
접점의 좌표를 $(a, 2a^2-3a-2)$라 하면 접선의 기울기가 -1이므로
$f'(a)=4a-3=-1, 4a=2$
$\therefore a=\dfrac{1}{2}$
따라서 접점의 좌표는 $\left(\dfrac{1}{2}, -3\right)$이므로 구하는 직선의 방정식은
$y+3=-\left(x-\dfrac{1}{2}\right)$
$\therefore y=-x-\dfrac{5}{2}$

5-1 $f(x)=x^3-2x-1$로 놓으면
$f'(x)=3x^2-2$
점 A의 좌표를 (a, a^3-2a-1)이라 하면 직선 $y=x-3$과 평행한 접선의 기울기는 1이므로
$f'(a)=3a^2-2=1, a^2=1$
$\therefore a=-1$ 또는 $a=1$
따라서 구하는 점 A의 좌표는
$(-1, 0), (1, -2)$

5-2 $f(x)=x^3+2x-3$으로 놓으면
$f'(x)=3x^2+2$
점 A의 좌표를 (a, a^3+2a-3)이라 하면 직선 $y=5x-1$과 평행한 접선의 기울기는 5이므로
$f'(a)=3a^2+2=5, a^2=1$
$\therefore a=-1$ 또는 $a=1$
따라서 구하는 점 A의 좌표는
$(-1, -6), (1, 0)$

6-1 $f(x)=-x^2-2x+1$로 놓으면
$f'(x)=-2x-2$
접점의 좌표를 $(a, -a^2-2a+1)$이라 하면 직선 $y=-\dfrac{1}{2}x+1$에 수직인 접선의 기울기는 2이므로
$f'(a)=-2a-2=2$
$\therefore a=-2$

따라서 접점의 좌표가 $(-2, 1)$이므로 구하는 직선의 방정식은
$$y-1=2(x+2)$$
$$\therefore y=2x+5$$

6-2 $f(x)=x^2-x+5$로 놓으면
$$f'(x)=2x-1$$
접점의 좌표를 (a, a^2-a+5)라 하면 직선 $y=-\frac{1}{3}x+1$에 수직인 접선의 기울기는 3이므로
$$f'(a)=2a-1=3 \qquad \therefore a=2$$
따라서 접점의 좌표가 $(2, 7)$이므로 구하는 직선의 방정식은
$$y-7=3(x-2)$$
$$\therefore y=3x+1$$

7-1 $f(x)=x^2+3$으로 놓으면
$$f'(x)=2x$$
접점의 좌표를 (t, t^2+3)이라 하면 이 점에서의 접선의 기울기는 $f'(t)=2t$이므로 접선의 방정식은
$$y-(t^2+3)=2t(x-t)$$
$$\therefore y=2tx-t^2+3 \quad \cdots\cdots \bigcirc$$
이 직선이 점 $(0, 1)$을 지나므로
$$1=-t^2+3, t^2=2$$
$$\therefore t=-\sqrt{2} \text{ 또는 } t=\sqrt{2}$$
이 값을 $\bigcirc$에 대입하면 구하는 접선의 방정식은
$$y=-2\sqrt{2}x+1 \text{ 또는 } y=2\sqrt{2}x+1$$

7-2 $f(x)=x^2-1$로 놓으면
$$f'(x)=2x$$
접점의 좌표를 (t, t^2-1)이라 하면 이 점에서의 접선의 기울기는 $f'(t)=2t$이므로 접선의 방정식은
$$y-(t^2-1)=2t(x-t)$$
$$\therefore y=2tx-t^2-1 \quad \cdots\cdots \bigcirc$$
이 직선이 점 $(1, -1)$을 지나므로
$$-1=2t-t^2-1, t^2-2t=0, t(t-2)=0$$
$$\therefore t=0 \text{ 또는 } t=2$$
이 값을 $\bigcirc$에 대입하면 구하는 접선의 방정식은
$$y=-1 \text{ 또는 } y=4x-5$$

8-1 $f(x)=x^2+1$로 놓으면
$$f'(x)=2x$$
접점의 좌표를 (t, t^2+1)이라 하면 이 점에서의 접선의 기울기는 $f'(t)=2t$이므로 접선의 방정식은
$$y-(t^2+1)=2t(x-t)$$
$$\therefore y=2tx-t^2+1$$
이 직선이 점 $(1, -2)$를 지나므로
$$-2=2t-t^2+1, t^2-2t-3=0, (t+1)(t-3)=0$$
$$\therefore t=-1 \text{ 또는 } t=3$$

따라서 두 접선의 기울기는 -2 또는 6이므로 그 곱은 -12이다.

8-2 $f(x)=x^2+x$로 놓으면
$$f'(x)=2x+1$$
접점의 좌표를 (t, t^2+t)라 하면 이 점에서의 접선의 기울기는 $f'(t)=2t+1$이므로 접선의 방정식은
$$y-(t^2+t)=(2t+1)(x-t)$$
$$\therefore y=(2t+1)x-t^2$$
이 직선이 점 $(-2, 0)$을 지나므로
$$0=-4t-2-t^2, t^2+4t+2=0$$
$$\therefore t=-2-\sqrt{2} \text{ 또는 } t=-2+\sqrt{2}$$
따라서 두 접선의 기울기는 $-3-2\sqrt{2}$ 또는 $-3+2\sqrt{2}$이므로 그 곱은 1이다.

9-1 함수 $f(x)=2x^2-4x$는 닫힌구간 $[0, 2]$에서 연속이고 열린구간 $(0, 2)$에서 미분가능하다.
또 $f(0)=f(2)=0$이므로 롤의 정리에 의하여 $f'(c)=0$인 c가 열린구간 $(0, 2)$에 적어도 하나 존재한다.
이때 $f'(x)=4x-4$이므로
$$f'(c)=4c-4=0$$
$$\therefore c=1$$

9-2 함수 $f(x)=-x^3+4x$는 닫힌구간 $[-2, 2]$에서 연속이고 열린구간 $(-2, 2)$에서 미분가능하다.
또 $f(-2)=f(2)=0$이므로 롤의 정리에 의하여 $f'(c)=0$인 c가 열린구간 $(-2, 2)$에 적어도 하나 존재한다.
이때 $f'(x)=-3x^2+4$이므로
$$f'(c)=-3c^2+4=0, c^2=\frac{4}{3}$$
$$\therefore c=-\frac{2\sqrt{3}}{3} \text{ 또는 } c=\frac{2\sqrt{3}}{3}$$

10-1 $f(x)=x^2(x-a)=x^3-ax^2$에서
$$f'(x)=3x^2-2ax$$
닫힌구간 $[0, a]$에서 롤의 정리를 만족시키는 상수가 $\frac{1}{2}$이므로
$$f'\left(\frac{1}{2}\right)=\frac{3}{4}-a=0$$
$$\therefore a=\frac{3}{4}$$

10-2 $f(x)=x(x^2-a^2)=x^3-a^2x$에서
$$f'(x)=3x^2-a^2$$
닫힌구간 $[a, 0]$에서 롤의 정리를 만족시키는 상수가 -1이므로

$$f'(-1)=3-a^2=0, \, a^2=3$$
$$\therefore a=-\sqrt{3} \, (\because a<0)$$

11-1 (1) 함수 $f(x)=x^2-3x+2$는 닫힌구간 $[1, 2]$에서 연속이고 열린구간 $(1, 2)$에서 미분가능하므로 평균값 정리에 의하여
$$\frac{f(2)-f(1)}{2-1}=0=f'(c)$$
인 c가 열린구간 $(1, 2)$에 적어도 하나 존재한다.
이때 $f'(x)=2x-3$이므로
$$f'(c)=2c-3=0$$
$$\therefore c=\frac{3}{2}$$

(2) 함수 $f(x)=-x^3+3x$는 닫힌구간 $[-1, 1]$에서 연속이고 열린구간 $(-1, 1)$에서 미분가능하므로 평균값 정리에 의하여
$$\frac{f(1)-f(-1)}{1-(-1)}=\frac{2-(-2)}{2}=2=f'(c)$$
인 c가 열린구간 $(-1, 1)$에 적어도 하나 존재한다.
이때 $f'(x)=-3x^2+3$이므로
$$f'(c)=-3c^2+3=2, \, 3c^2=1$$
$$\therefore c=-\frac{\sqrt{3}}{3} \text{ 또는 } c=\frac{\sqrt{3}}{3}$$

11-2 (1) 함수 $f(x)=x^2-x+3$은 닫힌구간 $[0, 4]$에서 연속이고 열린구간 $(0, 4)$에서 미분가능하므로 평균값 정리에 의하여
$$\frac{f(4)-f(0)}{4-0}=\frac{15-3}{4}=3=f'(c)$$
인 c가 열린구간 $(0, 4)$에 적어도 하나 존재한다.
이때 $f'(x)=2x-1$이므로
$$f'(c)=2c-1=3$$
$$\therefore c=2$$

(2) 함수 $f(x)=-2x^3+6x+1$은 닫힌구간 $[-1, 1]$에서 연속이고 열린구간 $(-1, 1)$에서 미분가능하므로 평균값 정리에 의하여
$$\frac{f(1)-f(-1)}{1-(-1)}=\frac{5-(-3)}{2}=4=f'(c)$$
인 c가 열린구간 $(-1, 1)$에 적어도 하나 존재한다.
이때 $f'(x)=-6x^2+6$이므로
$$f'(c)=-6c^2+6=4, \, 6c^2=2$$
$$\therefore c=-\frac{\sqrt{3}}{3} \text{ 또는 } c=\frac{\sqrt{3}}{3}$$

12-1 $f(x)=x^2-1$에서 $f'(x)=2x$
닫힌구간 $[-1, a]$에서 평균값 정리를 만족시키는 상수가 1이므로
$$\frac{f(a)-f(-1)}{a-(-1)}=f'(1), \, \frac{a^2-1}{a+1}=2$$
$$a-1=2$$
$$\therefore a=3$$

12-2 $f(x)=-x^2+2x+3$에서 $f'(x)=-2x+2$
닫힌구간 $[-2, a]$에서 평균값 정리를 만족시키는 상수가 0이므로
$$\frac{f(a)-f(-2)}{a-(-2)}=f'(0)$$
$$\frac{-a^2+2a+3-(-5)}{a+2}=2, \, \frac{-(a+2)(a-4)}{a+2}=2$$
$$4-a=2$$
$$\therefore a=2$$

STEP 3 교과서 기본 테스트 | 본문 60~63쪽

01 ⑤   **02** ②   **03** $a=1, b=4$

04 $y=\frac{1}{2}x-\frac{7}{2}$ **05** $a=-2, b=2$ **06** 2

07 $y=-x+4$ **08** -1

09 $y=7x+9$ 또는 $y=7x+1$

10 ③   **11** $a=1, b=4$ **12** $\frac{81}{8}$ **13** ④

14 (개) 0 (내) -2 (대) -2 (래) -2 **15** ②

16 $y=-x+2$ **17** (1) $\frac{1}{2}$ (2) $\frac{3}{2}$ **18** $-\frac{4}{3}$

19 (개) 미분가능 (내) (a, x) (대) 0

20 (1) $y=4x+7$ (2) $y=x+5$ **21** 2

22 $y=-x+3$

01 $f(x)=x^3+2x-1$로 놓으면
$$f'(x)=3x^2+2$$
곡선 $y=f(x)$ 위의 점 $(1, 2)$에서의 접선의 기울기는
$$f'(1)=5$$
따라서 기울기가 5이고 점 $(1, 2)$를 지나는 접선의 방정식은
$$y-2=5(x-1)$$
$$\therefore y=5x-3$$

02 $f(x)=x^2-3x+6$으로 놓으면
$$f'(x)=2x-3$$
점 P의 좌표를 (a, a^2-3a+6)이라 하면 점 P에서의 접선의 기울기가 1이므로
$$f'(a)=2a-3=1$$
$$\therefore a=2$$
따라서 점 P의 좌표는 $(2, 4)$

03 $f(x)=x^3+ax+b$로 놓으면
$$f'(x)=3x^2+a$$
점 $(-1, 2)$가 곡선 $y=f(x)$ 위의 점이므로
$$f(-1)=-1-a+b=2$$
$$\therefore a-b=-3 \quad \cdots\cdots \text{㉠}$$

04. 접선의 방정식 **27**

점 $(-1, 2)$에서의 접선의 기울기가 4이므로
$$f'(-1)=3+a=4$$
$$\therefore a=1 \quad \cdots\cdots \text{ⓛ}$$
ⓛ을 ㉠에 대입하면 $b=4$

04 $f(x)=x^3-3x^2+x-2$로 놓으면
$$f'(x)=3x^2-6x+1$$
곡선 $y=f(x)$ 위의 점 $(1, -3)$에서의 접선의 기울기는 $f'(1)=-2$이므로 이 점에서의 접선에 수직인 직선의 기울기는 $\dfrac{1}{2}$이다. 따라서 구하는 직선의 방정식은
$$y-(-3)=\dfrac{1}{2}(x-1)$$
$$\therefore y=\dfrac{1}{2}x-\dfrac{7}{2}$$

05 $f(x)=x^3+ax+b$로 놓으면
$$f'(x)=3x^2+a$$
점 $(1, 1)$이 곡선 $y=f(x)$ 위의 점이므로
$$f(1)=1+a+b=1$$
$$\therefore a+b=0 \quad \cdots\cdots \text{㉠}$$
점 $(1, 1)$에서의 접선의 기울기는 $f'(1)=3+a$이므로 접선의 방정식은
$$y-1=(3+a)(x-1)$$
이 접선이 원점을 지나므로
$$-1=-a-3$$
$$\therefore a=-2 \quad \cdots\cdots \text{ⓛ}$$
ⓛ을 ㉠에 대입하면 $b=2$

06 $f(x)=x^3-4x^2+1$로 놓으면
$$f'(x)=3x^2-8x$$
곡선 $y=f(x)$ 위의 점 $\mathrm{A}(1, -2)$에서의 접선의 기울기는 $f'(1)=-5$이므로 기울기가 -5이고 점 $\mathrm{A}(1, -2)$를 지나는 접선의 방정식은
$$y+2=-5(x-1)$$
$$\therefore y=-5x+3$$
이 직선이 곡선 $y=f(x)$와 만나는 점은
$$x^3-4x^2+1=-5x+3,$$
$$x^3-4x^2+5x-2=0,$$
$$(x-1)^2(x-2)=0$$
$$\therefore x=1 \text{ 또는 } x=2$$
따라서 구하는 점 B의 x좌표는 2

07 $f(x)=-3x^2+5x+1$로 놓으면
$$f'(x)=-6x+5$$
접점의 좌표를 $(a, -3a^2+5a+1)$이라 하면 직선 $y=-x$와 평행한 접선의 기울기는 -1이므로
$$f'(a)=-6a+5=-1$$
$$\therefore a=1$$

따라서 접점의 좌표는 $(1, 3)$이므로 접선의 방정식은
$$y-3=-(x-1)$$
$$\therefore y=-x+4$$

08 $f(x)=x^2-x+3$으로 놓으면
$$f'(x)=2x-1$$
접점의 좌표를 (t, t^2-t+3)이라 하면 이 점에서의 접선의 기울기는 $f'(t)=2t-1$이므로 접선의 방정식은
$$y-(t^2-t+3)=(2t-1)(x-t)$$
$$\therefore y=(2t-1)x-t^2+3 \quad \cdots\cdots \text{㉠}$$
㉠이 $y=3x+a$와 일치하므로
$$2t-1=3, \quad -t^2+3=a$$
$2t-1=3$에서 $t=2$
$$\therefore a=-4+3=-1$$

09 $f(x)=2x^3+x+5$로 놓으면
$$f'(x)=6x^2+1$$
접점의 좌표를 $(a, 2a^3+a+5)$라 하면 직선 $x+7y=0$, 즉 $y=-\dfrac{1}{7}x$에 수직인 접선의 기울기는 7이므로
$$f'(a)=6a^2+1=7, \quad a^2=1$$
$$\therefore a=-1 \text{ 또는 } a=1$$
따라서 접점의 좌표가 $(-1, 2)$ 또는 $(1, 8)$이므로 구하는 직선의 방정식은
$$y-2=7(x+1) \text{ 또는 } y-8=7(x-1)$$
$$\therefore y=7x+9 \text{ 또는 } y=7x+1$$

10 $f(x)=-x^2+2x+2$로 놓으면
$$f'(x)=-2x+2$$
곡선 $y=f(x)$ 위의 점 $(0, 2)$에서의 접선의 기울기는 $f'(0)=2$이므로 기울기가 2이고 점 $(0, 2)$를 지나는 접선의 방정식은
$$y-2=2x$$
$$\therefore y=2x+2$$
이 접선과 x축, y축의 교점은 각각 $(-1, 0)$, $(0, 2)$이므로 $\mathrm{A}(-1, 0)$, $\mathrm{B}(0, 2)$
$$\therefore \overline{\mathrm{AB}}=\sqrt{1+4}=\sqrt{5}$$

11 $f(x)=-x^3+2x+3$으로 놓으면
$$f'(x)=-3x^2+2$$
곡선 $y=f(x)$ 위의 점 $\mathrm{A}(-1, 2)$에서의 접선의 기울기는 $f'(-1)=-1$
곡선 $y=f(x)$ 위의 점 (a, b)에서의 접선의 기울기는
$$f'(a)=-3a^2+2$$
이 두 접선이 서로 평행하므로
$$-3a^2+2=-1, \quad 3a^2=3$$
$$\therefore a=1 \; (\because a\neq -1)$$

또 점 $B(1, b)$가 곡선 $y=f(x)$ 위의 점이므로
$b=-1+2+3=4$

12 $f(x)=2x^3-x^2+1$로 놓으면
$f'(x)=6x^2-2x$
곡선 $y=f(x)$ 위의 점 $(1, 2)$에서의 접선의 기울기는
$f'(1)=4$이므로 이 접선에 수직인 직선의 기울기는
$-\dfrac{1}{4}$
따라서 기울기가 $-\dfrac{1}{4}$이고 점 $(1, 2)$를 지나는 직선
의 방정식은
$y-2=-\dfrac{1}{4}(x-1)$
$\therefore y=-\dfrac{1}{4}x+\dfrac{9}{4}$
이 직선이 x축, y축과 만나는 점은 각각 $(9, 0)$, $\left(0, \dfrac{9}{4}\right)$
이므로 $A(9, 0)$, $B\left(0, \dfrac{9}{4}\right)$
따라서 삼각형 OAB의 넓이는
$\dfrac{1}{2}\times 9 \times \dfrac{9}{4}=\dfrac{81}{8}$

13 $f(x)=x^3-x+2$로 놓으면
$f'(x)=3x^2-1$
접점의 좌표를 (a, a^3-a+2)라 하면 직선 $y=2x-1$
과 평행한 접선의 기울기가 2이므로
$f'(a)=3a^2-1=2, a^2=1$
$\therefore a=-1$ 또는 $a=1$
즉 접점의 좌표는 $(-1, 2)$ 또는 $(1, 2)$이므로 접선의
방정식은
$y-2=2(x+1)$ 또는 $y-2=2(x-1)$
$\therefore y=2x+4$ 또는 $y=2x$
따라서 두 접선 사이의 거리는 점 $(-1, 2)$에서 직선
$y=2x$, 즉 $2x-y=0$ 사이의 거리와 같으므로
$\dfrac{|-2-2|}{\sqrt{2^2+(-1)^2}}=\dfrac{4\sqrt{5}}{5}$

14 $f(x)=x^3-3x$로 놓으면
$f'(x)=3x^2-3$
$f'(1)=\boxed{0}$이므로 접선의 방정식은
$y+2=0$, 즉 $y=\boxed{-2}$
이다. 이 접선이 주어진 곡선과 만나는 점의 x좌표는
방정식
$x^3-3x=\boxed{-2}$ ······ ㉠
의 실근과 같다.
이때 방정식 ㉠을 풀면
$x^3-3x+2=0, (x-1)^2(x+2)=0$
$\therefore x=1$ 또는 $x=\boxed{-2}$
따라서 접선이 곡선과 만나는 점의 좌표는
$(1, -2)$, $(\boxed{-2}, \boxed{-2})$이다.

15 평행이동한 직선의 방정식은
$y=x-m-2$ ······ ㉠
$f(x)=x^3+6x^2+10x+4$로 놓으면
$f'(x)=3x^2+12x+10$
접점의 좌표를 $(a, a^3+6a^2+10a+4)$라 하면 접선
의 기울기가 1이므로
$f'(a)=3a^2+12a+10=1$
$3a^2+12a+9=0, 3(a+1)(a+3)=0$
$\therefore a=-3$ 또는 $a=-1$
(i) $a=-3$일 때
접점의 좌표가 $(-3, 1)$이므로 접선의 방정식은
$y-1=x+3$
$\therefore y=x+4$
이 식이 ㉠과 일치하므로
$-m-2=4$
$\therefore m=-6$
(ii) $a=-1$일 때
접점의 좌표가 $(-1, -1)$이므로 접선의 방정식
은 $y+1=x+1$
$\therefore y=x$
이 식이 ㉠과 일치하므로
$-m-2=0$
$\therefore m=-2$
(i), (ii)에서 $m=-2$ 또는 $m=-6$이므로 구하는 m
의 값의 합은 -8이다.

16 두 곡선 $y=f(x)$, $y=g(x)$가 점 $P(1, 1)$에서 만나
므로 $f(1)=g(1)=1$
점 P에서의 접선의 기울기가 각각 1, -2이므로
$f'(1)=1, g'(1)=-2$
$h'(x)=f'(x)g(x)+f(x)g'(x)$이므로
$h'(1)=f'(1)g(1)+f(1)g'(1)$
$=1\times 1+1\times(-2)=-1$
따라서 곡선 $y=h(x)$ 위의 점 P에서의 접선의 방정
식은 $y-1=-(x-1)$
$\therefore y=-x+2$

17 (1) 함수 $f(x)=x^2-x-5$는 닫힌구간 $[-1, 2]$에서
연속이고 열린구간 $(-1, 2)$에서 미분가능하다.
또 $f(-1)=f(2)=-3$이므로 롤의 정리에 의하
여 $f'(c)=0$인 c가 열린구간 $(-1, 2)$에 적어도
하나 존재한다.
이때 $f'(x)=2x-1$이므로
$f'(c)=2c-1=0$
$\therefore c=\dfrac{1}{2}$
(2) 함수 $f(x)=x^2-x-5$는 닫힌구간 $[1, 2]$에서 연
속이고 열린구간 $(1, 2)$에서 미분가능하므로 평균
값 정리에 의하여

$$\frac{f(2)-f(1)}{2-1}=\frac{-3-(-5)}{1}=2=f'(c)$$

인 c가 열린구간 $(1, 2)$에 적어도 하나 존재한다.

이때 $f'(x)=2x-1$이므로

$$f'(c)=2c-1=2$$

$$\therefore c=\frac{3}{2}$$

18 함수 $f(x)=x^3-3x+1$은 닫힌구간 $[-2, 2]$에서 연속이고 열린구간 $(-2, 2)$에서 미분가능하므로 평균값 정리에 의하여

$$\frac{f(2)-f(-2)}{2-(-2)}=\frac{3-(-1)}{4}=1=f'(c)$$

인 c가 열린구간 $(-2, 2)$에 적어도 하나 존재한다.

이때 $f'(x)=3x^2-3$이므로

$$f'(c)=3c^2-3=1, \ c^2=\frac{4}{3}$$

$$\therefore c=-\frac{2\sqrt{3}}{3} \text{ 또는 } c=\frac{2\sqrt{3}}{3}$$

따라서 $\alpha=-\dfrac{2\sqrt{3}}{3}$, $\beta=\dfrac{2\sqrt{3}}{3}$ 또는

$\alpha=\dfrac{2\sqrt{3}}{3}$, $\beta=-\dfrac{2\sqrt{3}}{3}$이므로

$$\alpha\beta=-\frac{4}{3}$$

19 $a<x\le b$인 임의의 x에 대하여 함수 $f(x)$는 닫힌구간 $[a, x]$에서 연속이고 열린구간 (a, x)에서 $\boxed{\text{미분가능}}$ 하므로 평균값 정리에 의하여

$$\frac{f(x)-f(a)}{x-a}=f'(c)$$

c가 열린구간 $\boxed{(a, x)}$에 적어도 하나 존재한다.

열린구간 (a, b)의 모든 x에서 $f'(x)=0$이므로

$f'(c)=\boxed{0}$이 되어

$f(x)-f(a)=0$, 즉 $f(x)=f(a)$

따라서 함수 $f(x)$는 닫힌구간 $[a, b]$에서 상수함수이다.

20 $f(x)=x^3+x+5$로 놓으면 $f'(x)=3x^2+1$

(1) 곡선 $y=f(x)$ 위의 점 $(-1, 3)$에서의 접선의 기울기는 $f'(-1)=4$

따라서 기울기가 4이고 점 $(-1, 3)$을 지나는 접선의 방정식은

$$y-3=4(x+1)$$

$$\therefore y=4x+7$$

(2) 접점의 좌표를 (a, a^3+a+5)라 하면 직선 $y=x-3$과 평행한 접선의 기울기는 1이므로

$$f'(a)=3a^2+1=1$$

$$\therefore a=0$$

따라서 접점의 좌표는 $(0, 5)$이므로 구하는 접선의 방정식은

$$y-5=x$$

$$\therefore y=x+5$$

21 $f(x)=x^3$으로 놓으면 $f'(x)=3x^2$

곡선 $y=f(x)$ 위의 점 $P(1, 1)$에서의 접선의 기울기는

$$f'(1)=3$$

따라서 기울기가 3이고 점 $P(1, 1)$을 지나는 접선의 방정식은

$$y-1=3(x-1)$$

$$\therefore y=3x-2$$

이 접선이 x축, y축과 만나는 점은 각각

$\left(\dfrac{2}{3}, 0\right), (0, -2)$이므로

$$Q\left(\frac{2}{3}, 0\right), R(0, -2)$$

$$\therefore \overline{QR}=\sqrt{\frac{4}{9}+4}=\frac{2\sqrt{10}}{3}, \ \overline{PQ}=\sqrt{\frac{1}{9}+1}=\frac{\sqrt{10}}{3}$$

따라서 $\overline{QR}=2\overline{PQ}$이므로 $n=2$

22 $f(x)=-x^2+x+2$로 놓으면

$$f'(x)=-2x+1$$

이때 접점의 좌표를 $(a, -a^2+a+2)$라 하면 직선 l 과 평행한 접선의 기울기는 -1이므로

$$f'(a)=-2a+1=-1$$

$$\therefore a=1$$

따라서 접점의 좌표는 $(1, 2)$이므로 접선의 방정식은

$$y-2=-(x-1)$$

$$\therefore y=-x+3$$

창의력 · 융합형 · 서술형 · 코딩 | 본문 64~65쪽

1 (1) $(2, 4)$ (2) $2\sqrt{17}$

2 (1) 1 (2) $y=3x-1$

3 (1) 풀이 참조 (2) $(0, 8)$

4 (1) 1 (2) 풀이 참조

1 (1) 선착장의 위치는 점 $(0, -4)$에 있는 화물선에서 곡선 $y=x^2$에 그은 접선의 교점에 있다.

그 교점의 좌표를 (t, t^2)이라 하면 $y'=2x$에서 기울기가 $2t$이므로 접선의 방정식은

$$y-t^2=2t(x-t)$$

$$\therefore y=2tx-t^2$$

이 접선이 점 $(0, -4)$를 지나므로

$$-4=-t^2, \ t^2=4$$

$$\therefore t=2 \ (\because t>0)$$

이때 교점의 좌표는 $(2, 4)$이므로 선착장의 위치의 좌표는 $(2, 4)$이다.

(2) 화물선의 처음 위치는 점 $(0, -4)$이고 선착장의 위치의 좌표는 $(2, 4)$이므로 구하는 경로의 길이는
$$\sqrt{2^2 + 8^2} = 2\sqrt{17}$$

2 (1) 점 $(1, 2)$가 곡선 $y = x^2 + ax$ 위의 점이므로
$2 = 1 + a$
$\therefore a = 1$
(2) $f(x) = x^2 + x$로 놓으면 $f'(x) = 2x + 1$
비행기 B의 경로는 곡선 $y = f(x)$ 위의 점 $(1, 2)$에서의 접선의 방정식과 같고, $f'(1) = 3$이므로
$y - 2 = 3(x - 1)$
$\therefore y = 3x - 1$

3 (1) 좌표평면 위에 두 전봇대의 전깃줄을 나타내면 다음과 같다.

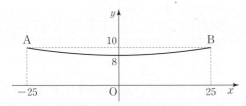

따라서 두 지점 A, B 사이의 평균변화율은
$$\frac{10 - 10}{25 - (-25)} = 0$$
(2) $f'(c) = 0$을 만족시키는 c의 값은 0이므로 구하는 지점을 좌표로 나타내면 $(0, 8)$이다.

4 (1) $A(0, 1)$, $B(-1, 0)$이므로 직선의 기울기는
$$\frac{1 - 0}{0 - (-1)} = 1$$이다.
(2) $f(x) = x^2 + 2$로 놓으면 $f'(x) = 2x$
이때 $f'(x) = 1$을 만족시키는 x의 값은
$2x = 1$에서 $x = \frac{1}{2}$이다.
따라서 해안 도로를 달리고 있는 자동차가 $\left(\frac{1}{2}, \frac{9}{4}\right)$의 지점을 지나는 순간 직선 도로와 평행하게 달린다.

05 함수의 극대·극소와 최대·최소

본문 68~69쪽

STEP 1 교과서 개념 확인 테스트

1-1 $(-\infty, -1]$, $[2, \infty)$에서 증가, $[-1, 2]$에서 감소
1-2 $(-\infty, -2]$, $[1, 3]$에서 증가, $[-2, 1]$, $[3, \infty)$에서 감소
2-1 $(-\infty, -2]$, $[2, \infty)$에서 증가, $[-2, 2]$에서 감소
2-2 $(-\infty, -1]$, $[1, \infty)$에서 증가, $[-1, 1]$에서 감소
3-1 (1) $x = 0$ (2) $x = 2$
3-2 (1) $x = 3$ (2) $x = 1$ 또는 $x = 5$
4-1 극댓값: $\frac{11}{3}$, 극솟값: -7 **4-2** 극댓값: 8, 극솟값: -19
5-1 풀이 참조 **5-2** 풀이 참조
6-1 최댓값: 6, 최솟값: -14 **6-2** 최댓값: 20, 최솟값: 0

1-1 함수 $f(x)$는 반닫힌 구간 $(-\infty, -1]$, $[2, \infty)$에서 증가하고, 닫힌구간 $[-1, 2]$에서 감소한다.

1-2 함수 $f(x)$는 구간 $(-\infty, -2]$, $[1, 3]$에서 증가하고, 구간 $[-2, 1]$, $[3, \infty)$에서 감소한다.

2-1 $f'(x) = 3x^2 - 12 = 3(x+2)(x-2)$
$f'(x) = 0$에서 $x = -2$ 또는 $x = 2$
함수 $f(x)$의 증가와 감소를 표로 나타내면 다음과 같다.

x	$\cdots$	-2	$\cdots$	2	$\cdots$
$f'(x)$	$+$	0	$-$	0	$+$
$f(x)$	$\nearrow$	21	$\searrow$	-11	$\nearrow$

따라서 함수 $f(x)$는 반닫힌 구간 $(-\infty, -2]$, $[2, \infty)$에서 증가하고, 닫힌구간 $[-2, 2]$에서 감소한다.

2-2 $f'(x) = 3x^2 - 3 = 3(x+1)(x-1)$
$f'(x) = 0$에서 $x = -1$ 또는 $x = 1$
함수 $f(x)$의 증가와 감소를 표로 나타내면 다음과 같다.

x	$\cdots$	-1	$\cdots$	1	$\cdots$
$f'(x)$	$+$	0	$-$	0	$+$
$f(x)$	$\nearrow$	3	$\searrow$	-1	$\nearrow$

따라서 함수 $f(x)$는 반닫힌 구간 $(-\infty, -1]$, $[1, \infty)$에서 증가하고, 닫힌구간 $[-1, 1]$에서 감소한다.

3-1 (1) 함수 $f(x)$는 $x = 0$에서 극대이다.
(2) 함수 $f(x)$는 $x = 2$에서 극소이다.

3-2 (1) 함수 $f(x)$는 $x = 3$에서 극대이다.
(2) 함수 $f(x)$는 $x = 1$ 또는 $x = 5$에서 극소이다.

4-1 $f'(x)=x^2-2x-3=(x+1)(x-3)$

$f'(x)=0$에서 $x=-1$ 또는 $x=3$

함수 $f(x)$의 증가와 감소를 표로 나타내면 다음과 같다.

x	$\cdots$	-1	$\cdots$	3	$\cdots$
$f'(x)$	$+$	0	$-$	0	$+$
$f(x)$	$\nearrow$	$\dfrac{11}{3}$	$\searrow$	-7	$\nearrow$

따라서 함수 $f(x)$는 $x=-1$에서 극댓값 $\dfrac{11}{3}$, $x=3$에서 극솟값 -7을 갖는다.

4-2 $f'(x)=6x^2-6x-12=6(x+1)(x-2)$

$f'(x)=0$에서 $x=-1$ 또는 $x=2$

함수 $f(x)$의 증가와 감소를 표로 나타내면 다음과 같다.

x	$\cdots$	-1	$\cdots$	2	$\cdots$
$f'(x)$	$+$	0	$-$	0	$+$
$f(x)$	$\nearrow$	8	$\searrow$	-19	$\nearrow$

따라서 함수 $f(x)$는 $x=-1$에서 극댓값 8, $x=2$에서 극솟값 -19를 갖는다.

5-1 $f'(x)=3x^2-6x=3x(x-2)$

$f'(x)=0$에서 $x=0$ 또는 $x=2$

함수 $f(x)$의 증가와 감소를 표로 나타내면 다음과 같다.

x	$\cdots$	0	$\cdots$	2	$\cdots$
$f'(x)$	$+$	0	$-$	0	$+$
$f(x)$	$\nearrow$	2	$\searrow$	-2	$\nearrow$

따라서 함수 $f(x)$의 그래프의 개형은 오른쪽 그림과 같다.

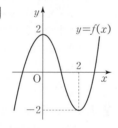

5-2 $f'(x)=-3x^2+6x+9=-3(x+1)(x-3)$

$f'(x)=0$에서 $x=-1$ 또는 $x=3$

함수 $f(x)$의 증가와 감소를 표로 나타내면 다음과 같다.

x	$\cdots$	-1	$\cdots$	3	$\cdots$
$f'(x)$	$-$	0	$+$	0	$-$
$f(x)$	$\searrow$	-3	$\nearrow$	29	$\searrow$

따라서 함수 $f(x)$의 그래프의 개형은 오른쪽 그림과 같다.

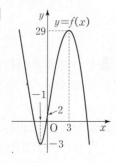

6-1 $f(x)=-x^3+3x^2+2$에서

$f'(x)=-3x^2+6x=-3x(x-2)$

$f'(x)=0$에서 $x=0$ 또는 $x=2$

닫힌구간 $[-1, 4]$에서 함수 $f(x)$의 증가와 감소를 표로 나타내면 다음과 같다.

x	-1	$\cdots$	0	$\cdots$	2	$\cdots$	4
$f'(x)$		$-$	0	$+$	0	$-$	
$f(x)$	6	$\searrow$	2	$\nearrow$	6	$\searrow$	-14

따라서 함수 $f(x)$는 $x=-1$ 또는 $x=2$에서 최댓값 6, $x=4$에서 최솟값 -14를 갖는다.

6-2 $f(x)=x^3-3x+2$에서

$f'(x)=3x^2-3=3(x+1)(x-1)$

$f'(x)=0$에서 $x=-1$ 또는 $x=1$

닫힌구간 $[-2, 3]$에서 함수 $f(x)$의 증가와 감소를 표로 나타내면 다음과 같다.

x	-2	$\cdots$	-1	$\cdots$	1	$\cdots$	3
$f'(x)$		$+$	0	$-$	0	$+$	
$f(x)$	0	$\nearrow$	4	$\searrow$	0	$\nearrow$	20

따라서 함수 $f(x)$는 $x=3$에서 최댓값 20, $x=-2$ 또는 $x=1$에서 최솟값 0을 갖는다.

STEP 2 기출 기초 테스트 | 본문 70~73쪽

1-1 ㄷ　　　　　　　　　　**1-2** ㄴ, ㄹ

2-1 $[2, \infty)$에서 증가, $(-\infty, 2]$에서 감소

2-2 $[0, 2]$에서 증가, $(-\infty, 0]$, $[2, \infty)$에서 감소

3-1 $(-\infty, -1]$, $[1, \infty)$에서 증가, $[-1, 1]$에서 감소

3-2 $(-\infty, \infty)$에서 증가

4-1 극댓값: 2, 극솟값: -2　　**4-2** 극댓값: 0, 극솟값: -1

5-1 $x=-3$에서 극댓값, $x=1$에서 극솟값을 갖는다.

5-2 $x=2$에서 극댓값, $x=-2$에서 극솟값을 갖는다.

6-1 극댓값: $\sqrt{2}$, 극솟값: $-\sqrt{2}$

6-2 극댓값: 5, 극솟값: 4

7-1 $a=-\dfrac{3}{2}, b=-6$, 극댓값: $\dfrac{3}{2}$, 극솟값: -12

7-2 $a=-\dfrac{9}{2}, b=0$, 극댓값: 1, 극솟값: $-\dfrac{25}{2}$

8-1 풀이 참조　　　　　　**8-2** 풀이 참조

9-1 최댓값: 6, 최솟값: 2　　**9-2** 최댓값: 16, 최솟값: -4

10-1 $a=-7$, 최댓값: -3　　**10-2** $a=-5$, 최댓값: 35

11-1 $a=2, b=3$　　　　**11-2** $a=2, b=-1$

1-1 함수 $f(x)$는 구간 $(-\infty, -2]$, $[0, 4]$에서 증가한다. 따라서 함수 $f(x)$가 증가하는 구간은 ㄷ이다.

1-2 함수 $f(x)$는 닫힌구간 $[-2, 0]$, $[1, 2]$에서 증가한다. 따라서 함수 $f(x)$가 증가하는 구간은 ㄴ, ㄹ이다.

2-1 $x > 2$에서 $f'(x) > 0$이므로 이 구간에서 함수 $f(x)$는 증가한다.
$x < 2$에서 $f'(x) < 0$이므로 이 구간에서 함수 $f(x)$는 감소한다.
따라서 함수 $f(x)$는 반닫힌 구간 $[2, \infty)$에서 증가하고, 반닫힌 구간 $(-\infty, 2]$에서 감소한다.

2-2 $x < 0$ 또는 $x > 2$에서 $f'(x) < 0$이므로 이 구간에서 함수 $f(x)$는 감소한다.
$0 < x < 2$에서 $f'(x) > 0$이므로 이 구간에서 함수 $f(x)$는 증가한다.
따라서 함수 $f(x)$는 닫힌구간 $[0, 2]$에서 증가하고, 반닫힌 구간 $(-\infty, 0]$, $[2, \infty)$에서 감소한다.

3-1 $f(x) = x^3 - 3x + 2$에서
$f'(x) = 3x^2 - 3 = 3(x+1)(x-1)$
$f'(x) = 0$에서 $x = -1$ 또는 $x = 1$
함수 $f(x)$의 증가와 감소를 표로 나타내면 다음과 같다.

x	$\cdots$	-1	$\cdots$	1	$\cdots$
$f'(x)$	$+$	0	$-$	0	$+$
$f(x)$	↗	4	↘	0	↗

따라서 함수 $f(x)$는 반닫힌 구간 $(-\infty, -1]$, $[1, \infty)$에서 증가하고, 닫힌구간 $[-1, 1]$에서 감소한다.

3-2 $f(x) = x^3 - 3x^2 + 3x + 1$에서
$f'(x) = 3x^2 - 6x + 3 = 3(x-1)^2$
$f'(x) = 0$에서 $x = 1$
함수 $f(x)$의 증가와 감소를 표로 나타내면 다음과 같다.

x	$\cdots$	1	$\cdots$
$f'(x)$	$+$	0	$+$
$f(x)$	↗	2	↗

따라서 함수 $f(x)$는 열린구간 $(-\infty, \infty)$에서 증가한다.

4-1 함수 $f(x)$는 $x = -1$일 때 극댓값 2, $x = 1$일 때 극솟값 -2를 갖는다.

4-2 함수 $f(x)$는 $x = 3$일 때 극댓값 0, $x = 0$일 때 극솟값 -1을 갖는다.

5-1 함수 $f(x)$는 미분가능하고 $f'(-3) = f'(1) = 0$이다.
이때 $x = -3$의 좌우에서 $f'(x)$의 부호가 양에서 음으로 바뀌므로 함수 $f(x)$는 $x = -3$에서 극댓값을 갖는다.
또 $x = 1$의 좌우에서 $f'(x)$의 부호가 음에서 양으로 바뀌므로 함수 $f(x)$는 $x = 1$에서 극솟값을 갖는다.

5-2 함수 $f(x)$는 미분가능하고 $f'(-2) = f'(2) = 0$이다.
이때 $x = -2$의 좌우에서 $f'(x)$의 부호가 음에서 양으로 바뀌므로 함수 $f(x)$는 $x = -2$에서 극솟값을 갖는다.
또 $x = 2$의 좌우에서 $f'(x)$의 부호가 양에서 음으로 바뀌므로 함수 $f(x)$는 $x = 2$에서 극댓값을 갖는다.

6-1 $f(x) = 2x^3 - 3x$에서
$f'(x) = 6x^2 - 3 = 3(\sqrt{2}x + 1)(\sqrt{2}x - 1)$
$f'(x) = 0$에서 $x = -\dfrac{\sqrt{2}}{2}$ 또는 $x = \dfrac{\sqrt{2}}{2}$
함수 $f(x)$의 증가와 감소를 표로 나타내면 다음과 같다.

x	$\cdots$	$-\dfrac{\sqrt{2}}{2}$	$\cdots$	$\dfrac{\sqrt{2}}{2}$	$\cdots$
$f'(x)$	$+$	0	$-$	0	$+$
$f(x)$	↗	$\sqrt{2}$	↘	$-\sqrt{2}$	↗

따라서 함수 $f(x)$는 $x = -\dfrac{\sqrt{2}}{2}$에서 극댓값 $\sqrt{2}$, $x = \dfrac{\sqrt{2}}{2}$에서 극솟값 $-\sqrt{2}$를 갖는다.

6-2 $f(x) = x^4 - 2x^2 + 5$에서
$f'(x) = 4x^3 - 4x = 4x(x+1)(x-1)$
$f'(x) = 0$에서 $x = -1$ 또는 $x = 0$ 또는 $x = 1$
함수 $f(x)$의 증가와 감소를 표로 나타내면 다음과 같다.

x	$\cdots$	-1	$\cdots$	0	$\cdots$	1	$\cdots$
$f'(x)$	$-$	0	$+$	0	$-$	0	$+$
$f(x)$	↘	4	↗	5	↘	4	↗

따라서 함수 $f(x)$는 $x = 0$에서 극댓값 5, $x = -1$ 또는 $x = 1$에서 극솟값 4를 갖는다.

7-1 $f(x)=x^3+ax^2+bx-2$에서

$f'(x)=3x^2+2ax+b$

$x=-1$에서 극댓값을 갖고, $x=2$에서 극솟값을 가

지므로 $f'(-1)=f'(2)=0$

$f'(-1)=3-2a+b=0$

$\therefore 2a-b=3$ ...... ㉠

$f'(2)=12+4a+b=0$

$\therefore 4a+b=-12$ ...... ㉡

㉠, ㉡을 연립하여 풀면 $a=-\dfrac{3}{2}$, $b=-6$이므로

$f(x)=x^3-\dfrac{3}{2}x^2-6x-2$

따라서 함수 $f(x)$는 $x=-1$에서 극댓값

$f(-1)=\dfrac{3}{2}$, $x=2$에서 극솟값 $f(2)=-12$를 갖는다.

7-2 $f(x)=x^3+ax^2+bx+1$에서

$f'(x)=3x^2+2ax+b$

$x=0$에서 극댓값을 갖고, $x=3$에서 극솟값을 가지

므로 $f'(0)=f'(3)=0$

$f'(0)=b=0$ ...... ㉠

$f'(3)=27+6a+b=0$ ...... ㉡

㉠을 ㉡에 대입하면 $a=-\dfrac{9}{2}$이므로

$f(x)=x^3-\dfrac{9}{2}x^2+1$

따라서 함수 $f(x)$는 $x=0$에서 극댓값 $f(0)=1$,

$x=3$에서 극솟값 $f(3)=-\dfrac{25}{2}$를 갖는다.

8-1 $f(x)=2x^3-3x^2-12x-3$에서

$f'(x)=6x^2-6x-12=6(x+1)(x-2)$

$f'(x)=0$에서 $x=-1$ 또는 $x=2$

함수 $f(x)$의 증가와 감소를 표로 나타내면 다음과

같다.

x	$\cdots$	-1	$\cdots$	2	$\cdots$
$f'(x)$	$+$	0	$-$	0	$+$
$f(x)$	$\nearrow$	4	$\searrow$	-23	$\nearrow$

따라서 함수 $f(x)$의 그래프의 개형은 다음과 같다.

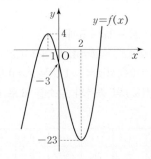

8-2 $f(x)=4x^3-6x^2+2$에서

$f'(x)=12x^2-12x=12x(x-1)$

$f'(x)=0$에서 $x=0$ 또는 $x=1$

함수 $f(x)$의 증가와 감소를 표로 나타내면 다음과

같다.

x	$\cdots$	0	$\cdots$	1	$\cdots$
$f'(x)$	$+$	0	$-$	0	$+$
$f(x)$	$\nearrow$	2	$\searrow$	0	$\nearrow$

따라서 함수 $f(x)$의 그래프의 개형은 다음과 같다.

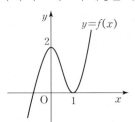

9-1 $f(x)=x^3-6x^2+9x+2$에서

$f'(x)=3x^2-12x+9=3(x-1)(x-3)$

$f'(x)=0$에서 $x=1$ $(\because 0\le x\le 2)$

닫힌구간 $[0, 2]$에서 함수 $f(x)$의 증가와 감소를 표

로 나타내면 다음과 같다.

x	0	$\cdots$	1	$\cdots$	2
$f'(x)$		$+$	0	$-$	
$f(x)$	2	$\nearrow$	6	$\searrow$	4

따라서 함수 $f(x)$는 $x=1$에서 최댓값 6, $x=0$에서

최솟값 2를 갖는다.

9-2 $f(x)=-x^3+3x^2-4$에서

$f'(x)=-3x^2+6x=-3x(x-2)$

$f'(x)=0$에서 $x=0$ 또는 $x=2$

닫힌구간 $[-2, 3]$에서 함수 $f(x)$의 증가와 감소를

표로 나타내면 다음과 같다.

x	-2	$\cdots$	0	$\cdots$	2	$\cdots$	3
$f'(x)$		$-$	0	$+$	0	$-$	
$f(x)$	16	$\searrow$	-4	$\nearrow$	0	$\searrow$	-4

따라서 함수 $f(x)$는 $x=-2$에서 최댓값 16, $x=0$

또는 $x=3$에서 최솟값 -4를 갖는다.

10-1 $f(x)=2x^3-3x^2+a$에서

$f'(x)=6x^2-6x=6x(x-1)$

$f'(x)=0$에서 $x=0$ 또는 $x=1$

닫힌구간 $[-2, 2]$에서 함수 $f(x)$의 증가와 감소를

표로 나타내면 다음과 같다.

x	-2	$\cdots$	0	$\cdots$	1	$\cdots$	2
$f'(x)$		$+$	0	$-$	0	$+$	
$f(x)$	$a-28$	$\nearrow$	a	$\searrow$	$a-1$	$\nearrow$	$a+4$

따라서 함수 $f(x)$는 $x=2$에서 최댓값 $a+4$,
$x=-2$에서 최솟값 $a-28$을 갖는다.
즉 $a-28=-35$이므로 $a=-7$
따라서 함수 $f(x)$의 최댓값은 -3이다.

10-2 $f(x)=2x^3+6x^2+a$에서
$f'(x)=6x^2+12x=6x(x+2)$
$f'(x)=0$에서 $x=-2$ 또는 $x=0$
닫힌구간 $[-2, 2]$에서 함수 $f(x)$의 증가와 감소를
표로 나타내면 다음과 같다.

x	-2	$\cdots$	0	$\cdots$	2
$f'(x)$	0	$-$	0	$+$	
$f(x)$	$a+8$	$\searrow$	a	$\nearrow$	$a+40$

따라서 함수 $f(x)$는 $x=2$에서 최댓값 $a+40$, $x=0$
에서 최솟값 a를 갖는다.
즉 $a=-5$이고, 함수 $f(x)$의 최댓값은 35이다.

11-1 $f(x)=ax^3-6ax^2+b$에서
$f'(x)=3ax^2-12ax=3ax(x-4)$
$f'(x)=0$에서 $x=0$ $(\because -1\leq x\leq 2)$
$a>0$이므로 닫힌구간 $[-1, 2]$에서 함수 $f(x)$의 증
가와 감소를 표로 나타내면 다음과 같다.

x	-1	$\cdots$	0	$\cdots$	2
$f'(x)$		$+$	0	$-$	
$f(x)$	$-7a+b$	$\nearrow$	b	$\searrow$	$-16a+b$

따라서 함수 $f(x)$는 $x=0$에서 최댓값 b, $x=2$에서
최솟값 $-16a+b$를 갖는다.
즉 $b=3$이고 $-16a+b=-29$이므로 $a=2$

11-2 $f(x)=ax^3-3ax+b$에서
$f'(x)=3ax^2-3a=3a(x+1)(x-1)$
$f'(x)=0$에서 $x=-1$ 또는 $x=1$
$a>0$이므로 닫힌구간 $[-1, 2]$에서 함수 $f(x)$의 증
가와 감소를 표로 나타내면 다음과 같다.

x	-1	$\cdots$	1	$\cdots$	2
$f'(x)$	0	$-$	0	$+$	
$f(x)$	$2a+b$	$\searrow$	$-2a+b$	$\nearrow$	$2a+b$

따라서 함수 $f(x)$는 $x=-1$ 또는 $x=2$에서 최댓값
$2a+b$, $x=1$에서 최솟값 $-2a+b$를 갖는다.
즉 $2a+b=3$, $-2a+b=-5$이므로
$a=2$, $b=-1$

STEP 3 **교과서 기본 테스트** | 본문 $74\sim77$쪽 |

01 ㄱ, ㄷ	**02** x_2^2, $-$, $<$	**03** 극댓값: 1, 극솟값: 0
04 ①	**05** -1 또는 1	**06** $a=-\dfrac{1}{3}$, $b=2$
07 -2	**08** -2	**09** ⑤ **10** ④ **11** 4
12 $a=\dfrac{3}{2}$, $b=-6$, $c=\dfrac{7}{2}$, 극댓값: $\dfrac{27}{2}$		**13** 0
14 ③	**15** 6	**16** $a\geq 8$ **17** ④
18 $a=-3$, 최댓값: -3		**19** -7
20 $a=-3$, $b=0$, $c=5$		
21 최댓값: 25, 최솟값: 5		**22** 4

01 함수 $f(x)$는 $[p, q]$, $[r, s]$, $[t, u]$, $[v, w]$에서 증가
한다.
따라서 증가하는 구간은 ㄱ, ㄷ이다.

02 $0\leq x_1<x_2$인 임의의 두 실수 x_1, x_2에 대하여
$f(x_1)-f(x_2)=x_1^2-\boxed{x_2^2}$
$\qquad\qquad\qquad =(x_1+x_2)(x_1\boxed{-}x_2)$
$\qquad\qquad\qquad <0$
이므로 $f(x_1)\boxed{<}f(x_2)$
따라서 함수 $f(x)=x^2$은 반닫힌 구간 $[0, \infty)$에서 증
가한다.

03 함수 $f(x)$는 $x=0$에서 극댓값 1, $x=1$에서 극솟값 0
을 갖는다.

04 $f(x)=2x^3-9x^2+12x+2$에서
$f'(x)=6x^2-18x+12=6(x-1)(x-2)$
이때 $y=f'(x)$의 그래프는 오른
쪽 그림과 같다. 열린구간 $(1, 2)$
에서 $f'(x)<0$이므로 이 구간에
서 함수 $f(x)$는 감소한다.
따라서 $a=1$, $b=2$일 때 $b-a$
의 값은 최대이므로 구하는 최댓
값은 1이다.

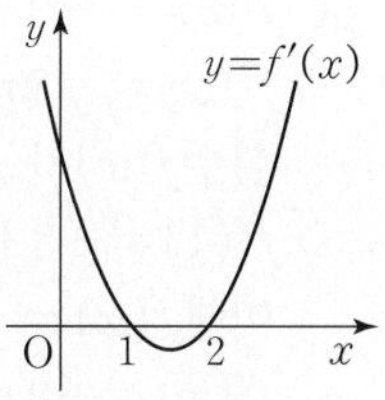

05 $f(x)=-x^3+3x+1$에서
$f'(x)=-3x^2+3=-3(x+1)(x-1)$
$f'(x)=0$에서 $x=-1$ 또는 $x=1$
함수 $f(x)$의 증가와 감소를 표로 나타내면 다음과
같다.

x	$\cdots$	-1	$\cdots$	1	$\cdots$
$f'(x)$	$-$	0	$+$	0	$-$
$f(x)$	$\searrow$	극소	$\nearrow$	극대	$\searrow$

따라서 함수 $f(x)$는 $x=-1$ 또는 $x=1$에서 극값을
가지므로 $a=-1$ 또는 $a=1$이다.

06 $f(x)=2x^3-5x^2-4x+1$에서

$f'(x)=6x^2-10x-4=2(x-2)(3x+1)$

$f'(x)=0$에서 $x=-\dfrac{1}{3}$ 또는 $x=2$

함수 $f(x)$의 증가와 감소를 표로 나타내면 다음과 같다.

x	$\cdots$	$-\dfrac{1}{3}$	$\cdots$	2	$\cdots$
$f'(x)$	$+$	0	$-$	0	$+$
$f(x)$	↗	극대	↘	극소	↗

따라서 함수 $f(x)$는 $x=-\dfrac{1}{3}$에서 극댓값 $f\left(-\dfrac{1}{3}\right)$을 가지고, $x=2$에서 극솟값 $f(2)$를 가지므로

$a=-\dfrac{1}{3}$, $b=2$

07 $f(x)=x^3-3x^2+5$에서

$f'(x)=3x^2-6x=3x(x-2)$

$f'(x)=0$에서 $x=0$ 또는 $x=2$

함수 $f(x)$의 증가와 감소를 표로 나타내면 다음과 같다.

x	$\cdots$	0	$\cdots$	2	$\cdots$
$f'(x)$	$+$	0	$-$	0	$+$
$f(x)$	↗	5	↘	1	↗

즉 함수 $f(x)$는 $x=0$에서 극댓값 5, $x=2$에서 극솟값 1을 가진다.

따라서 두 점 $(0,5)$, $(2,1)$을 지나는 직선의 기울기는

$\dfrac{1-5}{2-0}=-2$

08 $f(x)=-x^3+ax$에서

$f'(x)=-3x^2+a$

함수 $f(x)$가 $x=1$에서 극댓값을 가지므로

$f'(1)=-3+a=0$ ∴ $a=3$

이때 $f(x)=-x^3+3x$이므로

$f'(x)=-3x^2+3=-3(x+1)(x-1)$

$f'(x)=0$에서 $x=-1$ 또는 $x=1$

함수 $f(x)$의 증가와 감소를 표로 나타내면 다음과 같다.

x	$\cdots$	-1	$\cdots$	1	$\cdots$
$f'(x)$	$-$	0	$+$	0	$-$
$f(x)$	↘	-2	↗	2	↘

따라서 함수 $f(x)$는 $x=-1$에서 극솟값 -2를 가진다.

09 ㄱ. $x=1$의 좌우에서 $f'(x)$의 부호가 바뀌지 않으므로 함수 $f(x)$는 $x=1$에서 극값을 갖지 않는다.

ㄴ. $x=-4$, $x=2$의 좌우에서 $f'(x)$의 부호가 음에

서 양으로 바뀌므로 함수 $f(x)$는 $x=-4$ 또는 $x=2$에서 극솟값을 갖는다.

$x=0$의 좌우에서 $f'(x)$의 부호가 양에서 음으로 바뀌므로 함수 $f(x)$는 $x=0$에서 극댓값을 갖는다.

따라서 열린구간 $(-6,6)$에서 $f(x)$가 극값을 갖는 x의 값의 개수는 3이다.

ㄷ. 닫힌구간 $[-4,0]$에서 $f'(x)\geq0$이므로 함수 $f(x)$는 증가한다.

따라서 옳은 것은 ㄴ, ㄷ이다.

10 $f(x)=ax^3+bx^2+cx+d$ (a,b,c,d는 상수, $a\neq0$)로 놓으면

$f'(x)=3ax^2+2bx+c$

㈎에서 $x\to0$일 때 (분모) $\to0$이므로 (분자) $\to0$이어야 한다.

즉 $\lim\limits_{x\to0}f(x)=0$이므로 $f(0)=d=0$

$\lim\limits_{x\to0}\dfrac{f(x)}{x}=\lim\limits_{x\to0}\dfrac{f(x)-f(0)}{x-0}=f'(0)=-12$

이므로 $c=-12$

㈏에서 $f(1)=-7$, $f'(1)=0$이므로

$f(1)=a+b-12=-7$

∴ $a+b=5$ ······ ㉠

$f'(1)=3a+2b-12=0$

∴ $3a+2b=12$ ······ ㉡

㉠, ㉡을 연립하여 풀면 $a=2$, $b=3$

이때 $f(x)=2x^3+3x^2-12x$이므로

$f'(x)=6x^2+6x-12=6(x+2)(x-1)$

$f'(x)=0$에서 $x=-2$ 또는 $x=1$

따라서 함수 $f(x)$는 $x=-2$에서 극댓값 $f(-2)=-16+12+24=20$을 가진다.

11 $f(x)=x^3+ax+b$에서

$f'(x)=3x^2+a$

함수 $f(x)$가 $x=1$에서 극솟값을 가지므로

$f'(1)=3+a=0$ ∴ $a=-3$

이때 $f(x)=x^3-3x+b$이므로

$f'(x)=3x^2-3=3(x+1)(x-1)$

$f'(x)=0$에서 $x=-1$ 또는 $x=1$

함수 $f(x)$의 증가와 감소를 표로 나타내면 다음과 같다.

x	$\cdots$	-1	$\cdots$	1	$\cdots$
$f'(x)$	$+$	0	$-$	0	$+$
$f(x)$	↗	극대	↘	극소	↗

이때 함수 $f(x)$는 $x=-1$에서 극댓값 $b+2$, $x=1$에서 극솟값 $b-2$를 가진다.

$b-2=0$에서 $b=2$이므로

$f(x)=x^3-3x+2$

따라서 함수 $f(x)$는 $x=-1$에서 극댓값 4를 가진다.

12 $f(x)=x^3+ax^2+bx+c$에서

$f'(x)=3x^2+2ax+b$

이때 함수 $f(x)$가 $x=-2$에서 극댓값, $x=1$에서 극솟값을 가지므로

$f'(-2)=f'(1)=0$

$f'(-2)=12-4a+b=0$

$\therefore 4a-b=12$ ...... ㉠

$f'(1)=3+2a+b=0$

$\therefore 2a+b=-3$ ...... ㉡

㉠, ㉡을 연립하여 풀면 $a=\dfrac{3}{2}$, $b=-6$

$\therefore f(x)=x^3+\dfrac{3}{2}x^2-6x+c$

함수 $f(x)$는 $x=1$에서 극솟값 0을 가지므로

$f(1)=1+\dfrac{3}{2}-6+c=0$ $\therefore c=\dfrac{7}{2}$

따라서 $f(x)=x^3+\dfrac{3}{2}x^2-6x+\dfrac{7}{2}$이므로 함수 $f(x)$

의 극댓값은 $f(-2)=\dfrac{27}{2}$이다.

13 $f(x)=x^3-6x+k$에서

$f'(x)=3x^2-6=3(x+\sqrt{2})(x-\sqrt{2})$

$f'(x)=0$에서 $x=-\sqrt{2}$ 또는 $x=\sqrt{2}$

함수 $f(x)$의 증가와 감소를 표로 나타내면 다음과 같다.

x	$\cdots$	$-\sqrt{2}$	$\cdots$	$\sqrt{2}$	$\cdots$
$f'(x)$	$+$	0	$-$	0	$+$
$f(x)$	↗	극대	↘	극소	↗

따라서 함수 $f(x)$는 $x=-\sqrt{2}$일 때 극댓값 $k+4\sqrt{2}$,

$x=\sqrt{2}$일 때 극솟값 $k-4\sqrt{2}$를 가지므로

$k+4\sqrt{2}+(k-4\sqrt{2})=0$

$\therefore k=0$

14 $f(x)=\dfrac{1}{3}x^3+ax^2+3ax+2$에서

$f'(x)=x^2+2ax+3a$

함수 $f(x)$가 극댓값과 극솟값을 모두 가지려면 방정식 $f'(x)=0$이 서로 다른 두 실근을 가져야 한다.

즉 $x^2+2ax+3a=0$의 판별식을 D라 하면

$\dfrac{D}{4}=a^2-3a>0$, $a(a-3)>0$

$\therefore a<0$ 또는 $a>3$

따라서 구하는 양의 정수 a의 최솟값은 4이다.

15 $f(x)=x^3+ax^2+bx+c$에서

$f'(x)=3x^2+2ax+b$

이때 함수 $f(x)$가 $x=1$에서 극댓값, $x=3$에서 극솟값을 가지므로 $f'(1)=f'(3)=0$

$f'(1)=3+2a+b=0$

$\therefore 2a+b=-3$ ...... ㉠

$f'(3)=27+6a+b=0$

$\therefore 6a+b=-27$ ...... ㉡

㉠, ㉡을 연립하여 풀면 $a=-6$, $b=9$

이때 $f(x)=x^3-6x^2+9x+c$이므로 함수 $f(x)$의 극댓값은 $f(1)=c+4$, 극솟값은 $f(3)=c$

즉 $c+4=3c$이므로 $c=2$

따라서 함수 $f(x)$의 극댓값은 6

16 $f(x)=-x^3+x^2+ax-4$에서

$f'(x)=-3x^2+2x+a$

함수 $f(x)$가 닫힌구간 $[1, 2]$에서 증가하려면 이 구간에서 $f'(x)\geq0$이어야 하므로

오른쪽 그림에서

$f'(1)=-3+2+a\geq0$

$\therefore a\geq1$ ...... ㉠

$f'(2)=-12+4+a\geq0$

$\therefore a\geq8$ ...... ㉡

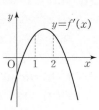

㉠, ㉡을 동시에 만족시키는 실수 a의 값의 범위는 $a\geq8$

17 $f(x)=x^3+ax^2+2ax$에서

$f'(x)=3x^2+2ax+2a$

함수 $f(x)$가 열린구간 $(-\infty, \infty)$에서 증가하려면 모든 실수 x에 대하여 $f'(x)\geq0$이어야 한다.

즉 이차방정식 $f'(x)=0$의 판별식을 D라 하면

$\dfrac{D}{4}=a^2-6a\leq0$, $a(a-6)\leq0$

$\therefore 0\leq a\leq6$

따라서 실수 a의 최댓값 $M=6$, 최솟값 $m=0$이므로

$M-m=6$

18 $f(x)=x^3-3x^2+a$에서

$f'(x)=3x^2-6x=3x(x-2)$

$f'(x)=0$에서 $x=0$ 또는 $x=2$

닫힌구간 $[-2, 2]$에서 함수 $f(x)$의 증가와 감소를 표로 나타내면 다음과 같다.

x	-2	$\cdots$	0	$\cdots$	2
$f'(x)$		$+$	0	$-$	0
$f(x)$	$a-20$	↗	a	↘	$a-4$

따라서 함수 $f(x)$는 $x=0$에서 최댓값 a, $x=-2$에서 최솟값 $a-20$을 갖는다.

즉 $a-20=-23$이므로 $a=-3$

따라서 함수 $f(x)$의 최댓값은 -3이다.

19 $f(x)=x^3+3x^2+a$에서

$f'(x)=3x^2+6x=3x(x+2)$

$f'(x)=0$에서 $x=0$ ($\because -1\leq x\leq2$)

닫힌구간 $[-1, 2]$에서 함수 $f(x)$의 증가와 감소를 표로 나타내면 다음과 같다.

x	-1	$\cdots$	0	$\cdots$	2
$f'(x)$		$-$	0	$+$	
$f(x)$	$a+2$	$\searrow$	a	$\nearrow$	$a+20$

따라서 함수 $f(x)$는 $x=0$에서 최솟값 a, $x=2$에서 최댓값 $a+20$을 갖는다.

즉 $M=a+20$, $m=a$이므로

$M+m=2a+20=6$

$\therefore a=-7$

20 $f(x)=x^3+ax^2+bx+c$에서

$f'(x)=3x^2+2ax+b$

이때 함수 $f(x)$가 $x=0$에서 극댓값, $x=2$에서 극솟값을 가지므로 $f'(0)=f'(2)=0$

$f'(0)=b=0$ ······ ㉠

$f'(2)=12+4a+b=0$

$\therefore 4a+b=-12$ ······ ㉡

㉠을 ㉡에 대입하면 $a=-3$

따라서 $f(x)=x^3-3x^2+c$이므로

$f(0)=5$에서 $c=5$

$\therefore a=-3$, $b=0$, $c=5$

21 $f(x)=-x^3+3x^2+5$에서

$f'(x)=-3x^2+6x=-3x(x-2)$

$f'(x)=0$에서 $x=0$ 또는 $x=2$

닫힌구간 $[-2, 2]$에서 함수 $f(x)$의 증가와 감소를 표로 나타내면 다음과 같다.

x	-2	$\cdots$	0	$\cdots$	2
$f'(x)$		$-$	0	$+$	0
$f(x)$	25	$\searrow$	5	$\nearrow$	9

따라서 함수 $f(x)$는 $x=-2$에서 최댓값 25, $x=0$에서 최솟값 5를 갖는다.

22 점 D의 x좌표를 $t(0<t<\sqrt{3})$라 하면 $D(t, 3-t^2)$

이때 $\overline{CD}=3-t^2$, $\overline{BC}=2t$이므로 직사각형 ABCD의 넓이를 $f(t)$라 하면

$f(t)=2t(3-t^2)=-2t^3+6t$

$f'(t)=-6t^2+6=-6(t+1)(t-1)$

$f'(t)=0$에서 $t=1$ ($\because 0<t<\sqrt{3}$)

열린구간 $(0, \sqrt{3})$에서 함수 $f(t)$의 증가와 감소를 표로 나타내면 다음과 같다.

t	0	$\cdots$	1	$\cdots$	$\sqrt{3}$
$f'(t)$		$+$	0	$-$	
$f(t)$		$\nearrow$	4	$\searrow$	

따라서 함수 $f(t)$는 $t=1$에서 최댓값 4를 가지므로 직사각형 ABCD의 넓이의 최댓값은 4이다.

---

1 (1) $6\,℃$ (2) 2시간 (3) $\dfrac{28}{3}\,℃$

2 (1) $x=5$ 또는 $x=9$ (2) $f(x)=x^3-21x^2+135x+2$

(3) 32

3 (1) $392\,\mathrm{cm}^3$ (2) $(4a^3-72a^2+324a)\,\mathrm{cm}^3$ (3) $3\,\mathrm{cm}$

4 (1) 115200원

(2) $(-100x^3-1000x^2+10000x+100000)$ 원

(3) 1300원

1 (1) 기온을 측정하기 시작한 순간의 기온은

$f(0)=6\,(℃)$이다.

(2) $f(x)=\dfrac{1}{8}x^4-\dfrac{4}{3}x^3+3x^2+6$에서

$f'(x)=\dfrac{1}{2}x^3-4x^2+6x=\dfrac{1}{2}x(x^2-8x+12)$

$=\dfrac{1}{2}x(x-2)(x-6)$

$f'(x)=0$에서 $x=0$ 또는 $x=2$ ($\because 0\leq x\leq 5$)

닫힌구간 $[0, 5]$에서 함수 $f(x)$의 증가와 감소를 표로 나타내면 다음과 같다.

x	0	$\cdots$	2	$\cdots$	5
$f'(x)$	0	$+$	0	$-$	
$f(x)$	6	$\nearrow$	극대	$\searrow$	

따라서 기온이 증가하다가 감소하기 시작한 순간은 2시간 후이다.

(3) (2)의 표에서 5시간 동안의 최고 기온은 $x=2$일 때이므로 구하는 값은 $f(2)=\dfrac{28}{3}\,(℃)$

2 (1) 함수 $f(x)$는 $x=5$, $x=9$에서 극값을 가지므로

$f'(5)=0$, $f'(9)=0$

방정식 $f'(x)=0$은 이차방정식이므로 해는 두 개이고, 그 해는 $x=5$ 또는 $x=9$이다.

(2) $f(x)=x^3+ax^2+bx+c$ (a, b, c는 상수)로 놓으면

$f(0)=2$이므로 $c=2$

이때 $f'(x)=3x^2+2ax+b$이므로

$f'(5)=75+10a+b=0$

$\therefore 10a+b=-75$ ······ ㉠

$f'(9)=243+18a+b=0$

$\therefore 18a+b=-243$ ······ ㉡

㉠, ㉡을 연립하여 풀면 $a=-21$, $b=135$

$\therefore f(x)=x^3-21x^2+135x+2$

(3) $f'(x)=3x^2-42x+135=3(x-5)(x-9)$

$f'(x)=0$에서 $x=5$ 또는 $x=9$

닫힌구간 $[0, 12]$에서 함수 $f(x)$의 증가와 감소를 표로 나타내면 다음과 같다.

x	0	$\cdots$	5	$\cdots$	9	$\cdots$	12
$f'(x)$		$+$	0	$-$	0	$+$	
$f(x)$	2	$\nearrow$	277	$\searrow$	245	$\nearrow$	326

따라서 함수 $f(x)$는 $x=5$에서 극댓값 277, $x=9$에서 극솟값 245를 가지므로 구하는 극댓값과 극솟값의 차는

$277-245=32$

3 (1) 직육면체의 밑면의 한 변의 길이는
$18-2\times2=14\,(\text{cm})$, 높이는 $2\,\text{cm}$이므로 구하는 부피는
$14^2\times2=392\,(\text{cm}^3)$

(2) 직육면체의 밑면의 한 변의 길이는 $(18-2a)\,\text{cm}$, 높이는 $a\,\text{cm}$이므로 구하는 부피는
$(18-2a)^2\times a=4a^3-72a^2+324a\,(\text{cm}^3)$

(3) $f(a)=4a^3-72a^2+324a$로 놓으면
$f'(a)=12a^2-144a+324=12(a-3)(a-9)$
$f'(a)=0$에서 $a=3$ ($\because 0<a<9$)
열린구간 $(0,9)$에서 함수 $f(a)$의 증가와 감소를 표로 나타내면 다음과 같다.

a	0	$\cdots$	3	$\cdots$	9
$f'(a)$		$+$	0	$-$	
$f(a)$		$\nearrow$	극대	$\searrow$	

따라서 $f(a)$는 $a=3$일 때 극대이면서 최대이므로 직육면체의 부피가 최대가 되도록 하려면 잘라내는 정사각형의 한 변의 길이가 $3\,\text{cm}$이어야 한다.

4 (1) 도넛 1개의 가격을 200원 인상하면 하루 판매량은 2^2, 즉 4개 감소한다.
따라서 구하는 하루 평균 판매액은
$(1000+200)\times(100-4)=115200$ (원)

(2) 도넛 1개의 가격을 $100x$원 인상하면 하루 판매량이 x^2개 감소하므로 하루 평균 판매액은
$(1000+100x)(100-x^2)$
$=-100x^3-1000x^2+10000x+100000$ (원)

(3) $f(x)=-100x^3-1000x^2+10000x+100000$으로 놓으면
$f'(x)=-300x^2-2000x+10000$
$\qquad\quad=-100(3x-10)(x+10)$
$f'(x)=0$에서 $x=\dfrac{10}{3}$ ($\because x>0$)

열린구간 $(0,\infty)$에서 함수 $f(x)$의 증가와 감소를 표로 나타내면 다음과 같다.

x	0	$\cdots$	$\dfrac{10}{3}$	$\cdots$
$f'(x)$		$+$	0	$-$
$f(x)$		$\nearrow$	극대	$\searrow$

이때 $f(x)$는 $x=\dfrac{10}{3}$일 때 최댓값 $f\left(\dfrac{10}{3}\right)$을 가지므로 하루 평균 판매액을 최대로 하려고 할 때 도넛의 가격은
$1000+100\times\dfrac{10}{3}=\dfrac{4000}{3}$
따라서 적당한 도넛의 가격은 1300원이다.

06 방정식과 부등식, 속도와 가속도

본문 81쪽

STEP 1 교과서 개념 확인 테스트

1-1 3	**1-2** 1
2-1 풀이 참조	**2-2** 풀이 참조
3-1 속도: 13, 가속도: 6	**3-2** 속도: 27, 가속도: 10

1-1 $f(x)=x^3-3x^2+1$이라 하면
$f'(x)=3x^2-6x=3x(x-2)$
$f'(x)=0$에서 $x=0$ 또는 $x=2$
함수 $f(x)$의 증가와 감소를 표로 나타내고 $y=f(x)$의 그래프를 그리면 다음과 같다.

x	$\cdots$	0	$\cdots$	2	$\cdots$
$f'(x)$	$+$	0	$-$	0	$+$
$f(x)$	$\nearrow$	1	$\searrow$	-3	$\nearrow$

오른쪽 그림에서 함수 $y=f(x)$의 그래프는 x축과 서로 다른 세 점에서 만나므로 방정식 $x^3-3x^2+1=0$의 서로 다른 실근의 개수는 3이다.

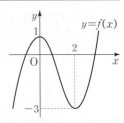

1-2 $f(x)=2x^3+3x^2-2$라 하면
$f'(x)=6x^2+6x=6x(x+1)$
$f'(x)=0$에서 $x=-1$ 또는 $x=0$
함수 $f(x)$의 증가와 감소를 표로 나타내고 $y=f(x)$의 그래프를 그리면 다음과 같다.

x	$\cdots$	-1	$\cdots$	0	$\cdots$
$f'(x)$	$+$	0	$-$	0	$+$
$f(x)$	$\nearrow$	-1	$\searrow$	-2	$\nearrow$

오른쪽 그림에서 함수 $y=f(x)$의 그래프는 x축과 한 점에서 만나므로 방정식 $2x^3+3x^2-2=0$의 서로 다른 실근의 개수는 1이다.

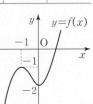

2-1 $f(x)=2x^3-3x^2+2$라 하면
$f'(x)=6x^2-6x=6x(x-1)$
$f'(x)=0$에서 $x=0$ 또는 $x=1$
반닫힌 구간 $[0,\infty)$에서 함수 $f(x)$의 증가와 감소를 표로 나타내고 $y=f(x)$의 그래프를 그리면 다음과 같다.

x	0	$\cdots$	1	$\cdots$
$f'(x)$	0	$-$	0	$+$
$f(x)$	2	$\searrow$	1	$\nearrow$

즉 함수 $f(x)$는 $x=1$에서 극소이면서 최소이다.

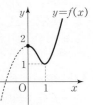

$x \geq 0$일 때, 함수 $f(x)$의 최솟값은 $f(1)=1$이므로
$$f(x)=2x^3-3x^2+2 \geq 0$$
따라서 $x \geq 0$일 때, 부등식 $2x^3 \geq 3x^2-2$가 성립한다.

2-2 $f(x)=x^3-x^2-x+2$라 하면
$$f'(x)=3x^2-2x-1=(3x+1)(x-1)$$
$f'(x)=0$에서 $x=-\dfrac{1}{3}$ 또는 $x=1$

반닫힌 구간 $[0, \infty)$에서 함수 $f(x)$의 증가와 감소를 표로 나타내고 $y=f(x)$의 그래프를 그리면 다음과 같다.

x	0	$\cdots$	1	$\cdots$
$f'(x)$		$-$	0	$+$
$f(x)$	2	$\searrow$	1	$\nearrow$

즉 함수 $f(x)$는 $x=1$에서 극소이면서 최소이다.

$x \geq 0$일 때, 함수 $f(x)$의 최솟값은 $f(1)=1$이므로
$$f(x)=x^3-x^2-x+2 \geq 0$$
따라서 $x \geq 0$일 때, 부등식 $x^3-x^2-x+2 \geq 0$이 성립한다.

3-1 점 P의 시각 t에서의 속도를 v, 가속도를 a라 하면
$$v=\dfrac{dx}{dt}=6t+1, \ a=\dfrac{dv}{dt}=6$$
따라서 $t=2$에서 점 P의 속도와 가속도는
$$v=6\times2+1=13, \ a=6$$

3-2 점 P의 시각 t에서의 속도를 v, 가속도를 a라 하면
$$v=\dfrac{dx}{dt}=10t-3, \ a=\dfrac{dv}{dt}=10$$
따라서 $t=3$에서 점 P의 속도와 가속도는
$$v=10\times3-3=27, \ a=10$$

STEP 2 기출 기초 테스트 | 본문 82~83쪽

1-1 3
1-2 2
2-1 $-20<a<7$
2-2 $-16<a<16$
3-1 $k<-2$ 또는 $k>2$
3-2 $k=-16$ 또는 $k=16$
4-1 0
4-2 $-4\sqrt{2}$
5-1 속도: 1, 가속도: 6
5-2 속도: -11, 가속도: -12
6-1 3
6-2 1

1-1 $f(x)=x^3-3x+1$이라 하면
$$f'(x)=3x^2-3=3(x+1)(x-1)$$

$f'(x)=0$에서 $x=-1$ 또는 $x=1$
함수 $f(x)$의 증가와 감소를 표로 나타내고 $y=f(x)$의 그래프를 그리면 다음과 같다.

x	$\cdots$	-1	$\cdots$	1	$\cdots$
$f'(x)$	$+$	0	$-$	0	$+$
$f(x)$	$\nearrow$	3	$\searrow$	-1	$\nearrow$

오른쪽 그림에서 함수 $y=f(x)$의 그래프는 x축과 서로 다른 세 점에서 만나므로 방정식 $x^3-3x+1=0$의 서로 다른 실근의 개수는 3 이다.

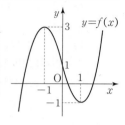

1-2 $f(x)=2x^3-3x^2+1$이라 하면
$$f'(x)=6x^2-6x=6x(x-1)$$
$f'(x)=0$에서 $x=0$ 또는 $x=1$
함수 $f(x)$의 증가와 감소를 표로 나타내고 $y=f(x)$의 그래프를 그리면 다음과 같다.

x	$\cdots$	0	$\cdots$	1	$\cdots$
$f'(x)$	$+$	0	$-$	0	$+$
$f(x)$	$\nearrow$	1	$\searrow$	0	$\nearrow$

오른쪽 그림에서 함수 $y=f(x)$의 그래프는 x축과 서로 다른 두 점에서 만나므로 방정식 $2x^3-3x^2+1=0$의 서로 다른 실근의 개수는 2이다.

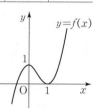

2-1 $2x^3-3x^2-12x-a=0$에서 $2x^3-3x^2-12x=a$이 므로 주어진 방정식의 실근의 개수는 함수 $y=2x^3-3x^2-12x$의 그래프와 직선 $y=a$의 교점의 개수와 같다.
$f(x)=2x^3-3x^2-12x$라 하면
$$f'(x)=6x^2-6x-12=6(x+1)(x-2)$$
$f'(x)=0$에서 $x=-1$ 또는 $x=2$
함수 $f(x)$의 증가와 감소를 표로 나타내고 $y=f(x)$의 그래프를 그리면 다음과 같다.

x	$\cdots$	-1	$\cdots$	2	$\cdots$
$f'(x)$	$+$	0	$-$	0	$+$
$f(x)$	$\nearrow$	7	$\searrow$	-20	$\nearrow$

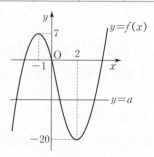

따라서 주어진 방정식이 서로 다른 세 실근을 갖게 하는 실수 a의 값의 범위는 $-20 < a < 7$

2-2 $x^3 - 12x - a = 0$에서 $x^3 - 12x = a$이므로 주어진 방정식의 실근의 개수는 함수 $y = x^3 - 12x$의 그래프와 직선 $y = a$의 교점의 개수와 같다.
$f(x) = x^3 - 12x$라 하면
$f'(x) = 3x^2 - 12 = 3(x+2)(x-2)$
$f'(x) = 0$에서 $x = -2$ 또는 $x = 2$
함수 $f(x)$의 증가와 감소를 표로 나타내고 $y = f(x)$의 그래프를 그리면 다음과 같다.

x	$\cdots$	-2	$\cdots$	2	$\cdots$
$f'(x)$	$+$	0	$-$	0	$+$
$f(x)$	$\nearrow$	16	$\searrow$	-16	$\nearrow$

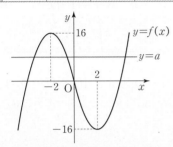

따라서 주어진 방정식이 서로 다른 세 실근을 갖게 하는 실수 a의 값의 범위는 $-16 < a < 16$

3-1 주어진 곡선과 직선이 한 점에서 만나려면 방정식 $x^3 - x = 2x + k$, 즉 $x^3 - 3x = k$ $\cdots\cdots$ ㉠
가 오직 하나의 실근을 가져야 한다.
$f(x) = x^3 - 3x$라 하면
$f'(x) = 3x^2 - 3 = 3(x+1)(x-1)$
$f'(x) = 0$에서 $x = -1$ 또는 $x = 1$
함수 $f(x)$의 증가와 감소를 표로 나타내고 $y = f(x)$의 그래프를 그리면 다음과 같다.

x	$\cdots$	-1	$\cdots$	1	$\cdots$
$f'(x)$	$+$	0	$-$	0	$+$
$f(x)$	$\nearrow$	2	$\searrow$	-2	$\nearrow$

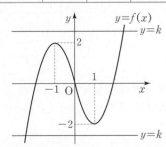

방정식 ㉠이 오직 하나의 실근을 가지려면 함수 $y = f(x)$의 그래프와 직선 $y = k$가 오직 한 점에서 만나야 하므로
$k < -2$ 또는 $k > 2$

3-2 주어진 곡선과 직선이 서로 다른 두 점에서 만나려면 방정식 $x^3 - 8x = 4x + k$, 즉 $x^3 - 12x = k$ $\cdots\cdots$ ㉠
가 서로 다른 두 개의 실근을 가져야 한다.
$f(x) = x^3 - 12x$라 하면
$f'(x) = 3x^2 - 12 = 3(x+2)(x-2)$
$f'(x) = 0$에서 $x = -2$ 또는 $x = 2$
함수 $f(x)$의 증가와 감소를 표로 나타내고 $y = f(x)$의 그래프를 그리면 다음과 같다.

x	$\cdots$	-2	$\cdots$	2	$\cdots$
$f'(x)$	$+$	0	$-$	0	$+$
$f(x)$	$\nearrow$	16	$\searrow$	-16	$\nearrow$

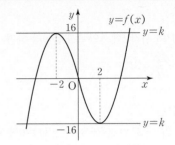

방정식 ㉠이 서로 다른 두 개의 실근을 가지려면 함수 $y = f(x)$의 그래프와 직선 $y = k$가 서로 다른 두 점에서 만나야 하므로
$k = -16$ 또는 $k = 16$

4-1 $f(x) = x^3 - 3x + 2 - p$라 하면
$f'(x) = 3x^2 - 3 = 3(x+1)(x-1)$
$f'(x) = 0$에서 $x = -1$ 또는 $x = 1$
반닫힌 구간 $[0, \infty)$에서 함수 $f(x)$의 증가와 감소를 표로 나타내면 다음과 같다.

x	0	$\cdots$	1	$\cdots$
$f'(x)$		$-$	0	$+$
$f(x)$	$-p+2$	$\searrow$	$-p$	$\nearrow$

즉 함수 $f(x)$는 $x = 1$에서 극소이면서 최소이다.
$x \geq 0$일 때 $f(x) \geq 0$이어야 하므로
$-p \geq 0$ $\therefore p \leq 0$
따라서 구하는 실수 p의 최댓값은 0이다.

4-2 $f(x) = x^3 - 6x - p$라 하면
$f'(x) = 3x^2 - 6 = 3(x+\sqrt{2})(x-\sqrt{2})$
$f'(x) = 0$에서 $x = -\sqrt{2}$ 또는 $x = \sqrt{2}$
반닫힌 구간 $[0, \infty)$에서 함수 $f(x)$의 증가와 감소를 표로 나타내면 다음과 같다.

x	0	$\cdots$	$\sqrt{2}$	$\cdots$
$f'(x)$		$-$	0	$+$
$f(x)$	$-p$	$\searrow$	$-p-4\sqrt{2}$	$\nearrow$

즉 함수 $f(x)$는 $x = \sqrt{2}$에서 극소이면서 최소이다.
$x \geq 0$일 때 $f(x) \geq 0$이어야 하므로
$-p - 4\sqrt{2} \geq 0$ $\therefore p \leq -4\sqrt{2}$
따라서 구하는 실수 p의 최댓값은 $-4\sqrt{2}$이다.

5-1 점 P의 시각 t에서의 속도를 v, 가속도를 a라 하면
$$v=\frac{dx}{dt}=3t^2-2, \quad a=\frac{dv}{dt}=6t$$
따라서 $t=1$에서 점 P의 속도와 가속도는
$$v=3\times1-2=1, \quad a=6\times1=6$$

5-2 점 P의 시각 t에서의 속도를 v, 가속도를 a라 하면
$$v=\frac{dx}{dt}=-3t^2+1, \quad a=\frac{dv}{dt}=-6t$$
따라서 $t=2$에서 점 P의 속도와 가속도는
$$v=-3\times4+1=-11, \quad a=-6\times2=-12$$

6-1 점 P의 시각 t에서의 속도를 v라 하면
$$v=\frac{dx}{dt}=3t^2-27$$
$t>0$이고 점 P가 운동 방향을 바꾸는 순간의 속도는 0이므로
$$v=3t^2-27=3(t+3)(t-3)=0에서 \ t=3$$
따라서 점 P는 $t=3$일 때 운동 방향을 바꾼다.

6-2 점 P의 시각 t에서의 속도를 v라 하면
$$v=\frac{dx}{dt}=3t^2-3$$
$t>0$이고 점 P가 운동 방향을 바꾸는 순간의 속도는 0이므로
$$v=3t^2-3=3(t+1)(t-1)=0에서 \ t=1$$
따라서 점 P는 $t=1$일 때 운동 방향을 바꾼다.

STEP **3** 교과서 기본 테스트 | 본문 84~87쪽

01 $a<-4$ 또는 $a>4$ **02** $-4<k<4$
03 $k=-2$ 또는 $k=2$ **04** $-1<a<0$
05 2   **06** -1 **07** 풀이 참조
08 풀이 참조   **09** $a\geq24$ **10** 10
11 $-\sqrt{3}<k<\sqrt{3}$ **12** -8 **13** ①   **14** ②
15 -6 **16** 2   **17** 0   **18** $\frac{1}{2}<t<4$
19 속도: 15.3 m/s, 가속도: -0.9 m/s²
20 ⑤   **21** 1초   **22** 2
23 시간: 10초, 움직인 거리: 45 m   **24** 20 m

01 $2x^3-6x-a=0$에서 $2x^3-6x=a$이므로 주어진 방정식의 실근의 개수는 함수 $y=2x^3-6x$의 그래프와 직선 $y=a$의 교점의 개수와 같다.
$f(x)=2x^3-6x$라 하면
$$f'(x)=6x^2-6=6(x+1)(x-1)$$
$f'(x)=0$에서 $x=-1$ 또는 $x=1$
함수 $f(x)$의 증가와 감소를 표로 나타내고 $y=f(x)$의 그래프를 그리면 다음과 같다.

x	$\cdots$	-1	$\cdots$	1	$\cdots$
$f'(x)$	+	0	−	0	+
$f(x)$	↗	4	↘	-4	↗

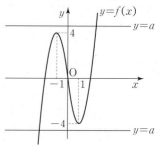

따라서 주어진 방정식의 실근이 오직 하나이기 위한 실수 a의 값의 범위는 $a<-4$ 또는 $a>4$

02 $2x^3-6x+k=0$에서 $-2x^3+6x=k$이므로 주어진 방정식의 실근의 개수는 함수 $y=-2x^3+6x$의 그래프와 직선 $y=k$의 교점의 개수와 같다.
$f(x)=-2x^3+6x$라 하면
$$f'(x)=-6x^2+6=-6(x+1)(x-1)$$
$f'(x)=0$에서 $x=-1$ 또는 $x=1$
함수 $f(x)$의 증가와 감소를 표로 나타내고 $y=f(x)$의 그래프를 그리면 다음과 같다.

x	$\cdots$	-1	$\cdots$	1	$\cdots$
$f'(x)$	−	0	+	0	−
$f(x)$	↘	-4	↗	4	↘

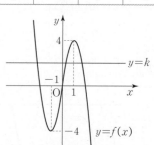

따라서 주어진 방정식이 서로 다른 세 실근을 갖게 하는 실수 k의 값의 범위는 $-4<k<4$

03 주어진 곡선과 직선이 서로 다른 두 점에서 만나려면 방정식 $x^3-2x=x+k$, 즉 $x^3-3x=k$ ……㉠
가 서로 다른 두 개의 실근을 가져야 한다.

$f(x)=x^3-3x$라 하면
$f'(x)=3x^2-3=3(x+1)(x-1)$
$f'(x)=0$에서 $x=-1$ 또는 $x=1$
함수 $f(x)$의 증가와 감소를 표로 나타내고 $y=f(x)$의 그래프를 그리면 다음과 같다.

x	$\cdots$	-1	$\cdots$	1	$\cdots$
$f'(x)$		$+$	0	$-$	0	$+$
$f(x)$		$\nearrow$	2	$\searrow$	-2	$\nearrow$

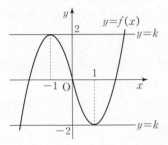

방정식 ㉠이 서로 다른 두 개의 실근을 가지려면 함수 $y=f(x)$의 그래프와 직선 $y=k$가 서로 다른 두 점에서 만나야 하므로
$k=-2$ 또는 $k=2$

04 $4x^3-3x-a=0$에서
$4x^3-3x=a$
$f(x)=4x^3-3x$라 하면
$f'(x)=12x^2-3=3(2x+1)(2x-1)$
$f'(x)=0$에서 $x=-\dfrac{1}{2}$ 또는 $x=\dfrac{1}{2}$
함수 $f(x)$의 증가와 감소를 표로 나타내고 $y=f(x)$의 그래프를 그리면 다음과 같다.

x	$\cdots$	$-\dfrac{1}{2}$	$\cdots$	$\dfrac{1}{2}$	$\cdots$
$f'(x)$		$+$	0	$-$	0	$+$
$f(x)$		$\nearrow$	1	$\searrow$	-1	$\nearrow$

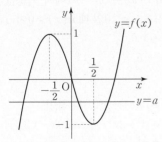

함수 $y=f(x)$의 그래프와 직선 $y=a$의 교점의 x좌표가 한 개는 음수, 두 개는 서로 다른 양수가 되도록 하는 실수 a의 값의 범위는 $-1<a<0$

05 $f(x)=-3$에서 $x^3-3x-1=-3$이므로
$x^3-3x+2=0$
$g(x)=x^3-3x+2$라 하면
$g'(x)=3x^2-3=3(x+1)(x-1)$
$g'(x)=0$에서 $x=-1$ 또는 $x=1$

함수 $g(x)$의 증가와 감소를 표로 나타내고 $y=g(x)$의 그래프를 그리면 다음과 같다.

x	$\cdots$	-1	$\cdots$	1	$\cdots$
$g'(x)$		$+$	0	$-$	0	$+$
$g(x)$		$\nearrow$	4	$\searrow$	0	$\nearrow$

오른쪽 그림에서 함수 $y=g(x)$의 그래프는 x축과 서로 다른 두 점에서 만나므로 방정식 $x^3-3x+2=0$, 즉 $f(x)=-3$의 서로 다른 실근의 개수는 2이다.

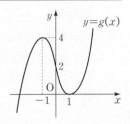

06 $f(x)=ax^3+bx^2+cx+d$ (a, b, c, d는 상수, $a\neq0$)라 하면 $f(0)=0$이므로 $d=0$
$f'(x)=3ax^2+2bx+c$
주어진 그래프에서 $f'(-2)=0$, $f'(1)=0$이므로
$f'(x)=3a(x+2)(x-1)$ $(a>0)$
또 $f'(0)=-2$이므로 $-6a=-2$ $\therefore a=\dfrac{1}{3}$
따라서 $f'(x)=(x+2)(x-1)=x^2+x-2$이므로
$b=\dfrac{1}{2}$, $c=-2$
$\therefore f(x)=\dfrac{1}{3}x^3+\dfrac{1}{2}x^2-2x$

x	$\cdots$	-2	$\cdots$	1	$\cdots$
$f'(x)$		$+$	0	$-$	0	$+$
$f(x)$		$\nearrow$	$\dfrac{10}{3}$	$\searrow$	$-\dfrac{7}{6}$	$\nearrow$

함수 $y=f(x)$의 그래프는 오른쪽 그림과 같으므로 방정식 $f(x)=k$가 서로 다른 세 실근을 갖도록 하는 k의 값의 범위는 $-\dfrac{7}{6}<k<\dfrac{10}{3}$

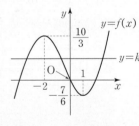

따라서 구하는 정수 k의 최솟값은 -1이다.

07 $f(x)=x^4+2x^2-8x+5$라 하면
$f'(x)=4x^3+4x-8=4(x-1)(x^2+x+2)$
$f'(x)=0$에서 $x=1$
함수 $f(x)$의 증가와 감소를 표로 나타내면 오른쪽과 같다. 따라서 $f(x)$는 $x=1$에서

x	$\cdots$	1	$\cdots$
$f'(x)$	$-$	0	$+$
$f(x)$	$\searrow$	0	$\nearrow$

최솟값 0을 가지므로 모든 실수 x에 대하여 $f(x)\geq0$이다. 즉 모든 실수 x에 대하여 부등식 $x^4+2x^2+5\geq8x$가 성립한다.

08 $f(x)=3x^4-4x^3+1$이라 하면
$f'(x)=12x^3-12x^2=12x^2(x-1)$

$f'(x)=0$에서 $x=0$ 또는 $x=1$
함수 $f(x)$의 증가와 감소를 표로 나타내면 다음과
같다.

x	$\cdots$	0	$\cdots$	1	$\cdots$
$f'(x)$	$-$	0	$-$	0	$+$
$f(x)$	$\searrow$	1	$\searrow$	0	$\nearrow$

따라서 $f(x)$는 $x=1$에서 최솟값 0을 가지므로 모든
실수 x에 대하여 $f(x)\geq0$이다.
즉 모든 실수 x에 대하여 부등식 $3x^4\geq4x^3-1$이 성립
한다.

09 $f(x)=x^4-6x^2-8x+a$라 하면
$f'(x)=4x^3-12x-8=4(x+1)^2(x-2)$
$f'(x)=0$에서 $x=-1$ 또는 $x=2$
함수 $f(x)$의 증가와 감소를 표로 나타내면 다음과
같다.

x	$\cdots$	-1	$\cdots$	2	$\cdots$
$f'(x)$	$-$	0	$-$	0	$+$
$f(x)$	$\searrow$	$a+3$	$\searrow$	$a-24$	$\nearrow$

따라서 $f(x)$는 $x=2$에서 최솟값 $a-24$를 가지므로
모든 실수 x에 대하여 $f(x)\geq0$이 성립하려면
$a-24\geq0$
$\therefore a\geq24$

10 $f(x)=x^3-5x^2+3x+k$로 놓으면
$f'(x)=3x^2-10x+3=(3x-1)(x-3)$
$f'(x)=0$에서 $x=\dfrac{1}{3}$ 또는 $x=3$
반닫힌 구간 $[0,\infty)$에서 함수 $f(x)$의 증가와 감소를
표로 나타내면 다음과 같다.

x	0	$\cdots$	$\dfrac{1}{3}$	$\cdots$	3	$\cdots$
$f'(x)$		$+$	0	$-$	0	$+$
$f(x)$	k	$\nearrow$	$k+\dfrac{13}{27}$	$\searrow$	$k-9$	$\nearrow$

따라서 $f(x)$는 $x=3$에서 최솟값 $k-9$를 가지므로
$x\geq0$일 때 $f(x)>0$이 성립하려면
$k-9>0$ $\quad\therefore k>9$
따라서 구하는 정수 k의 최솟값은 10이다.

11 $f(x)=x^4-4k^3x+27$로 놓으면
$f'(x)=4x^3-4k^3=4(x-k)(x^2+kx+k^2)$
$f'(x)=0$에서 $x=k$
함수 $f(x)$의 증가와 감소를 표로 나타내면 다음과
같다.

x	$\cdots$	k	$\cdots$
$f'(x)$	$-$	0	$+$
$f(x)$	$\searrow$	$-3k^4+27$	$\nearrow$

따라서 $f(x)$는 $x=k$에서 최솟값 $-3k^4+27$을 가지
므로 모든 실수 x에 대하여 $f(x)>0$이 성립하려면
$-3k^4+27>0$
$k^4-9<0,\ (k^2+3)(k^2-3)<0$
$(k^2+3)(k+\sqrt{3})(k-\sqrt{3})<0$
$\therefore -\sqrt{3}<k<\sqrt{3}$

12 $f(x)=x^3-2x^2-4x-p$로 놓으면
$f'(x)=3x^2-4x-4=(3x+2)(x-2)$
$f'(x)=0$에서 $x=-\dfrac{2}{3}$ 또는 $x=2$
반닫힌 구간 $[0,\infty)$에서 함수 $f(x)$의 증가와 감소를
표로 나타내면 다음과 같다.

x	0	$\cdots$	2	$\cdots$
$f'(x)$		$-$	0	$+$
$f(x)$	$-p$	$\searrow$	$-p-8$	$\nearrow$

따라서 $f(x)$는 $x=2$에서 최솟값 $-p-8$을 가지므로
$x\geq0$일 때 $f(x)\geq0$이 성립하려면
$-p-8\geq0$ $\quad\therefore p\leq-8$
따라서 구하는 실수 p의 최댓값은 -8이다.

13 $h(x)=f(x)-g(x)$라 하면
$h(x)=x^4+x^2-6x-(-2x^2-16x+a)$
$\quad=x^4+3x^2+10x-a$
$h'(x)=4x^3+6x+10=2(x+1)(2x^2-2x+5)$
$h'(x)=0$에서 $x=-1$
$-2\leq x\leq0$에서 함수 $h(x)$의 증가와 감소를 표로 나
타내면 다음과 같다.

x	-2	$\cdots$	-1	$\cdots$	0
$h'(x)$		$-$	0	$+$	
$h(x)$	$-a+8$	$\searrow$	$-a-6$	$\nearrow$	$-a$

따라서 $h(x)$는 $x=-1$에서 최솟값 $-a-6$을 가지
므로 $-2\leq x\leq0$일 때 $h(x)>0$이 성립하려면
$-a-6>0$
$\therefore a<-6$

14 $h(x)=f(x)-g(x)$라 하면
$h(x)=x^4+3x^3-2x^2-9x-(3x^3+4x^2-x+a)$
$\quad=x^4-6x^2-8x-a$
$h'(x)=4x^3-12x-8=4(x+1)^2(x-2)$
$h'(x)=0$에서 $x=-1$ 또는 $x=2$
함수 $h(x)$의 증가와 감소를 표로 나타내면 다음과
같다.

x	$\cdots$	-1	$\cdots$	2	$\cdots$
$h'(x)$	$-$	0	$-$	0	$+$
$h(x)$	$\searrow$	$-a+3$	$\searrow$	$-a-24$	$\nearrow$

따라서 $h(x)$는 $x=2$에서 최솟값 $-a-24$를 가지므
로 모든 실수 x에 대하여 $h(x)\geq0$이 성립하려면

$-a-24 \geq 0$ $\therefore a \leq -24$
따라서 구하는 실수 a의 최댓값은 -24이다.

15 점 P의 시각 t에서의 속도를 v, 가속도를 a라 하면
$$v=\frac{dx}{dt}=3t^2-18t+27, \quad a=\frac{dv}{dt}=6t-18$$
$3t^2-18t+27=3$에서
$3t^2-18t+24=0, \quad t^2-6t+8=0$
$(t-2)(t-4)=0$ $\therefore t=2$ 또는 $t=4$
따라서 점 P의 속도가 처음으로 3이 되는 순간은 $t=2$
일 때이고, 이때의 가속도는
$a=6 \times 2-18=-6$

16 점 P의 시각 t에서의 속도를 v라 하면
$$v=\frac{dx}{dt}=12-6t$$
점 P가 운동 방향을 바꿀 때의 속도는 0이므로
$12-6t=0$에서 $t=2$

17 점 P가 원점에 있을 때의 시각을 구하면
$t^3-4t^2+4t=0$에서 $t(t-2)^2=0$
즉 점 P가 출발한 후 다시 원점을 지나는 순간은 $t=2$
일 때이다.
점 P의 속도를 v라 하면
$$v=\frac{dx}{dt}=3t^2-8t+4$$
이므로 $t=2$일 때의 속도는
$v=3 \times 4-8 \times 2+4=0$

18 두 점 P, Q의 속도를 각각 v_P, v_Q라 하면
$v_P=f'(t)=4t-2, \quad v_Q=g'(t)=2t-8$
두 점 P, Q가 서로 반대 방향으로 움직이면 $v_P v_Q < 0$
이므로
$(4t-2)(2t-8)<0, \quad (2t-1)(t-4)<0$
$\therefore \frac{1}{2}<t<4$

19 제동을 건 지 t초 후의 열차의 속도를 v, 가속도를 a라
하면
$$v=\frac{dx}{dt}=-0.9t+18, \quad a=\frac{dv}{dt}=-0.9$$
따라서 제동을 건 지 3초 후의 열차의 속도는
$-0.9 \times 3+18=15.3 \,(\text{m/s})$
이고, 가속도는 $-0.9 \,\text{m/s}^2$이다.

20 두 점 P, Q의 속도를 각각 v_P, v_Q라 하면
$v_P=f'(t)=t^2+4, \quad v_Q=g'(t)=4t$
두 점 P, Q의 속도가 같아지는 시각을 구하면
$t^2+4=4t$에서 $t^2-4t+4=0$
$(t-2)^2=0$ $\therefore t=2$

$t=2$에서의 두 점 P, Q의 위치는 각각
$$f(2)=\frac{8}{3}+8-\frac{2}{3}=10, \quad g(2)=8-10=-2$$
이므로 두 점 P, Q 사이의 거리는
$|10-(-2)|=12$
따라서 $a=2, b=12$이므로
$a+b=14$

21 t초 후의 공의 속도를 v라 하면
$$v=\frac{dx}{dt}=10-10t$$
최고 높이에 도달하는 순간의 속도는 0이므로
$10-10t=0$에서 $t=1$ (초)

22 $f(x)=x^3+ax^2+bx+c$ (a, b, c는 상수)라 하면
$f'(x)=3x^2+2ax+b$
조건 ㈎에서 $f(0)=c=2, f'(0)=b=0$
이때 방정식 $|f(x)|=2$의 서로 다른 실근의 개수가
4이려면 $y=|f(x)|$의 그래
프와 직선 $y=2$가 오른쪽 그
림과 같이 서로 다른 네 점에
서 만나야 하므로 함수
$y=|f(x)|$의 그래프는 오
른쪽 그림과 같아야 한다.

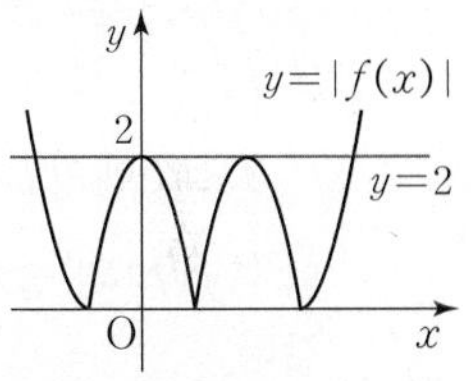

즉 함수 $y=f(x)$의 극솟값은 -2이다.
$f'(x)=3x^2+2ax=x(3x+2a)$
이므로 $f'(x)=0$에서 $x=0$ 또는 $x=-\frac{2}{3}a$
따라서 $f\left(-\frac{2}{3}a\right)=-2$에서
$$\left(-\frac{2}{3}a\right)^3+a\left(-\frac{2}{3}a\right)^2+2=-2$$
$\frac{4}{27}a^3+2=-2, \quad a^3=-27$ $\therefore a=-3$
따라서 $f(x)=x^3-3x^2+2$이므로
$f(3)=27-3 \times 9+2=2$

23 제동을 건 지 t초 후의 열차의 속도를 v라 하면
$$v=\frac{dx}{dt}=-0.9t+9$$
열차가 정지할 때의 속도는 0이므로
$-0.9t+9=0$ $\therefore t=10$ (초)
따라서 열차가 정지할 때까지 움직인 거리는
$-0.45 \times 100+9 \times 10=45 \,(\text{m})$

24 t초 후의 공의 속도를 v라 하면
$$v=\frac{dx}{dt}=20-10t$$
최고 높이에 도달하는 순간의 속도는 0이므로
$20-10t=0$에서 $t=2$ (초)
따라서 공이 올라간 최고 높이는
$20 \times 2-5 \times 4=20 \,(\text{m})$

1 (1) $f(t)=-t^3+8t^2-16t+20$ (2) $\dfrac{284}{27}<k<20$

  (3) $\dfrac{284}{27}$

2 (1) $a-1$ (2) $a \geq 1$ (3) 1

3 (1) 시간: 3초, 높이: 45 m (2) -30 m/s

4 (1) $2t$ m (2) $x=\dfrac{10}{3}t$ (3) $\dfrac{10}{3}$ m/s

---

1 (1) $f(t)=-t^3+at^2+bt+20$에서

   $f'(t)=-3t^2+2at+b$

   $t=4$에서 극댓값 20을 가지므로

   $f(4)=20$에서 $-64+16a+4b+20=20$

   $\therefore 4a+b=16$ ······ ㉠

   또 $f'(4)=0$에서 $-48+8a+b=0$

   $\therefore 8a+b=48$ ······ ㉡

   ㉠, ㉡을 연립하여 풀면 $a=8$, $b=-16$

   $\therefore f(t)=-t^3+8t^2-16t+20$

(2) $f'(t)=-3t^2+16t-16=-(3t-4)(t-4)$

   $f'(t)=0$에서 $t=\dfrac{4}{3}$ 또는 $t=4$

   함수 $f(t)$의 증가와 감소를 표로 나타내면 다음과
   같다.

t	0	$\cdots$	$\dfrac{4}{3}$	$\cdots$	4	$\cdots$
$f'(t)$		$-$	0	$+$	0	$-$
$f(t)$	20	↘	$\dfrac{284}{27}$	↗	20	↘

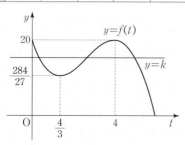

   따라서 이륙 후 높이가 k인 순간이 3번 있을 때 k의
   값의 범위는 $\dfrac{284}{27}<k<20$

(3) 이륙 후 높이가 k인 순간이 2번 있을 때는

   $k=\dfrac{284}{27}$

2 (1) $f'(x)=6x^2-6x=6x(x-1)$

   $f'(x)=0$에서 $x=0$ 또는 $x=1$

   반닫힌 구간 $[0, \infty)$에서 함수 $f(x)$의 증가와 감소
   를 표로 나타내면 다음과 같다.

x	0	$\cdots$	1	$\cdots$
$f'(x)$	0	$-$	0	$+$
$f(x)$	a	↘	$a-1$	↗

   즉 $x \geq 0$일 때 함수 $f(x)$는 $x=1$에서 극소이면서 최
   소이므로 최솟값은 $a-1$이다.

(2) $x \geq 0$일 때 $f(x) \geq 0$이 성립하려면

   ($f(x)$의 최솟값) ≥ 0이어야 하므로

   $a-1 \geq 0$ $\therefore a \geq 1$ ······ ㉠

(3) $x \geq 0$일 때 $-2x^3+3x^2 \leq a$, 즉 $2x^3-3x^2+a \geq 0$을
   만족시키는 실수 a의 최솟값은 ㉠에서 1이다.

3 t초 후의 물 로켓의 속도를 v라 하면

   $v=\dfrac{dh}{dt}=-10t+30$

(1) 최고 높이에 도달하는 순간의 속도는 0이므로

   $-10t+30=0$에서 $t=3$ (초)

   따라서 물 로켓이 최고 높이에 도달하는 데 걸리는
   시간은 3초이고 이때의 높이는

   $-5 \times 9+30 \times 3=45$ (m)

(2) 물 로켓이 지면에 떨어질 때의 높이는 0이므로

   $-5t^2+30t=0$에서 $-5t(t-6)=0$

   $\therefore t=6$

   따라서 $t=6$일 때의 속도는

   $-10 \times 6+30=-30$ (m/s)

4 (1) $2t$ m

(2) 오른쪽 그림에서

   $\triangle ABC \varpropto \triangle DEC$이므로

   $4.5:1.8=x:\overline{EC}$

   $\therefore \overline{EC}=\dfrac{1.8}{4.5} \times x=\dfrac{2}{5}x$

   $x=\overline{BE}+\overline{EC}$이므로

   $x=2t+\dfrac{2}{5}x$, $\dfrac{3}{5}x=2t$ $\therefore x=\dfrac{10}{3}t$

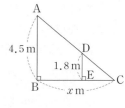

(3) 수현이의 그림자 끝이 움직이는 속도를 v라 하면

   $v=\dfrac{dx}{dt}=\dfrac{10}{3}$ (m/s)

III 적분

07 부정적분

STEP 1 교과서 개념 확인 테스트 | 본문 93쪽

1-1 (1) $f(x)=1$ (2) $f(x)=6x+2$
1-2 (1) $f(x)=2x+1$ (2) $f(x)=3x^2+6x$
2-1 (1) $3x^2+C$ (2) $-x^4+C$
2-2 (1) $2x^3+C$ (2) $-x^6+C$
3-1 (1) $2x^3-2x^2-7x+C$ (2) $5x^3-x^2-x+C$
3-2 (1) $2x^3+x^2-5x+C$ (2) $x^4+4x^3-x^2-6x+C$

1-1 (1) $f(x)=(x+C)'=1$
(2) $f(x)=(3x^2+2x+C)'=6x+2$

1-2 (1) $f(x)=(x^2+x+C)'=2x+1$
(2) $f(x)=(x^3+3x^2+C)'=3x^2+6x$

2-1 (1) $\int 6x\,dx=6\int x\,dx=6\times\dfrac{1}{1+1}x^{1+1}+C$
$=3x^2+C$
(2) $\int(-4x^3)dx=-4\int x^3dx$
$=-4\times\dfrac{1}{3+1}x^{3+1}+C$
$=-x^4+C$

2-2 (1) $\int 6x^2dx=6\int x^2dx=6\times\dfrac{1}{2+1}x^{2+1}+C$
$=2x^3+C$
(2) $\int(-6x^5)dx=-6\int x^5dx$
$=-6\times\dfrac{1}{5+1}x^{5+1}+C$
$=-x^6+C$

3-1 (1) $\int(6x^2-4x-7)dx$
$=6\int x^2dx-4\int x\,dx-7\int dx$
$=2x^3-2x^2-7x+C$
(2) $\int(3x-1)(5x+1)dx$
$=\int(15x^2-2x-1)dx$
$=15\int x^2dx-2\int x\,dx-\int dx$
$=5x^3-x^2-x+C$

3-2 (1) $\int(6x^2+2x-5)dx$
$=6\int x^2dx+2\int x\,dx-5\int dx$
$=2x^3+x^2-5x+C$
(2) $\int(4x^2-2)(x+3)dx$
$=\int(4x^3+12x^2-2x-6)dx$
$=4\int x^3dx+12\int x^2dx-2\int x\,dx-6\int dx$
$=x^4+4x^3-x^2-6x+C$

STEP 2 기출 기초 테스트 | 본문 94~95쪽

1-1 -1 **1-2** 36 **2-1** 27 **2-2** 20
3-1 (1) $2x^5+C$ (2) $-2x^6+C$
3-2 (1) $2x^2+C$ (2) $-2x^4+C$
4-1 12 **4-2** 2
5-1 (1) $2x^3+x^2-7x+C$ (2) x^4-x^3+C
5-2 (1) x^3+x^2-5x+C (2) $\dfrac{1}{4}x^4-\dfrac{2}{3}x^3+\dfrac{1}{2}x^2-2x+C$
6-1 $f(x)=x^3+2x^2-x$
6-2 $f(x)=-x^3+x^2-5x+2$

1-1 $f(x)=(x^3-2x^2+C)'=3x^2-4x$이므로
$f(1)=3-4=-1$

1-2 $f(x)=(x^4+x^2+C)'=4x^3+2x$이므로
$f(2)=32+4=36$

2-1 $\int(2x-1)^3dx=f(x)+C$의 양변을 x에 대하여 미분하면 $(2x-1)^3=f'(x)$
$\therefore f'(2)=27$

2-2 $\int(2x-1)(x+1)dx=f(x)+C$의 양변을 x에 대하여 미분하면 $(2x-1)(x+1)=f'(x)$
$\therefore f'(3)=20$

3-1 (1) $\int 10x^4dx=10\int x^4dx=10\times\dfrac{1}{4+1}x^{4+1}+C$
$=2x^5+C$
(2) $\int(-12x^5)dx=-12\int x^5dx$
$=-12\times\dfrac{1}{5+1}x^{5+1}+C$
$=-2x^6+C$

3-2 (1) $\displaystyle\int 4xdx=4\int xdx=4\times\dfrac{1}{1+1}x^{1+1}+C$
$$=2x^2+C$$

(2) $\displaystyle\int(-8x^3)dx=-8\int x^3dx$
$$=-8\times\dfrac{1}{3+1}x^{3+1}+C$$
$$=-2x^4+C$$

4-1 $\displaystyle\int ax^5dx=2x^6+C$의 양변을 x에 대하여 미분하면
$ax^5=12x^5$ $\quad\therefore a=12$

4-2 $\displaystyle\int 6x^2dx=ax^3+C$의 양변을 x에 대하여 미분하면
$6x^2=3ax^2, 3a=6$ $\quad\therefore a=2$

5-1 (1) $\displaystyle\int(6x^2+2x-7)dx$
$$=6\int x^2dx+2\int xdx-7\int dx$$
$$=2x^3+x^2-7x+C$$

(2) $\displaystyle\int x^2(4x-3)dx=\int(4x^3-3x^2)dx$
$$=4\int x^3dx-3\int x^2dx$$
$$=x^4-x^3+C$$

5-2 (1) $\displaystyle\int(3x^2+2x-5)dx$
$$=3\int x^2dx+2\int xdx-5\int dx$$
$$=x^3+x^2-5x+C$$

(2) $\displaystyle\int(x^2+1)(x-2)dx$
$$=\int(x^3-2x^2+x-2)dx$$
$$=\int x^3dx-2\int x^2dx+\int xdx-2\int dx$$
$$=\dfrac{1}{4}x^4-\dfrac{2}{3}x^3+\dfrac{1}{2}x^2-2x+C$$

6-1 $f(x)=\displaystyle\int f'(x)dx=\int(3x^2+4x-1)dx$
$$=x^3+2x^2-x+C$$
$f(1)=2$에서 $1+2-1+C=2$ $\quad\therefore C=0$
따라서 구하는 함수는
$f(x)=x^3+2x^2-x$

6-2 $f(x)=\displaystyle\int f'(x)dx=\int(-3x^2+2x-5)dx$
$$=-x^3+x^2-5x+C$$
$f(1)=-3$에서 $-1+1-5+C=-3$ $\quad\therefore C=2$
따라서 구하는 함수는
$f(x)=-x^3+x^2-5x+2$

---

01 (1) $\sqrt{2}x+C$ (2) x^5-x^3+C **02** ③
03 $\dfrac{1}{2}x^2-x+C$ **04** ②
05 (1) $f(x)=10x^4$ (2) $f(x)=12x^2-3$
06 ⑤ **07** ① **08** $f(x)=x^4-2x^3-3x+5$
09 ⑤ **10** (1) -1 (2) 0 **11** ⑤ **12** $\dfrac{2}{3}$
13 ⑤ **14** $f(x)=-x^2+3x+1$ **15** 10
16 0 **17** ② **18** $f(x)=x^3-3x^2+4$
19 ② **20** $f(x)=-6x^2+4x+5$
21 $f(x)=0.001x^2+10x-9950$
22 4 **23** 3 **24** $f(x)=-x^3+3x^2-1$

01 (1) $\displaystyle\int\sqrt{2}\,dx=\sqrt{2}x+C$

(2) $\displaystyle\int(5x^4-3x^2)dx=5\int x^4dx-3\int x^2dx$
$$=x^5-x^3+C$$

02 $f(x)=\displaystyle\int(x+1)(x^2-x+1)dx$
$$=\int(x^3+1)dx$$
$$=\dfrac{1}{4}x^4+x+C$$
이때 $f(0)=0$에서 $C=0$
따라서 $f(x)=\dfrac{1}{4}x^4+x$이므로
$f(2)=4+2=6$

03 $\displaystyle\int\dfrac{x^3}{x^2+x+1}dx-\int\dfrac{1}{x^2+x+1}dx$
$$=\int\dfrac{x^3-1}{x^2+x+1}dx$$
$$=\int\dfrac{(x-1)(x^2+x+1)}{x^2+x+1}dx$$
$$=\int(x-1)dx$$
$$=\dfrac{1}{2}x^2-x+C$$

04 $f(x)=\displaystyle\int\dfrac{x^3}{x+1}dx+\int\dfrac{1}{x+1}dx$
$$=\int\dfrac{x^3+1}{x+1}dx$$
$$=\int\dfrac{(x+1)(x^2-x+1)}{x+1}dx$$
$$=\int(x^2-x+1)dx$$
$$=\dfrac{1}{3}x^3-\dfrac{1}{2}x^2+x+C$$
이때 $f(0)=1$에서 $C=1$
따라서 $f(x)=\dfrac{1}{3}x^3-\dfrac{1}{2}x^2+x+1$이므로
$f(1)=\dfrac{1}{3}-\dfrac{1}{2}+1+1=\dfrac{11}{6}$

05 (1) $f(x)=(2x^5+C)'=10x^4$
  (2) $f(x)=(4x^3-3x+C)'=12x^2-3$

06 $\int(x-1)f(x)dx=x^4-4x+C$의 양변을 x에 대하
여 미분하면
$$(x-1)f(x)=(x^4-4x+C)'=4x^3-4$$
$$=4(x-1)(x^2+x+1)$$
따라서 $f(x)=4(x^2+x+1)$이므로
$$f(2)=4(4+2+1)=28$$

07 $F(x)+C=\int f(x)dx$이므로
$$F'(x)=f(x)=4x^3-2x-5$$
$$\therefore F'(1)=f(1)=4-2-5=-3$$

08 $f(x)=\int f'(x)dx=\int(4x^3-6x^2-3)dx$
$$=x^4-2x^3-3x+C$$
$f(1)=1$에서 $1-2-3+C=1$ $\therefore C=5$
따라서 구하는 함수는
$$f(x)=x^4-2x^3-3x+5$$

09 $f'(1)=2$에서
$$a+4=2 \quad \therefore a=-2$$
$$f(x)=\int f'(x)dx=\int(4x-2)dx$$
$$=2x^2-2x+C$$
이때 $f(1)=2$에서
$$2-2+C=2 \quad \therefore C=2$$
따라서 $f(x)=2x^2-2x+2$이므로
$$f(2)=8-4+2=6$$

10 (1) $f(x)=\int f'(x)dx$
$$=\int(6x^2-2x+k)dx$$
$$=2x^3-x^2+kx+C$$
  이때 $f(0)=2, f(1)=2$이므로
$$C=2, 2-1+k+C=2$$
$$\therefore k=-1$$
  (2) $f(x)=2x^3-x^2-x+2$이므로
$$f(-1)=-2-1+1+2=0$$

11 $3x^2-4x+a=(bx^3+cx^2+5x+C)'$
$$=3bx^2+2cx+5$$
즉 $3=3b, -4=2c, a=5$이므로
$$a=5, b=1, c=-2$$
$$\therefore a+b+c=4$$

12 $f(x)=\int f'(x)dx=\int(x+1)(x-1)dx$
$$=\int(x^2-1)dx$$
$$=\frac{1}{3}x^3-x+C$$
이때 $f(1)=0$이므로 $\frac{1}{3}-1+C=0$
$$\therefore C=\frac{2}{3}$$
따라서 $f(x)=\frac{1}{3}x^3-x+\frac{2}{3}$이므로
$$f(0)=\frac{2}{3}$$

13 $f'(x)=2x+5$이므로
$$f(x)=\int f'(x)dx=\int(2x+5)dx$$
$$=x^2+5x+C$$
$f(1)=1$에서 $1+5+C=1$ $\therefore C=-5$
따라서 $f(x)=x^2+5x-5$이므로
$$f(5)=25+25-5=45$$

14 $f'(x)=-2x+3$이므로
$$f(x)=\int f'(x)dx=\int(-2x+3)dx$$
$$=-x^2+3x+C$$
$f(1)=3$에서 $-1+3+C=3$ $\therefore C=1$
따라서 구하는 함수는
$$f(x)=-x^2+3x+1$$

15 $f'(x)=\frac{4-0}{2-0}x=2x$이므로
$$f(x)=\int f'(x)dx=\int 2xdx=x^2+C$$
곡선 $y=f(x)$가 점 $\mathrm{A}(0, 1)$을 지나므로
$f(0)=1$에서 $C=1$
따라서 $f(x)=x^2+1$이므로
$$a=f(3)=9+1=10$$

16 $f'(x)=-2x+4$이므로
$$f(x)=\int f'(x)dx=\int(-2x+4)dx$$
$$=-x^2+4x+C$$
$f'(x)=0$에서 $x=2$

x	$\cdots$	2	$\cdots$
$f'(x)$	$+$	0	$-$
$f(x)$	$\nearrow$	극대	$\searrow$

이때 $f(x)$는 $x=2$에서 극댓값 1을 가지므로
$f(2)=-4+8+C=1$ $\therefore C=-3$
따라서 $f(x)=-x^2+4x-3$이므로
$$f(1)=-1+4-3=0$$

17 $f'(3)=0$이므로

$27-18+k=0$ $\therefore k=-9$

$f'(x)=0$에서 $3x^2-6x-9=3(x+1)(x-3)=0$

이므로 $x=-1$ 또는 $x=3$ $\therefore a=-1$

x	$\cdots$	-1	$\cdots$	3	$\cdots$
$f'(x)$	$+$	0	$-$	0	$+$
$f(x)$	↗	극대	↘	극소	↗

따라서 $f(x)$는 $x=3$에서 극솟값 -27을 갖고,

$x=-1$에서 극댓값 a를 가진다.

$\therefore f(3)=-27, f(-1)=a$

이때

$f(x)=\int f'(x)dx=\int (3x^2-6x-9)dx$

$\qquad =x^3-3x^2-9x+C$

$f(3)=-27$에서 $C=0$

즉 $f(x)=x^3-3x^2-9x$이므로

$a=f(-1)=-1-3+9=5$

따라서 $a=-1, k=-9, a=5$이므로

$a+k+a=-5$

18 $f'(x)=ax(x-2)(a>0)$라 하면

$f(x)=\int f'(x)dx=\int ax(x-2)dx$

$\qquad =\int (ax^2-2ax)dx$

$\qquad =\dfrac{a}{3}x^3-ax^2+C$

$f'(x)=0$에서 $x=0$ 또는 $x=2$

x	$\cdots$	0	$\cdots$	2	$\cdots$
$f'(x)$	$+$	0	$-$	0	$+$
$f(x)$	↗	극대	↘	극소	↗

따라서 $f(x)$는 $x=0$에서 극댓값 4를 갖고, $x=2$에서

극솟값 0을 가지므로 $f(0)=4, f(2)=0$

$C=4, \dfrac{8}{3}a-4a+C=0$ $\therefore a=3, C=4$

따라서 구하는 함수는

$f(x)=x^3-3x^2+4$

19 $F(x)=xf(x)-2x^3+4x^2-1$의 양변을 x에 대하여

미분하면

$f(x)=f(x)+xf'(x)-6x^2+8x$

$xf'(x)=6x^2-8x$

$\therefore f'(x)=6x-8$

$\therefore f(x)=\int f'(x)dx=\int (6x-8)dx$

$\qquad =3x^2-8x+C$

이때 $f(0)=2$에서 $C=2$

따라서 $f(x)=3x^2-8x+2$이므로

$f(2)=12-16+2=-2$

20 $F(x)=xf(x)+4x^3-2x^2$의 양변을 x에 대하여 미

분하면

$f(x)=f(x)+xf'(x)+12x^2-4x$

$xf'(x)=-12x^2+4x$

$\therefore f'(x)=-12x+4$

$\therefore f(x)=\int f'(x)dx=\int (-12x+4)dx$

$\qquad =-6x^2+4x+C$

이때 $f(1)=3$에서 $-6+4+C=3$ $\therefore C=5$

따라서 구하는 함수는

$f(x)=-6x^2+4x+5$

21 $f(x)=\int f'(x)dx=\int (0.002x+10)dx$

$\qquad =0.001x^2+10x+C$

이때 $f(1000)=1050$에서

$1000+10000+C=1050$ $\therefore C=-9950$

따라서 구하는 함수는

$f(x)=0.001x^2+10x-9950$

22 $f(x)=\int f'(x)dx=\int (6x^2-4x+1)dx$

$\qquad =2x^3-2x^2+x+C$

이때 $f(0)=3$에서 $C=3$

따라서 $f(x)=2x^3-2x^2+x+3$이므로

$f(1)=2-2+1+3=4$

23 $f'(x)=2x-5$이므로

$f(x)=\int f'(x)dx=\int (2x-5)dx$

$\qquad =x^2-5x+C$

곡선 $y=f(x)$가 점 $(2, 1)$을 지나므로 $f(2)=1$에서

$4-10+C=1$ $\therefore C=7$

따라서 $f(x)=x^2-5x+7$이므로

$f(1)=1-5+7=3$

24 $f'(x)=ax(x-2)(a<0)$라 하면

$f(x)=\int f'(x)dx=\int ax(x-2)dx$

$\qquad =\int (ax^2-2ax)dx$

$\qquad =\dfrac{a}{3}x^3-ax^2+C$

$f'(x)=0$에서 $x=0$ 또는 $x=2$

x	$\cdots$	0	$\cdots$	2	$\cdots$
$f'(x)$	$-$	0	$+$	0	$-$
$f(x)$	↘	극소	↗	극대	↘

따라서 $f(x)$는 $x=2$에서 극댓값 3을 갖고, $x=0$에서

극솟값 -1을 가지므로 $f(2)=3, f(0)=-1$

$\dfrac{8}{3}a-4a+C=3, C=-1$ $\therefore a=-3, C=-1$

따라서 구하는 함수는 $f(x)=-x^3+3x^2-1$

1 (1) x^2+3x (2) $20x^3-6x+2$

2 (1) $10\,\mathrm{cm}$ (2) $45.4\,\mathrm{cm}$

3 (1) $f(x)=\dfrac{1}{10}x^2+2x$ (만 원) (2) 6만 원

4 (1) $15\,\mathrm{A}$ (2) $\dfrac{1}{3}t^3+t^2$

---

1 (1) $\displaystyle\int(2x+3)dx=x^2+3x+C$

이때 상수항이 0이므로 출력되는 함수는 x^2+3x이다.

(2) 입력한 함수를 $f(x)$라 하면

$$\int f(x)dx=5x^4-3x^2+2x$$

위의 식의 양변을 x에 대하여 미분하면

$$f(x)=20x^3-6x+2$$

따라서 입력한 함수는 $20x^3-6x+2$이다.

2 (1) $h(t)=\displaystyle\int h'(t)dt=\int(1.2t+10)dt$

$$=0.6t^2+10t+C$$

이때 $h(1)=20.6$이므로

$$0.6+10+C=20.6 \qquad \therefore C=10$$

즉 $h(t)=0.6t^2+10t+10$이므로

$$h(0)=10$$

따라서 화분에 옮겨심은 순간의 분재 나무의 높이는 $10\,\mathrm{cm}$이다.

(2) $h(3)=5.4+30+10=45.4$

따라서 3년 후의 이 분재 나무의 높이는 $45.4\,\mathrm{cm}$이다.

3 (1) $f(x)=\displaystyle\int f'(x)dx=\int\left(\dfrac{1}{5}x+2\right)dx$

$$=\dfrac{1}{10}x^2+2x+C$$

이때 $f(0)=0$이므로 $C=0$

따라서 구하는 생산 비용은

$$f(x)=\dfrac{1}{10}x^2+2x\ (만\ 원)$$

(2) $f(6)-f(4)=\dfrac{78}{5}-\dfrac{48}{5}=6$

따라서 구하는 생산 비용의 차는 6만 원이다.

4 (1) $Q'(3)=9+6=15\,(\mathrm{A})$

(2) 전류가 흐르기 시작하여 t초 후의 전하량을 $Q(t)$라 하면

$$Q(t)=\int Q'(t)dt=\int(t^2+2t)dt$$

$$=\dfrac{1}{3}t^3+t^2+C$$

이때 $Q(0)=0$에서 $C=0$

따라서 구하는 전하량은

$$Q(t)=\dfrac{1}{3}t^3+t^2$$

---

08 정적분

1-1 (1) 3 (2) 6 　　　　**1-2** (1) 15 (2) 2

2-1 (1) 0 (2) -2 　　**2-2** (1) 0 (2) -18

3-1 (1) $4x-2$ (2) $(2x-1)(x+1)$

3-2 (1) x^2-2 (2) $(2x-3)(x^2+1)$

4-1 2 　　　　　　　　**4-2** 18

5-1 24 　　　　　　　　**5-2** 32

6-1 (1) 6 (2) 12 　　　**6-2** (1) 4 (2) 20

1-1 (1) $\displaystyle\int_1^2 2xdx=\Big[x^2\Big]_1^2=4-1=3$

(2) $\displaystyle\int_{-1}^2(3x^2-1)dx=\Big[x^3-x\Big]_{-1}^2$

$$=8-2-(-1+1)=6$$

1-2 (1) $\displaystyle\int_1^2 4x^3dx=\Big[x^4\Big]_1^2=16-1=15$

(2) $\displaystyle\int_0^2(2x^3-3)dx=\Big[\dfrac{1}{2}x^4-3x\Big]_0^2=8-6=2$

2-1 (1) $\displaystyle\int_2^2(x^2-3x)dx=0$

(2) $\displaystyle\int_1^0(4x^3+2x)dx=-\int_0^1(4x^3+2x)dx$

$$=-\Big[x^4+x^2\Big]_0^1$$

$$=-(1+1)=-2$$

2-2 (1) $\displaystyle\int_3^3(-x^2-2x)dx=0$

(2) $\displaystyle\int_2^{-1}(4x^3+1)dx=-\int_{-1}^2(4x^3+1)dx$

$$=-\Big[x^4+x\Big]_{-1}^2$$

$$=-\{16+2-(1-1)\}$$

$$=-18$$

3-1 (1) $\dfrac{d}{dx}\displaystyle\int_2^x(4t-2)dt=4x-2$

(2) $\dfrac{d}{dx}\displaystyle\int_0^x(2t-1)(t+1)dt=(2x-1)(x+1)$

3-2 (1) $\dfrac{d}{dx}\displaystyle\int_{-1}^x(t^2-2)dt=x^2-2$

(2) $\dfrac{d}{dx}\displaystyle\int_3^x(2t-3)(t^2+1)dt=(2x-3)(x^2+1)$

4-1 $\displaystyle\int_1^2(3x^2-4x+1)dx=\Big[x^3-2x^2+x\Big]_1^2$

$$=8-8+2-(1-2+1)$$

$$=2$$

4-2 $\displaystyle\int_0^2(6x^2-2x+3)dx=\Big[2x^3-x^2+3x\Big]_0^2$
$$=16-4+6$$
$$=18$$

5-1 $\displaystyle\int_0^2(3x^2-1)dx+\int_2^3(3x^2-1)dx$
$$=\int_0^3(3x^2-1)dx$$
$$=\Big[x^3-x\Big]_0^3$$
$$=27-3=24$$

5-2 $\displaystyle\int_{-1}^2(3x^2+1)dx+\int_2^3(3x^2+1)dx$
$$=\int_{-1}^3(3x^2+1)dx$$
$$=\Big[x^3+x\Big]_{-1}^3$$
$$=27+3-(-1-1)$$
$$=32$$

6-1 (1) $\displaystyle\int_{-1}^1(x^5-4x^3+3)dx$
$$=\int_{-1}^1 x^5dx-4\int_{-1}^1 x^3dx+3\int_{-1}^1 dx$$
$$=6\int_0^1 dx$$
$$=6\Big[x\Big]_0^1=6$$

(2) $\displaystyle\int_{-2}^2(-x^3-4x+3)dx$
$$=-\int_{-2}^2 x^3dx-4\int_{-2}^2 xdx+3\int_{-2}^2 dx$$
$$=6\int_0^2 dx$$
$$=6\Big[x\Big]_0^2=12$$

6-2 (1) $\displaystyle\int_{-1}^1(10x^4-9x^3+3x)dx$
$$=10\int_{-1}^1 x^4dx-9\int_{-1}^1 x^3dx+3\int_{-1}^1 xdx$$
$$=20\int_0^1 x^4dx$$
$$=20\Big[\frac{1}{5}x^5\Big]_0^1=4$$

(2) $\displaystyle\int_{-2}^2(4x^5-x^3-4x+5)dx$
$$=4\int_{-2}^2 x^5dx-\int_{-2}^2 x^3dx-4\int_{-2}^2 xdx+5\int_{-2}^2 dx$$
$$=10\int_0^2 dx$$
$$=10\Big[x\Big]_0^2=20$$

1-1 (1) 2 (2) 0	**1**-2 (1) 21 (2) 3
2-1 (1) 4 (2) 40	**2**-2 (1) 31 (2) 12
3-1 (1) 0 (2) 1	**3**-2 (1) 0 (2) $-\dfrac{3}{2}$
4-1 $f'(x)=3x^3-4x-2$	**4**-2 $f'(x)=x^3-3x^2-2$
5-1 3	**5**-2 4
6-1 6	**6**-2 4
7-1 24	**7**-2 24
8-1 (1) 3 (2) 12	**8**-2 (1) 28 (2) 15
9-1 20	**9**-2 0
10-1 2	**10**-2 $\dfrac{27}{2}$
11-1 $\dfrac{5}{2}$	**11**-2 8
12-1 -16	**12**-2 54

1-1 (1) $\displaystyle\int_0^2 f(x)dx=\int_0^2 F'(x)dx$
$$=\Big[F(x)\Big]_0^2$$
$$=F(2)-F(0)$$
$$=5-3=2$$

(2) $\displaystyle\int_{-2}^3 f(t)dt=\int_{-2}^3 F'(t)dt$
$$=\Big[F(t)\Big]_{-2}^3$$
$$=F(3)-F(-2)$$
$$=9-9=0$$

1-2 (1) $\displaystyle\int_0^3 f(x)dx=\int_0^3 F'(x)dx$
$$=\Big[F(x)\Big]_0^3$$
$$=F(3)-F(0)$$
$$=21-0=21$$

(2) $\displaystyle\int_{-1}^2 f(t)dt=\int_{-1}^2 F'(t)dt$
$$=\Big[F(t)\Big]_{-1}^2$$
$$=F(2)-F(-1)$$
$$=4-1=3$$

2-1 (1) $\displaystyle\int_0^2 x^3dx=\Big[\frac{1}{4}x^4\Big]_0^2=4$

(2) $\displaystyle\int_{-2}^3(3t^2+2t)dt=\Big[t^3+t^2\Big]_{-2}^3$
$$=36-(-4)=40$$

2-2 (1) $\displaystyle\int_1^2 5x^4dx=\Big[x^5\Big]_1^2=32-1=31$

(2) $\displaystyle\int_{-1}^3(3t^2-4t)dt=\Big[t^3-2t^2\Big]_{-1}^3$
$$=9-(-3)=12$$

3-1 (1) $\displaystyle\int_3^3 (x^2-2x)dx=0$

(2) $\displaystyle\int_1^0 (4x^3-2)dx=-\int_0^1 (4x^3-2)dx$

$$=-\left[x^4-2x\right]_0^1=1$$

3-2 (1) $\displaystyle\int_2^2 (5x^2-3x)dx=0$

(2) $\displaystyle\int_2^{-1} (2x^3-3x^2+1)dx$

$$=-\int_{-1}^2 (2x^3-3x^2+1)dx$$

$$=-\left[\frac{1}{2}x^4-x^3+x\right]_{-1}^2$$

$$=-\left(2-\frac{1}{2}\right)=-\frac{3}{2}$$

4-1 $f'(x)=\dfrac{d}{dx}\displaystyle\int_{-3}^x (3t^3-4t-2)dt$

$$=3x^3-4x-2$$

4-2 $f'(x)=\dfrac{d}{dx}\displaystyle\int_{-3}^x (t^3-3t^2-2)dt$

$$=x^3-3x^2-2$$

5-1 $\displaystyle\int_a^x f(t)dt=x^2-2x-3$의 양변에 $x=a$를 대입하면

$$\int_a^a f(t)dt=a^2-2a-3$$

$a^2-2a-3=0,\ (a-3)(a+1)=0$

$\therefore a=3\ (\because a>0)$

5-2 $\displaystyle\int_a^x f(t)dt=x^2-4x-5$의 양변에 $x=a$를 대입하면

$$\int_a^a f(t)dt=a^2-4a-5$$

$a^2-4a-5=0,\ (a-5)(a+1)=0$

$\therefore a=-1$ 또는 $a=5$

따라서 구하는 실수 a의 값의 합은

$-1+5=4$

6-1 $\displaystyle\int_a^x f(t)dt=x^2-2x$의 양변에 $x=a$를 대입하면

$$\int_a^a f(t)dt=a^2-2a$$

$a^2-2a=0,\ a(a-2)=0$

$\therefore a=2\ (\because a\ne 0)$

$\displaystyle\int_2^x f(t)dt=x^2-2x$의 양변을 x에 대하여 미분하면

$f(x)=2x-2$

$\therefore f(a+2)=f(4)=6$

6-2 $\displaystyle\int_a^x f(t)dt=x^2+2x-3$의 양변에 $x=a$를 대입하면

$$\int_a^a f(t)dt=a^2+2a-3$$

$a^2+2a-3=0,\ (a-1)(a+3)=0$

$\therefore a=1\ (\because a>0)$

$\displaystyle\int_1^x f(t)dt=x^2+2x-3$의 양변을 x에 대하여 미분

하면 $f(x)=2x+2$

$\therefore f(a)=f(1)=4$

7-1 $\displaystyle\int_0^3 (3x^2-4x+5)dx=\left[x^3-2x^2+5x\right]_0^3$

$$=27-18+15=24$$

7-2 $\displaystyle\int_0^3 (3x^2+2x-4)dx=\left[x^3+x^2-4x\right]_0^3$

$$=27+9-12=24$$

8-1 (1) $\displaystyle\int_{-1}^2 (x+2)dx+\int_{-1}^2 (x-2)dx$

$$=\int_{-1}^2 (x+2+x-2)dx$$

$$=\int_{-1}^2 2x\,dx$$

$$=\left[x^2\right]_{-1}^2$$

$$=4-1=3$$

(2) $\displaystyle\int_{-1}^2 (3x+2)dx-\int_{-1}^2 (3x-2)dx$

$$=\int_{-1}^2 (3x+2-3x+2)dx$$

$$=\int_{-1}^2 4\,dx$$

$$=\left[4x\right]_{-1}^2$$

$$=8-(-4)=12$$

8-2 (1) $\displaystyle\int_{-1}^3 (x^2+2x)dx+\int_{-1}^3 (2x^2-2x)dx$

$$=\int_{-1}^3 (x^2+2x+2x^2-2x)dx$$

$$=\int_{-1}^3 3x^2\,dx$$

$$=\left[x^3\right]_{-1}^3$$

$$=27-(-1)=28$$

(2) $\displaystyle\int_{-1}^2 (x^2+2)dx-\int_{-1}^2 (x^2-3)dx$

$$=\int_{-1}^2 (x^2+2-x^2+3)dx$$

$$=\int_{-1}^2 5\,dx$$

$$=\left[5x\right]_{-1}^2$$

$$=10-(-5)=15$$

9-1 $\displaystyle\int_1^2 (3x^2-2x+1)\,dx + \int_2^3 (3x^2-2x+1)\,dx$

$\quad =\displaystyle\int_1^3 (3x^2-2x+1)\,dx$

$\quad =\Big[\,x^3-x^2+x\,\Big]_1^3$

$\quad =27-9+3-(1-1+1)$

$\quad =20$

9-2 $\displaystyle\int_0^1 (x^2-2x)\,dx + \int_1^3 (x^2-2x)\,dx$

$\quad =\displaystyle\int_0^3 (x^2-2x)\,dx$

$\quad =\Big[\,\dfrac{1}{3}x^3-x^2\,\Big]_0^3$

$\quad =9-9=0$

10-1 $\displaystyle\int_{-1}^0 (5x^3-3x^2+2)\,dx - \int_1^0 (5x^3-3x^2+2)\,dx$

$\quad =\displaystyle\int_{-1}^0 (5x^3-3x^2+2)\,dx + \int_0^1 (5x^3-3x^2+2)\,dx$

$\quad =\displaystyle\int_{-1}^1 (5x^3-3x^2+2)\,dx$

$\quad =\displaystyle\int_{-1}^1 (-3x^2+2)\,dx$

$\quad =2\displaystyle\int_0^1 (-3x^2+2)\,dx$

$\quad =2\Big[\,-x^3+2x\,\Big]_0^1$

$\quad =2$

10-2 $\displaystyle\int_{-1}^0 (2x^3+3x^2-1)\,dx - \int_2^0 (2x^3+3x^2-1)\,dx$

$\quad =\displaystyle\int_{-1}^0 (2x^3+3x^2-1)\,dx + \int_0^2 (2x^3+3x^2-1)\,dx$

$\quad =\displaystyle\int_{-1}^2 (2x^3+3x^2-1)\,dx$

$\quad =\Big[\,\dfrac{1}{2}x^4+x^3-x\,\Big]_{-1}^2$

$\quad =8+8-2-\Big(\dfrac{1}{2}-1+1\Big)$

$\quad =\dfrac{27}{2}$

11-1 $\displaystyle\int_0^3 |x-1|\,dx$

$\quad =\displaystyle\int_0^1 (1-x)\,dx + \int_1^3 (x-1)\,dx$

$\quad =\Big[\,x-\dfrac{1}{2}x^2\,\Big]_0^1 + \Big[\,\dfrac{1}{2}x^2-x\,\Big]_1^3$

$\quad =\dfrac{1}{2}+2$

$\quad =\dfrac{5}{2}$

11-2 $\displaystyle\int_0^3 3x|x-2|\,dx$

$\quad =\displaystyle\int_0^2 3x(2-x)\,dx + \int_2^3 3x(x-2)\,dx$

$\quad =\displaystyle\int_0^2 (6x-3x^2)\,dx + \int_2^3 (3x^2-6x)\,dx$

$\quad =\Big[\,3x^2-x^3\,\Big]_0^2 + \Big[\,x^3-3x^2\,\Big]_2^3$

$\quad =4+4=8$

12-1 $\displaystyle\int_{-2}^2 (7x^3-3x^2+2x)\,dx$

$\quad =\displaystyle\int_{-2}^2 (-3x^2)\,dx$

$\quad =2\displaystyle\int_0^2 (-3x^2)\,dx$

$\quad =2\Big[\,-x^3\,\Big]_0^2=-16$

12-2 $\displaystyle\int_{-3}^3 (7x^5-3x^3+3x^2-5x)\,dx$

$\quad =\displaystyle\int_{-3}^3 3x^2\,dx$

$\quad =2\displaystyle\int_0^3 3x^2\,dx$

$\quad =2\Big[\,x^3\,\Big]_0^3=54$

STEP 3 교과서 기본 테스트 |본문 110~113쪽

01 ②	02 4	03 ④	04 $\dfrac{15}{2}$	05 ③
06 ③	07 ③	08 ③	09 $\dfrac{17}{3}$	10 ①

11 (1) $2x-3$ (2) $(x+1)(3x^2-1)$ **12** ②

13 2	14 ④	15 ①	16 ⑤	17 ④

18 극댓값: 0, 극솟값: $-\dfrac{4}{3}$ **19** ② **20** ④

21 2	22 6	23 $f(x)=3x^2+2x-4$

01 $\displaystyle\int_1^3 (x^2-2x-1)\,dx=\Big[\,\dfrac{1}{3}x^3-x^2-x\,\Big]_1^3$

$\qquad\qquad =9-9-3-\Big(\dfrac{1}{3}-1-1\Big)$

$\qquad\qquad =-\dfrac{4}{3}$

02 $\displaystyle\int_{-2}^0 x(x+2)(x-2)\,dx=\int_{-2}^0 (x^3-4x)\,dx$

$\qquad\qquad =\Big[\,\dfrac{1}{4}x^4-2x^2\,\Big]_{-2}^0$

$\qquad\qquad =-(4-8)=4$

03 $\displaystyle\int_{-1}^{a}(x-1)dx=\left[\frac{1}{2}x^2-x\right]_{-1}^{a}$

$\qquad\qquad\qquad=\dfrac{a^2}{2}-a-\left(\dfrac{1}{2}+1\right)=0$

$\quad a^2-2a-3=0,\ (a-3)(a+1)=0$

$\quad\therefore a=3\ (\because a\neq-1)$

04 $\displaystyle\int_{0}^{3}\frac{x^3}{x+1}dx+\int_{0}^{3}\frac{1}{x+1}dx$

$\quad=\displaystyle\int_{0}^{3}\frac{x^3+1}{x+1}dx$

$\quad=\displaystyle\int_{0}^{3}\frac{(x+1)(x^2-x+1)}{x+1}dx$

$\quad=\displaystyle\int_{0}^{3}(x^2-x+1)dx$

$\quad=\left[\dfrac{1}{3}x^3-\dfrac{1}{2}x^2+x\right]_{0}^{3}$

$\quad=9-\dfrac{9}{2}+3=\dfrac{15}{2}$

05 $\displaystyle\int_{0}^{3}|x^2-4|dx=\int_{0}^{2}(4-x^2)dx+\int_{2}^{3}(x^2-4)dx$

$\qquad\qquad\qquad=\left[4x-\dfrac{1}{3}x^3\right]_{0}^{2}+\left[\dfrac{1}{3}x^3-4x\right]_{2}^{3}$

$\qquad\qquad\qquad=\dfrac{16}{3}+\dfrac{7}{3}=\dfrac{23}{3}$

06 $\displaystyle\int_{1}^{3}f(x)dx-\int_{4}^{3}f(y)dy$

$\quad=\displaystyle\int_{1}^{3}f(x)dx+\int_{3}^{4}f(x)dx$

$\quad=\displaystyle\int_{1}^{4}f(x)dx=\int_{1}^{4}(2x+1)dx$

$\quad=\left[x^2+x\right]_{1}^{4}=18$

07 $\displaystyle\int_{-1}^{2}(x+1)^3dx-\int_{-1}^{2}(x-1)^3dx$

$\quad=\displaystyle\int_{-1}^{2}\{(x+1)^3-(x-1)^3\}dx$

$\quad=\displaystyle\int_{-1}^{2}\{x^3+3x^2+3x+1-(x^3-3x^2+3x-1)\}dx$

$\quad=\displaystyle\int_{-1}^{2}(6x^2+2)dx$

$\quad=\left[2x^3+2x\right]_{-1}^{2}$

$\quad=16+4-(-2-2)=24$

08 $\displaystyle\int_{0}^{1}(4x^3+2x-1)dx+\int_{1}^{3}(4x^3+2x-1)dx$

$\quad=\displaystyle\int_{0}^{3}(4x^3+2x-1)dx$

$\quad=\left[x^4+x^2-x\right]_{0}^{3}$

$\quad=81+9-3=87$

09 $\displaystyle\int_{-1}^{2}f(x)dx=\int_{-1}^{0}(-2x)dx+\int_{0}^{2}(x^2+x)dx$

$\qquad\qquad\quad=\left[-x^2\right]_{-1}^{0}+\left[\dfrac{1}{3}x^3+\dfrac{1}{2}x^2\right]_{0}^{2}$

$\qquad\qquad\quad=1+\dfrac{14}{3}=\dfrac{17}{3}$

10 $\displaystyle\int_{1}^{3}\{2f(x)-g(x)\}dx=2\int_{1}^{3}f(x)dx-\int_{1}^{3}g(x)dx$

$\qquad\qquad\qquad\qquad=2\times3-\displaystyle\int_{1}^{3}g(x)dx=8$

$\quad\therefore\displaystyle\int_{1}^{3}g(x)dx=-2$

11 (1) $\dfrac{d}{dx}\displaystyle\int_{0}^{x}(2t-3)dt=2x-3$

$\quad$ (2) $\dfrac{d}{dx}\displaystyle\int_{-2}^{x}(t+1)(3t^2-1)dt=(x+1)(3x^2-1)$

12 $\displaystyle\int_{a}^{x}f(t)dt=x^2-4x+4$의 양변에 $x=a$를 대입하면

$\quad\displaystyle\int_{a}^{a}f(t)dt=a^2-4a+4$

$\quad a^2-4a+4=0,\ (a-2)^2=0$

$\quad\therefore a=2$

13 $\displaystyle\int_{-1}^{x}f(t)dt=x^3+ax+3$의 양변에 $x=-1$을 대입하면

$\quad\displaystyle\int_{-1}^{-1}f(t)dt=-a+2$

$\quad-a+2=0$

$\quad\therefore a=2$

14 $\displaystyle\int_{2}^{x}f(t)dt=x^3+ax-2$의 양변에 $x=2$를 대입하면

$\quad\displaystyle\int_{2}^{2}f(t)dt=2a+6$

$\quad 2a+6=0$

$\quad\therefore a=-3$

$\quad$이때 $\displaystyle\int_{2}^{x}f(t)dt=x^3-3x-2$의 양변을 x에 대하여 미분하면

$\quad f(x)=3x^2-3$

$\quad\therefore f(2)=9$

15 $\displaystyle\int_{1}^{x}f(t)dt=x^2-x+a$의 양변에 $x=1$을 대입하면

$\quad\displaystyle\int_{1}^{1}f(t)dt=a$

$\quad\therefore a=0$

이때 $\int_1^x f(t)dt = x^2 - x$의 양변을 x에 대하여 미분하면

$f(x) = 2x - 1$

$\therefore a + f(1) = 0 + 1 = 1$

16 $f(x) = 3x^2 + 2\int_0^1 f(t)dt$에서

$\int_0^1 f(t)dt = a$ ...... ㉠

라 하면 $f(x) = 3x^2 + 2a$

이를 ㉠에 대입하면

$\int_0^1 (3t^2 + 2a)dt = a$

$\left[t^3 + 2at \right]_0^1 = a, \ 1 + 2a = a$

$\therefore a = -1$

따라서 $f(x) = 3x^2 - 2$이므로

$f(3) = 25$

17 $F'(x) = f(x)$라 하면

$\lim_{x \to 1} \dfrac{1}{x-1} \int_1^x f(t)dt = \lim_{x \to 1} \dfrac{F(x) - F(1)}{x-1}$

$\qquad\qquad = F'(1) = f(1)$

$\qquad\qquad = 2 - 4 + 5$

$\qquad\qquad = 3$

18 $f(x) = \int_0^x t(t-2)dt$의 양변을 x에 대하여 미분하면

$f'(x) = x(x-2)$

$f'(x) = 0$에서 $x = 0$ 또는 $x = 2$

x	$\cdots$	0	$\cdots$	2	$\cdots$
$f'(x)$	$+$	0	$-$	0	$+$
$f(x)$	↗	극대	↘	극소	↗

따라서 함수 $f(x)$는 $x = 0$에서 극대이므로 극댓값은

$f(0) = \int_0^0 t(t-2)dt = 0$

또 $x = 2$에서 극소이므로 극솟값은

$f(2) = \int_0^2 t(t-2)dt$

$\qquad = \int_0^2 (t^2 - 2t)dt$

$\qquad = \left[\dfrac{1}{3}t^3 - t^2 \right]_0^2$

$\qquad = \dfrac{8}{3} - 4 = -\dfrac{4}{3}$

19 $f(0) = \int_{-3}^3 (x+5)dx$

$\qquad = 5\int_{-3}^3 dx = 10\int_0^3 dx$

$\qquad = 10\left[x \right]_0^3$

$\qquad = 10 \times 3 = 30$

$f(1) = \int_{-3}^3 (x+5)x \, dx = \int_{-3}^3 (x^2 + 5x)dx$

$\qquad = \int_{-3}^3 x^2 dx$

$\qquad = 2\int_0^3 x^2 dx$

$\qquad = 2\left[\dfrac{1}{3}x^3 \right]_0^3$

$\qquad = 2 \times 9 = 18$

$f(2) = \int_{-3}^3 (x+5)x^2 dx = \int_{-3}^3 (x^3 + 5x^2)dx$

$\qquad = 5\int_{-3}^3 x^2 dx$

$\qquad = 10\int_0^3 x^2 dx$

$\qquad = 10\left[\dfrac{1}{3}x^3 \right]_0^3$

$\qquad = 10 \times 9 = 90$

$\therefore f(0) + f(1) + f(2) = 30 + 18 + 90$

$\qquad\qquad\qquad\qquad = 138$

20 $\int_1^x f(t)dt = xf(x) - 2x^3 + 3x^2$의 양변을 x에 대하여 미분하면

$f(x) = f(x) + xf'(x) - 6x^2 + 6x$

$xf'(x) = 6x^2 - 6x$

$\therefore f'(x) = 6x - 6$

$\therefore f(x) = \int f'(x)dx = \int (6x - 6)dx$

$\qquad = 3x^2 - 6x + C$ ...... ㉠

또 $\int_1^x f(t)dt = xf(x) - 2x^3 + 3x^2$의 양변에 $x = 1$을 대입하면

$\int_1^1 f(t)dt = f(1) + 1$

즉 $f(1) + 1 = 0$이므로 $f(1) = -1$

㉠에서 $f(1) = 3 - 6 + C = -1$ $\quad \therefore C = 2$

$\therefore f(x) = 3x^2 - 6x + 2$

ㄱ. $f(0) = 2$

ㄴ. $f(x) = 3x^2 - 6x + 2 = 3(x-1)^2 - 1$이므로 함수 $f(x)$는 $x = 1$에서 최솟값 -1을 갖는다.

ㄷ. $xf(x) = 3x^3 - 6x^2 + 2x$

이때 $g(x) = 3x^3 - 6x^2 + 2x$라 하면

$g'(x) = 9x^2 - 12x + 2$

방정식 $g'(x) = 0$의 판별식을 D라 하면

$\dfrac{D}{4} = (-6)^2 - 9 \times 2 = 18 > 0$

따라서 $g'(x) = 0$은 서로 다른 두 실근을 가지므로 함수 $g(x)$, 즉 $xf(x)$는 극댓값과 극솟값을 갖는다.

따라서 옳은 것은 ㄱ, ㄷ이다.

21 $\displaystyle\int_1^3 |x(x-2)|\,dx$

$\displaystyle = \int_1^2 \{-x(x-2)\}dx + \int_2^3 x(x-2)dx$

$\displaystyle = \int_1^2 (2x-x^2)dx + \int_2^3 (x^2-2x)dx$

$\displaystyle = \left[x^2 - \frac{1}{3}x^3\right]_1^2 + \left[\frac{1}{3}x^3 - x^2\right]_2^3$

$\displaystyle = \frac{2}{3} + \frac{4}{3} = 2$

22 $\displaystyle\int_0^1 (x^3+3x^2+2)dx - \int_0^{-1}(t^3+3t^2+2)dt$

$\displaystyle = \int_0^1 (x^3+3x^2+2)dx - \int_0^{-1}(x^3+3x^2+2)dx$

$\displaystyle = \int_0^1 (x^3+3x^2+2)dx + \int_{-1}^0 (x^3+3x^2+2)dx$

$\displaystyle = \int_{-1}^1 (x^3+3x^2+2)dx$

$\displaystyle = \int_{-1}^1 (3x^2+2)dx$

$\displaystyle = 2\int_0^1 (3x^2+2)dx$

$\displaystyle = 2\left[x^3+2x\right]_0^1 = 6$

23 $\displaystyle\int_0^1 f(x)dx = k \qquad \cdots\cdots \bigcirc$

라 하면 $f(x)=3x^2+2x+2k$

이를 ㉠에 대입하면

$\displaystyle\int_0^1 (3x^2+2x+2k)dx = k$

$\displaystyle\left[x^3+x^2+2kx\right]_0^1 = k$

$1+1+2k = k$

$\therefore k = -2$

따라서 구하는 함수는

$f(x) = 3x^2+2x-4$

창의력·융합형·서술형·코딩 | 본문 114~115쪽

1 (1) $f(x)=x^2+x+1, f(x)=x^2+x+2$
   (2) 풀이 참조 (3) $f(x)=x^2+x$
2 (1) 400 (2) 8 J
3 (1) $\dfrac{16}{27}$ (2) $\dfrac{5}{54}$
4 (1) $8t+\dfrac{13}{10^5}t^2-\dfrac{6}{10^6}t^3+C$ (단, C는 적분상수)
   (2) 7.9412 kcal/(kg·℃)

1 (1) $\displaystyle f(x)=\int f'(x)dx=\int(2x+1)dx$
   $\displaystyle = x^2+x+C$ (단, C는 적분상수)

따라서 철수가 생각한 집합에 속하는 함수는
$f(x)=x^2+x+1, f(x)=x^2+x+2$ 등이 있다.
(2) $f(x)=x^2+x+1$일 때,
   $f(2)-f(0)=7-1=6$
   $f(x)=x^2+x+2$일 때,
   $f(2)-f(0)=8-2=6$
   따라서 구한 $f(2)-f(0)$의 값이 서로 같다.
(3) $f(x)=x^2+x+C$에서 $f(0)=0$을 만족시키는 함수
   $f(x)$는 $f(0)=C=0$에서 $f(x)=x^2+x$이다.
   따라서 철수와 영희가 생각한 집합에 동시에 속하는
   함수는 $f(x)=x^2+x$이다.

2 (1) $40=(0.3-0.2)k$
   $40=0.1k$
   $\therefore k=400$
   (2) $\displaystyle W=\int_0^{0.4-0.2} f(t)dt$
   $\displaystyle = \int_0^{0.2} 400t\,dt$
   $\displaystyle = \left[200t^2\right]_0^{0.2} = 8 \text{ (J)}$

3 (1) $\displaystyle F=\frac{8}{\displaystyle\int_0^3 \{-0.3(t^2-12t)\}dt}$
   $\displaystyle = \frac{8}{\left[-0.1t^3+1.8t^2\right]_0^3}$
   $\displaystyle = \frac{8}{13.5} = \frac{16}{27}$
   (2) $\displaystyle F=\frac{8}{\displaystyle\int_0^{12} \{-0.3(t^2-12t)\}dt}$
   $\displaystyle = \frac{8}{\left[-0.1t^3+1.8t^2\right]_0^{12}}$
   $\displaystyle = \frac{8}{86.4} = \frac{5}{54}$

4 (1) $\displaystyle\int H(t)dt = \int\left\{8+\frac{1}{10^5}(26t-1.8t^2)\right\}dt$
   $\displaystyle = \int\left(8+\frac{26}{10^5}t-\frac{18}{10^6}t^2\right)dt$
   $\displaystyle = 8t+\frac{13}{10^5}t^2-\frac{6}{10^6}t^3+C$

   (단, C는 적분상수)

   (2) $\displaystyle\frac{1}{100-20}\int_{20}^{100} H(t)dt$
   $\displaystyle = \frac{1}{80}\left[8t+\frac{13}{10^5}t^2-\frac{6}{10^6}t^3\right]_{20}^{100}$
   $\displaystyle = \frac{1}{80} \times 635.296 = 7.9412$
   따라서 구하는 산소의 비열의 평균값은
   7.9412 kcal/(kg·℃)이다.

09 정적분의 활용

1-1 $\dfrac{1}{2}$ **1-2** $\dfrac{4}{3}$ **2-1** $\dfrac{10}{3}$ **2-2** $\dfrac{22}{3}$

3-1 3   **3-2** 2   **4-1** $\dfrac{1}{6}$ **4-2** $\dfrac{1}{6}$

5-1 (1) 6 (2) 10   **5-2** (1) 1 (2) 3

6-1 5   **6-2** $\dfrac{16}{3}$

1-1
$$\int_0^1 |-3x(x-1)|\,dx = \int_0^1 (-3x^2+3x)\,dx$$
$$= \left[-x^3+\frac{3}{2}x^2\right]_0^1 = \frac{1}{2}$$

1-2
$$\int_{-2}^0 |-x(x+2)|\,dx = \int_{-2}^0 (-x^2-2x)\,dx$$
$$= \left[-\frac{1}{3}x^3-x^2\right]_{-2}^0 = \frac{4}{3}$$

2-1 곡선 $y=x^2+1$과 x축 및 두 직선 $x=1$, $x=2$로 둘러싸인 도형은 오른쪽 그림의 색칠한 부분과 같으므로 구하는 넓이는

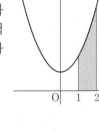

$$\int_1^2 |x^2+1|\,dx$$
$$= \int_1^2 (x^2+1)\,dx$$
$$= \left[\frac{1}{3}x^3+x\right]_1^2 = \frac{10}{3}$$

2-2 곡선 $y=-x^2+4$와 x축의 교점의 x좌표는
$-x^2+4=0$, $-(x+2)(x-2)=0$
$\therefore x=-2$ 또는 $x=2$
곡선 $y=-x^2+4$와 x축 및 두 직선 $x=-1$, $x=1$로 둘러싸인 도형은 오른쪽 그림의 색칠한 부분과 같으므로 구하는 넓이는
$$\int_{-1}^1 |-x^2+4|\,dx = \int_{-1}^1 (-x^2+4)\,dx$$
$$= \left[-\frac{1}{3}x^3+4x\right]_{-1}^1 = \frac{22}{3}$$

3-1
$$\int_{-1}^1 |x^2+3x|\,dx$$
$$= \int_{-1}^0 (-x^2-3x)\,dx + \int_0^1 (x^2+3x)\,dx$$
$$= \left[-\frac{1}{3}x^3-\frac{3}{2}x^2\right]_{-1}^0 + \left[\frac{1}{3}x^3+\frac{3}{2}x^2\right]_0^1 = 3$$

3-2
$$\int_{-1}^1 |-x^2+2x|\,dx$$
$$= \int_{-1}^0 (x^2-2x)\,dx + \int_0^1 (-x^2+2x)\,dx$$
$$= \left[\frac{1}{3}x^3-x^2\right]_{-1}^0 + \left[-\frac{1}{3}x^3+x^2\right]_0^1 = 2$$

4-1 곡선 $y=x^2-2x$와 직선 $y=x-2$의 교점의 x좌표는
$x^2-2x=x-2$,
$x^2-3x+2=0$,
$(x-1)(x-2)=0$
$\therefore x=1$ 또는 $x=2$
따라서 구하는 넓이는

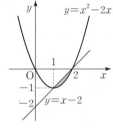

$$\int_1^2 \{(x-2)-(x^2-2x)\}\,dx$$
$$= \int_1^2 (-x^2+3x-2)\,dx$$
$$= \left[-\frac{1}{3}x^3+\frac{3}{2}x^2-2x\right]_1^2 = \frac{1}{6}$$

4-2 곡선 $y=-x^2+2x$와 직선 $y=x$의 교점의 x좌표는
$-x^2+2x=x$, $x^2-x=0$
$x(x-1)=0$
$\therefore x=0$ 또는 $x=1$
따라서 구하는 넓이는

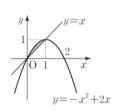

$$\int_0^1 \{(-x^2+2x)-x\}\,dx = \int_0^1 (-x^2+x)\,dx$$
$$= \left[-\frac{1}{3}x^3+\frac{1}{2}x^2\right]_0^1 = \frac{1}{6}$$

5-1 (1) $t=0$에서의 위치가 $x=0$이므로 $t=2$에서 점 P의 위치는
$$0+\int_0^2 (2t+1)\,dt = \left[t^2+t\right]_0^2 = 6$$
(2) $\displaystyle\int_1^3 (2t+1)\,dt = \left[t^2+t\right]_1^3 = 10$

5-2 (1) $t=0$에서의 위치가 $x=5$이므로 $t=2$에서 점 P의 위치는
$$5+\int_0^2 (2t-4)\,dt = 5+\left[t^2-4t\right]_0^2 = 1$$
(2) $\displaystyle\int_1^4 (2t-4)\,dt = \left[t^2-4t\right]_1^4 = 3$

6-1
$$\int_0^3 |2t-2|\,dt$$
$$= \int_0^1 (-2t+2)\,dt$$
$$\quad + \int_1^3 (2t-2)\,dt$$

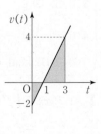

$$= \left[-t^2+2t\right]_0^1 + \left[t^2-2t\right]_1^3 = 5$$

6-2 $\int_0^3 |4t-2t^2|\,dt$

$= \int_0^2 (-2t^2+4t)\,dt$

$\qquad\qquad + \int_2^3 (2t^2-4t)\,dt$

$= \left[-\dfrac{2}{3}t^3+2t^2 \right]_0^2 + \left[\dfrac{2}{3}t^3-2t^2 \right]_2^3$

$= \dfrac{16}{3}$

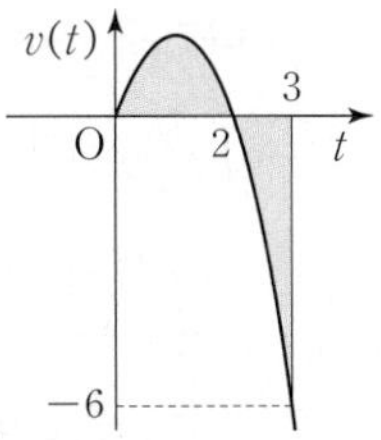

STEP **2** 기출 기초 테스트   본문 120~123쪽

1-1 12	**1-2** $\dfrac{23}{6}$	**2-1** 32	**2-2** $\dfrac{1}{6}$
3-1 $\dfrac{1}{2}$	**3-2** $\dfrac{37}{12}$	**4-1** 16	**4-2** $\dfrac{22}{3}$
5-1 $\dfrac{9}{2}$	**5-2** $\dfrac{9}{2}$	**6-1** $\dfrac{8}{3}$	**6-2** 9
7-1 9	**7-2** 15	**8-1** 1	**8-2** $\dfrac{100}{3}$
9-1 36	**9-2** $\dfrac{22}{3}$	**10-1** 16	**10-2** $\dfrac{31}{6}$
11-1 $\dfrac{4}{3}$	**11-2** 27	**12-1** 25 m	**12-2** 49 m

1-1 곡선 $y=x^2+3$과 x축 및 두 직선 $x=-1$, $x=2$로 둘러싸인 도형은 오른쪽 그림의 색칠한 부분과 같으므로 구하는 넓이는

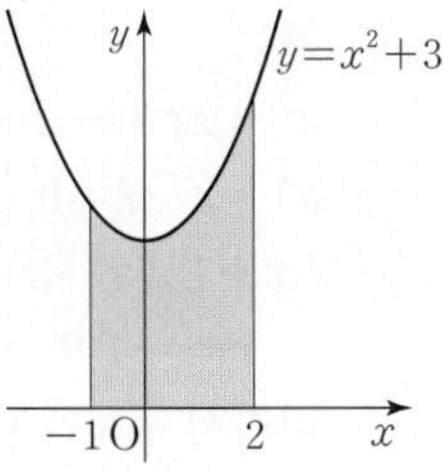

$\int_{-1}^2 |x^2+3|\,dx$

$= \int_{-1}^2 (x^2+3)\,dx$

$= \left[\dfrac{1}{3}x^3+3x \right]_{-1}^2 = 12$

1-2 곡선 $y=x^2+x$와 x축의 교점의 x좌표는

$x^2+x=0,\ x(x+1)=0$

$\therefore x=-1$ 또는 $x=0$

곡선 $y=x^2+x$와 x축 및 두 직선 $x=1$, $x=2$로 둘러싸인 도형은 오른쪽 그림의 색칠한 부분과 같으므로 구하는 넓이는

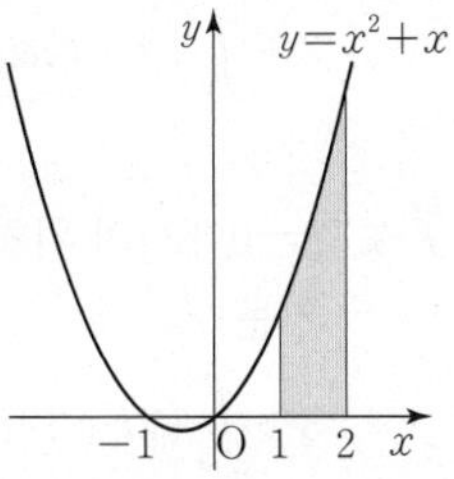

$\int_1^2 |x^2+x|\,dx$

$= \int_1^2 (x^2+x)\,dx$

$= \left[\dfrac{1}{3}x^3+\dfrac{1}{2}x^2 \right]_1^2 = \dfrac{23}{6}$

2-1 곡선 $y=3x^2-12$와 x축의 교점의 x좌표는

$3x^2-12=0$,

$3(x+2)(x-2)=0$

$\therefore x=-2$ 또는 $x=2$

따라서 구하는 넓이는

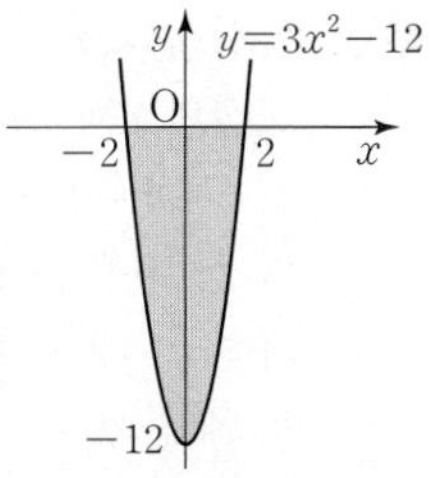

$\int_{-2}^2 |3x^2-12|\,dx = \int_{-2}^2 (-3x^2+12)\,dx$

$\qquad\qquad = \left[-x^3+12x \right]_{-2}^2 = 32$

2-2 곡선 $y=-x^2+3x-2$와 x축의 교점의 x좌표는

$-x^2+3x-2=0$,

$-(x-1)(x-2)=0$

$\therefore x=1$ 또는 $x=2$

따라서 구하는 넓이는

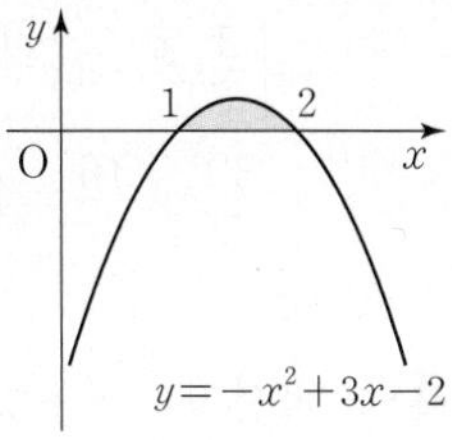

$\int_1^2 |-x^2+3x-2|\,dx = \int_1^2 (-x^2+3x-2)\,dx$

$\qquad\qquad = \left[-\dfrac{1}{3}x^3+\dfrac{3}{2}x^2-2x \right]_1^2$

$\qquad\qquad = \dfrac{1}{6}$

3-1 $y=x(x+1)(x-1)$

$\quad = x^3-x$

따라서 구하는 넓이는

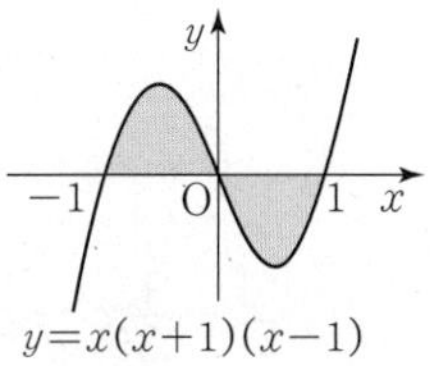

$\int_{-1}^1 |x(x+1)(x-1)|\,dx$

$= \int_{-1}^1 |x^3-x|\,dx$

$= \int_{-1}^0 (x^3-x)\,dx + \int_0^1 (-x^3+x)\,dx$

$= \left[\dfrac{1}{4}x^4-\dfrac{1}{2}x^2 \right]_{-1}^0 + \left[-\dfrac{1}{4}x^4+\dfrac{1}{2}x^2 \right]_0^1$

$= \dfrac{1}{4}+\dfrac{1}{4} = \dfrac{1}{2}$

3-2 $y=x(x+2)(1-x)$

$\quad = -x^3-x^2+2x$

따라서 구하는 넓이는

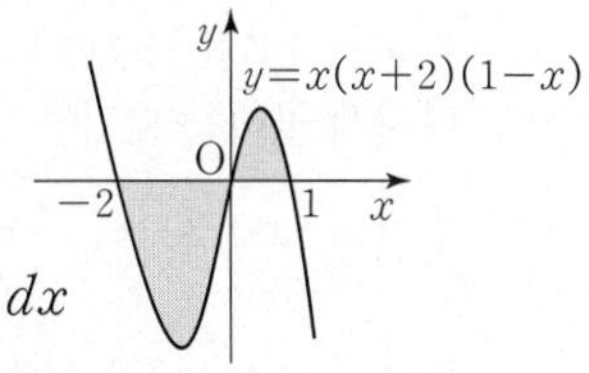

$\int_{-2}^1 |x(x+2)(1-x)|\,dx$

$= \int_{-2}^1 |-x^3-x^2+2x|\,dx$

$= \int_{-2}^0 (x^3+x^2-2x)\,dx + \int_0^1 (-x^3-x^2+2x)\,dx$

$= \left[\dfrac{1}{4}x^4+\dfrac{1}{3}x^3-x^2 \right]_{-2}^0 + \left[-\dfrac{1}{4}x^4-\dfrac{1}{3}x^3+x^2 \right]_0^1$

$= \dfrac{8}{3}+\dfrac{5}{12} = \dfrac{37}{12}$

4-1 곡선 $y=x^2-4x$와 x축의
교점의 x좌표는
$x^2-4x=0$, $x(x-4)=0$
$\therefore x=0$ 또는 $x=4$
곡선 $y=x^2-4x$와 x축 및
두 직선 $x=-2$, $x=2$로
둘러싸인 도형은 오른쪽 그
림의 색칠한 부분과 같으므로 구하는 넓이는

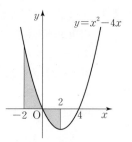

$\displaystyle\int_{-2}^{2}|x^2-4x|\,dx$

$\displaystyle=\int_{-2}^{0}(x^2-4x)dx+\int_{0}^{2}(-x^2+4x)dx$

$\displaystyle=\left[\frac{1}{3}x^3-2x^2\right]_{-2}^{0}+\left[-\frac{1}{3}x^3+2x^2\right]_{0}^{2}$

$\displaystyle=\frac{32}{3}+\frac{16}{3}=16$

4-2 곡선 $y=x^2+2x$와 x축의
교점의 x좌표는
$x^2+2x=0$, $x(x+2)=0$
$\therefore x=-2$ 또는 $x=0$
곡선 $y=x^2+2x$와 x축 및
두 직선 $x=-1$, $x=2$로
둘러싸인 도형은 오른쪽 그
림의 색칠한 부분과 같으므로 구하는 넓이는

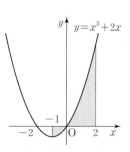

$\displaystyle\int_{-1}^{2}|x^2+2x|\,dx$

$\displaystyle=\int_{-1}^{0}(-x^2-2x)dx+\int_{0}^{2}(x^2+2x)dx$

$\displaystyle=\left[-\frac{1}{3}x^3-x^2\right]_{-1}^{0}+\left[\frac{1}{3}x^3+x^2\right]_{0}^{2}$

$\displaystyle=\frac{2}{3}+\frac{20}{3}=\frac{22}{3}$

5-1 곡선 $y=x^2+1$과 직선
$y=-x+3$의 교점의 x좌
표는
$x^2+1=-x+3$,
$x^2+x-2=0$,
$(x-1)(x+2)=0$
$\therefore x=-2$ 또는 $x=1$
따라서 구하는 넓이는

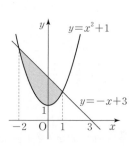

$\displaystyle\int_{-2}^{1}\{(-x+3)-(x^2+1)\}dx$

$\displaystyle=\int_{-2}^{1}(-x^2-x+2)dx$

$\displaystyle=\left[-\frac{1}{3}x^3-\frac{1}{2}x^2+2x\right]_{-2}^{1}=\frac{9}{2}$

5-2 곡선 $y=x^2-1$과 직선 $y=x+1$의 교점의 x좌표는
$x^2-1=x+1$, $x^2-x-2=0$, $(x+1)(x-2)=0$
$\therefore x=-1$ 또는 $x=2$

따라서 구하는 넓이는

$\displaystyle\int_{-1}^{2}\{(x+1)-(x^2-1)\}dx$

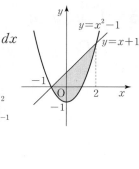

$\displaystyle=\int_{-1}^{2}(-x^2+x+2)dx$

$\displaystyle=\left[-\frac{1}{3}x^3+\frac{1}{2}x^2+2x\right]_{-1}^{2}$

$\displaystyle=\frac{9}{2}$

6-1 두 곡선 $y=x^2-2x$,
$y=-x^2+6x-6$의 교점의
x좌표는
$x^2-2x=-x^2+6x-6$,
$x^2-4x+3=0$,
$(x-1)(x-3)=0$
$\therefore x=1$ 또는 $x=3$
따라서 구하는 넓이는

$\displaystyle\int_{1}^{3}\{(-x^2+6x-6)-(x^2-2x)\}dx$

$\displaystyle=\int_{1}^{3}(-2x^2+8x-6)dx$

$\displaystyle=\left[-\frac{2}{3}x^3+4x^2-6x\right]_{1}^{3}=\frac{8}{3}$

6-2 두 곡선 $y=x^2-2x$,
$y=-x^2+4$의 교점의 x좌
표는
$x^2-2x=-x^2+4$,
$x^2-x-2=0$,
$(x+1)(x-2)=0$
$\therefore x=-1$ 또는 $x=2$
따라서 구하는 넓이는

$\displaystyle\int_{-1}^{2}\{(-x^2+4)-(x^2-2x)\}dx$

$\displaystyle=\int_{-1}^{2}(-2x^2+2x+4)dx$

$\displaystyle=\left[-\frac{2}{3}x^3+x^2+4x\right]_{-1}^{2}=9$

7-1 $t=0$에서의 위치가 $x=3$이므로 $t=2$에서 점 P의 위
치는

$\displaystyle 3+\int_{0}^{2}(4-t)dt=3+\left[4t-\frac{1}{2}t^2\right]_{0}^{2}=9$

7-2 $t=0$에서의 위치가 $x=3$이므로 $t=3$에서 점 P의 위
치는

$\displaystyle 3+\int_{0}^{3}(2t+1)dt=3+\left[t^2+t\right]_{0}^{3}=15$

8-1 $t=1$에서 $t=2$까지 점 P의 위치의 변화량은
$\displaystyle\int_{1}^{2}(2t-2)dt=\left[t^2-2t\right]_{1}^{2}=1$

8-2 $t=1$에서 $t=3$까지 점 P의 위치의 변화량은

$$\int_1^3 (2t^2+4t)\,dt=\left[\frac{2}{3}t^3+2t^2\right]_1^3=\frac{100}{3}$$

9-1 $t=1$에서 $t=4$까지 점 P가 움직인 거리는

$$\int_1^4 |t^2+2t|\,dt=\int_1^4 (t^2+2t)\,dt$$
$$=\left[\frac{1}{3}t^3+t^2\right]_1^4=36$$

9-2 $t=1$에서 $t=3$까지 점 P가 움직인 거리는

$$\int_1^3 |-t^2+4t|\,dt=\int_1^3 (-t^2+4t)\,dt$$
$$=\left[-\frac{1}{3}t^3+2t^2\right]_1^3=\frac{22}{3}$$

10-1 $v(t)=2t^2-4t=2t(t-2)$
따라서 출발 후 $t=4$까지 점 P가 움직인 거리는

$$\int_0^4 |2t^2-4t|\,dt$$
$$=\int_0^2 (-2t^2+4t)\,dt$$
$$\qquad +\int_2^4 (2t^2-4t)\,dt$$
$$=\left[-\frac{2}{3}t^3+2t^2\right]_0^2+\left[\frac{2}{3}t^3-2t^2\right]_2^4$$
$$=\frac{8}{3}+\frac{40}{3}=16$$

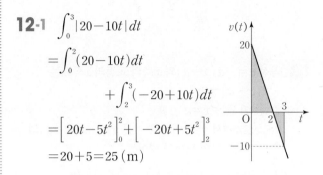

10-2 $v(t)=t^2-3t=t(t-3)$
따라서 $t=1$에서 $t=4$까지 점 P가 움직인 거리는

$$\int_1^4 |t^2-3t|\,dt$$
$$=\int_1^3 (-t^2+3t)\,dt$$
$$\qquad +\int_3^4 (t^2-3t)\,dt$$
$$=\left[-\frac{1}{3}t^3+\frac{3}{2}t^2\right]_1^3+\left[\frac{1}{3}t^3-\frac{3}{2}t^2\right]_3^4$$
$$=\frac{10}{3}+\frac{11}{6}=\frac{31}{6}$$

11-1 점 P의 속도가 0일 때 점 P가 정지하므로
$v(t)=t^2-2t=0$에서 $t(t-2)=0$
$\therefore t=0$ 또는 $t=2$
따라서 $t=0$에서 $t=2$까지 점 P가 움직인 거리는

$$\int_0^2 |t^2-2t|\,dt=\int_0^2 (-t^2+2t)\,dt$$
$$=\left[-\frac{1}{3}t^3+t^2\right]_0^2=\frac{4}{3}$$

11-2 점 P의 속도가 0일 때 점 P가 정지하므로
$v(t)=3t^2-6t-9=0$에서 $3(t+1)(t-3)=0$
$\therefore t=3$ $(\because t\geq0)$
따라서 $t=0$에서 $t=3$까지 점 P가 움직인 거리는

$$\int_0^3 |3t^2-6t-9|\,dt=\int_0^3 (-3t^2+6t+9)\,dt$$
$$=\left[-t^3+3t^2+9t\right]_0^3=27$$

12-1 $\int_0^3 |20-10t|\,dt$
$$=\int_0^2 (20-10t)\,dt$$
$$\qquad +\int_2^3 (-20+10t)\,dt$$
$$=\left[20t-5t^2\right]_0^2+\left[-20t+5t^2\right]_2^3$$
$$=20+5=25\,(\mathrm{m})$$

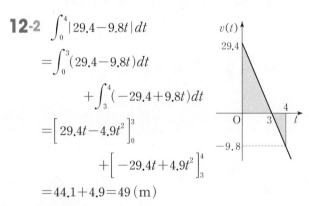

12-2 $\int_0^4 |29.4-9.8t|\,dt$
$$=\int_0^3 (29.4-9.8t)\,dt$$
$$\qquad +\int_3^4 (-29.4+9.8t)\,dt$$
$$=\left[29.4t-4.9t^2\right]_0^3$$
$$\qquad +\left[-29.4t+4.9t^2\right]_3^4$$
$$=44.1+4.9=49\,(\mathrm{m})$$

STEP 3 교과서 기본 테스트　　　　본문 124~127쪽

01 $\frac{9}{2}$	**02** ③	**03** ③	**04** $\frac{19}{6}$	**05** ②
06 24	**07** ④	**08** $\frac{1}{3}$	**09** ②	**10** 4
11 $f(x)=\frac{3}{4}x^2(x-2)^2$			**12** $\frac{1}{3}$	**13** $-\frac{9}{2}$
14 ③	**15** 2	**16** ②	**17** $\frac{35}{3}$	**18** 145 m
19 ⑤	**20** 3	**21** ②	**22** $\frac{9}{2}$	**23** $\frac{2}{3}$
24 50				

01 곡선 $y=-x^2-3x$와 x축의
교점의 x좌표는
$-x^2-3x=0$,
$-x(x+3)=0$
$\therefore x=-3$ 또는 $x=0$
따라서 구하는 넓이는

$$\int_{-3}^0 (-x^2-3x)\,dx=\left[-\frac{1}{3}x^3-\frac{3}{2}x^2\right]_{-3}^0=\frac{9}{2}$$

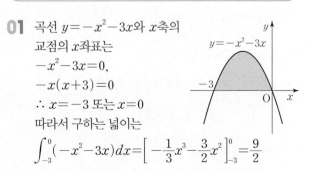

02 곡선 $y=x^2(2-x)$와 x축의 교점의 x좌표는
$$x^2(2-x)=0$$
$$\therefore x=0 \text{ 또는 } x=2$$
따라서 구하는 넓이는
$$\int_0^2 x^2(2-x)dx=\int_0^2 (2x^2-x^3)dx$$
$$=\left[\frac{2}{3}x^3-\frac{1}{4}x^4\right]_0^2=\frac{4}{3}$$

03 곡선 $y=-x(x-a)$와 x축의 교점의 x좌표는
$$-x(x-a)=0$$
$$\therefore x=0 \text{ 또는 } x=a$$
$0\le x\le a$에서 $y\ge0$이므로 곡선 $y=-x(x-a)$와 x축으로 둘러싸인 도형의 넓이는
$$\int_0^a |-x(x-a)|dx=\int_0^a (-x^2+ax)dx$$
$$=\left[-\frac{1}{3}x^3+\frac{a}{2}x^2\right]_0^a=\frac{a^3}{6}$$
따라서 $\dfrac{a^3}{6}=\dfrac{32}{3}$이므로 $a^3=64$　　$\therefore a=4$

04 함수 $y=f(x)$의 그래프는 오른쪽 그림과 같으므로 구하는 넓이는
$$\int_{-1}^1 (x+1)dx$$
$$+\int_1^2 (-x^2+x+2)dx$$
$$=\left[\frac{1}{2}x^2+x\right]_{-1}^1+\left[-\frac{1}{3}x^3+\frac{1}{2}x^2+2x\right]_1^2$$
$$=2+\frac{7}{6}=\frac{19}{6}$$

05 두 곡선 $y=x^2+4x-3$, $y=-x^2+3$의 교점의 x좌표는
$$x^2+4x-3=-x^2+3,$$
$$x^2+2x-3=0,$$
$$(x-1)(x+3)=0$$
$$\therefore x=-3 \text{ 또는 } x=1$$
따라서 구하는 넓이는
$$\int_{-3}^1 \{(-x^2+3)-(x^2+4x-3)\}dx$$
$$=\int_{-3}^1 (-2x^2-4x+6)dx$$
$$=\left[-\frac{2}{3}x^3-2x^2+6x\right]_{-3}^1=\frac{64}{3}$$

06 두 곡선
$y=4x^2+2$, $y=x^2$과
두 직선 $x=-2$, $x=2$로
둘러싸인 도형의 넓이는
오른쪽 그림의 색칠한
부분과 같으므로 구하는
넓이는

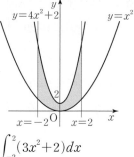

$$\int_{-2}^2 \{(4x^2+2)-x^2\}dx=\int_{-2}^2 (3x^2+2)dx$$
$$=\left[x^3+2x\right]_{-2}^2=24$$

07 두 곡선 $y=x^2$, $y=4x^2$과 직선 $y=4$로 둘러싸인 도형의 넓이는 오른쪽 그림의 색칠한 부분과 같으므로 구하는 넓이는
$$2\left\{\int_0^1 (4x^2-x^2)dx\right.$$
$$\left.+\int_1^2 (4-x^2)dx\right\}$$

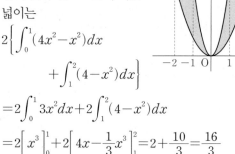

$$=2\int_0^1 3x^2 dx+2\int_1^2 (4-x^2)dx$$
$$=2\left[x^3\right]_0^1+2\left[4x-\frac{1}{3}x^3\right]_1^2=2+\frac{10}{3}=\frac{16}{3}$$

08 $y=x^2+1$에서 $y'=2x$
이때 $x=1$에서의 접선의 기울기는 2이므로 점 $(1, 2)$에서의 접선의 방정식은
$$y-2=2(x-1)　　\therefore y=2x$$
따라서 오른쪽 그림에서 색칠한 부분의 넓이는
$$\int_0^1 \{(x^2+1)-2x\}dx$$

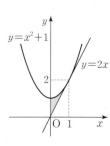

$$=\int_0^1 (x^2-2x+1)dx$$
$$=\left[\frac{1}{3}x^3-x^2+x\right]_0^1=\frac{1}{3}$$

09 $y=x^2-2x+k=(x-1)^2+k-1$의 그래프의 대칭축은 $x=1$이므로 B는 $x=1$에 의하여 이등분된다.
이때 $A : B=1 : 2$에서 $A=\dfrac{B}{2}$이므로
$$\int_0^1 (x^2-2x+k)dx$$
$$=\left[\frac{1}{3}x^3-x^2+kx\right]_0^1$$
$$=k-\frac{2}{3}=0$$
$$\therefore k=\frac{2}{3}$$

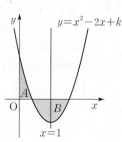

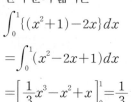

10 곡선 $y=x^2-2x$와 직선 $y=ax$의 교점의 x좌표는
$x^2-2x=ax$, $x^2-(a+2)x=0$
$x\{x-(a+2)\}=0$
$\therefore x=0$ 또는 $x=a+2$
오른쪽 그림에서 색칠한 부분
의 넓이가 36이므로

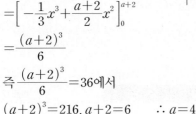

$\displaystyle\int_0^{a+2}\{ax-(x^2-2x)\}dx$

$=\displaystyle\int_0^{a+2}\{-x^2+(a+2)x\}dx$

$=\left[-\dfrac{1}{3}x^3+\dfrac{a+2}{2}x^2\right]_0^{a+2}$

$=\dfrac{(a+2)^3}{6}$

즉 $\dfrac{(a+2)^3}{6}=36$에서

$(a+2)^3=216$, $a+2=6$　　$\therefore a=4$

11 $f(x)=ax^2(x-2)^2\ (a>0)$이라 하면
$\displaystyle\int_0^2 ax^2(x-2)^2dx$

$=\displaystyle\int_0^2(ax^4-4ax^3+4ax^2)dx$

$=\left[\dfrac{a}{5}x^5-ax^4+\dfrac{4}{3}ax^3\right]_0^2=\dfrac{16}{15}a$

즉 $\dfrac{16}{15}a=\dfrac{4}{5}$이므로 $a=\dfrac{3}{4}$

따라서 구하는 함수는

$f(x)=\dfrac{3}{4}x^2(x-2)^2$

12 두 함수 $y=f(x)$와
$y=g(x)$의 그래프는 직선
$y=x$에 대하여 대칭이므
로 두 함수의 그래프의 교
점의 x좌표는 $y=f(x)$와
직선 $y=x$의 교점의 x좌표
와 같다.

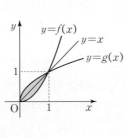

즉 $x^2=x$에서 $x^2-x=0$, $x(x-1)=0$

$\therefore x=0$ 또는 $x=1$

이때 두 곡선 $y=f(x)$와 $y=g(x)$로 둘러싸인 도형
의 넓이는 곡선 $y=f(x)$와 직선 $y=x$로 둘러싸인 도
형의 넓이의 2배와 같으므로 구하는 넓이는

$2\displaystyle\int_0^1(x-x^2)dx=2\left[\dfrac{1}{2}x-\dfrac{1}{3}x^3\right]_0^1$

$=2\times\dfrac{1}{6}=\dfrac{1}{3}$

13 $t=0$에서의 위치가 $x=0$이므로 $t=3$에서 점 P의 위
치는

$0+\displaystyle\int_0^3(t-t^2)dt=\left[\dfrac{1}{2}t^2-\dfrac{1}{3}t^3\right]_0^3=-\dfrac{9}{2}$

14 시각 t에서의 점 P의 위치를 x라 하면
$x=0+\displaystyle\int_0^t(2t-t^2)dt$

$=\left[t^2-\dfrac{1}{3}t^3\right]_0^t=-\dfrac{1}{3}t^3+t^2$

점 P가 다시 원점을 통과할 때 $x=0$이므로

$-\dfrac{1}{3}t^3+t^2=0$, $t^2(t-3)=0$

$\therefore t=0$ 또는 $t=3$

따라서 $t=3$일 때 점 P는 다시 원점으로 되돌아온다.

15 시각 t에서의 점 P의 위치를 x라 하면
$x=0+\displaystyle\int_0^t(-3t^2+6t)dt$

$=\left[-t^3+3t^2\right]_0^t=-t^3+3t^2$

점 P의 좌표가 4일 때 $x=4$이므로

$-t^3+3t^2=4$, $t^3-3t^2+4=0$

$(t+1)(t-2)^2=0$

$\therefore t=2\ (\because t\geq0)$

따라서 $t=2$일 때 점 P의 좌표가 4이다.

16 $v(t)=-3t^2+60t=-3(t-10)^2+300$
따라서 자동차는 10초 후에 속도가 최대가 되므로 최
대가 되는 지점과 지점 P 사이의 거리는

$\displaystyle\int_0^{10}(-3t^2+60t)dt=\left[-t^3+30t^2\right]_0^{10}$

$=2000\,(\text{m})$

17 $\displaystyle\int_0^5|v(t)|dt$

$=\displaystyle\int_0^2|2t|dt+\int_2^5|-t^2+4t|dt$

$=\displaystyle\int_0^2 2t\,dt+\int_2^4(-t^2+4t)dt$

$\qquad+\displaystyle\int_4^5(t^2-4t)dt$

$=\left[t^2\right]_0^2+\left[-\dfrac{1}{3}t^3+2t^2\right]_2^4+\left[\dfrac{1}{3}t^3-2t^2\right]_4^5$

$=4+\dfrac{16}{3}+\dfrac{7}{3}=\dfrac{35}{3}$

18 $v(t)=50-10t=0$에서 $t=5$
따라서 물체는 던진 지 5초 후에 최고 높이에 도달하
므로 그때의 높이는

$20+\displaystyle\int_0^5(50-10t)dt=20+\left[50t-5t^2\right]_0^5$

$=20+125=145\,(\text{m})$

19 $\displaystyle\int_0^6|v(t)|dt=\dfrac{1}{2}\times1\times1+\dfrac{1}{2}\times(1+2)\times(3-1)$

$\qquad+\dfrac{1}{2}\times2\times(5-3)+\dfrac{1}{2}\times1\times(6-5)$

$=6$

20 점 P의 운동 방향은 $v(t)=0$, 즉 $t=1$ 또는 $t=5$일 때 바뀌므로 구하는 거리는

$$\int_1^5 |v(t)|\,dt$$

$$=\frac{1}{2}\times 1\times (2-1)+1\times(4-2)+\frac{1}{2}\times 1\times(5-4)$$

$$=3$$

21 $v(t)=2-\frac{1}{2}t=0$에서 $t=4$

따라서 승강기는 제동을 건 지 4초 후에 정지하므로 제동이 걸린 후부터 정지할 때까지 움직인 거리는

$$\int_0^4 \left|2-\frac{1}{2}t\right|dt=\int_0^4 \left(2-\frac{1}{2}t\right)dt$$

$$=\left[2t-\frac{1}{4}t^2\right]_0^4=4\,(\text{m})$$

22 곡선 $y=x^2+1$과 직선 $y=-x+3$의 교점의 x좌표는

$x^2+1=-x+3$,

$x^2+x-2=0$,

$(x-1)(x+2)=0$

$\therefore x=-2$ 또는 $x=1$

따라서 구하는 넓이는

$$\int_{-2}^1 \{(-x+3)-(x^2+1)\}dx$$

$$=\int_{-2}^1 (-x^2-x+2)dx$$

$$=\left[-\frac{1}{3}x^3-\frac{1}{2}x^2+2x\right]_{-2}^1=\frac{9}{2}$$

23 $y=x^2+1$에서 $y'=2x$

접점의 좌표를 $(t,\,t^2+1)$이라 하면 이 점에서의 접선의 기울기는 $2t$이므로 접선의 방정식은

$y-(t^2+1)=2t(x-t)$

$\therefore y=2tx-t^2+1$ ...... ㉠

이 직선이 점 $(0,\,0)$을 지나므로

$0=-t^2+1$,

$(t+1)(t-1)=0$

$\therefore t=-1$ 또는 $t=1$

(i) $t=-1$일 때,

　㉠에서 $y=-2x$

(ii) $t=1$일 때,

　㉠에서 $y=2x$

따라서 구하는 넓이는

$$\int_{-1}^0 \{(x^2+1)-(-2x)\}dx+\int_0^1 \{(x^2+1)-2x\}dx$$

$$=\int_{-1}^0 (x^2+2x+1)dx+\int_0^1 (x^2-2x+1)dx$$

$$=\left[\frac{1}{3}x^3+x^2+x\right]_{-1}^0+\left[\frac{1}{3}x^3-x^2+x\right]_0^1$$

$$=\frac{1}{3}+\frac{1}{3}=\frac{2}{3}$$

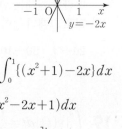

24 $v(t)=a-10t=0$에서 $t=\dfrac{a}{10}$

따라서 기차는 제동을 건 지 $\dfrac{a}{10}$초 후에 정지하므로 제동이 걸린 후부터 정지할 때까지 달린 거리는

$$\int_0^{\frac{a}{10}} |a-10t|\,dt=\int_0^{\frac{a}{10}} (a-10t)\,dt$$

$$=\left[at-5t^2\right]_0^{\frac{a}{10}}=\frac{a^2}{20}$$

즉 $\dfrac{a^2}{20}=125$에서 $a^2=2500$

$\therefore a=50\ (\because a>0)$

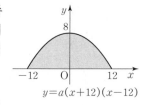

> **창의력·융합형·서술형·코딩**　　본문 128쪽
>
> **1** (1) $y=-\dfrac{1}{18}x^2+8\ (-12\le x\le 12)$　(2) $128\,\text{m}^2$
>
> **2** (1) $75\,\text{m}$　(2) 32초　(3) $475\,\text{m}$

1 (1) 터널 입구 단면을 오른쪽 그림과 같이 좌표평면 위에 옮겨 놓으면 터널 입구 단면의 곡선의 식은

$y=a(x+12)(x-12)$

$\qquad (a<0)$

로 놓을 수 있다.

이때 곡선이 점 $(0,\,8)$을 지나므로

$8=-144a$ 　$\therefore a=-\dfrac{1}{18}$

따라서 구하는 식은

$y=-\dfrac{1}{18}(x+12)(x-12)$

$\quad=-\dfrac{1}{18}x^2+8\ (-12\le x\le 12)$

(2) 터널 입구 단면의 넓이는 (1)의 그래프에서 색칠한 부분의 넓이와 같으므로

$$\int_{-12}^{12}\left(-\frac{1}{18}x^2+8\right)dx=2\int_0^{12}\left(-\frac{1}{18}x^2+8\right)dx$$

$$=2\left[-\frac{1}{54}x^3+8x\right]_0^{12}$$

$$=128\,(\text{m}^2)$$

2 (1) $\displaystyle\int_0^{10} v(t)\,dt=\int_0^{10}\frac{3}{2}t\,dt=\left[\frac{3}{4}t^2\right]_0^{10}=75\,(\text{m})$

(2) 열기구가 최고 높이에 다다를 때 $v(t)=0$이므로

$80-\dfrac{5}{2}t=0$에서 $t=32$ (초)

(3) $\displaystyle\int_0^{30} v(t)\,dt=\int_0^{20}\frac{3}{2}t\,dt+\int_{20}^{30}\left(80-\frac{5}{2}t\right)dt$

$$=\left[\frac{3}{4}t^2\right]_0^{20}+\left[80t-\frac{5}{4}t^2\right]_{20}^{30}$$

$$=300+175$$

$$=475\,(\text{m})$$

배움으로 행복한 내일을 꿈꾸는
천재교육 커뮤니티 안내

 교재 안내부터 구매까지 한 번에!
천재교육 홈페이지

자사가 발행하는 참고서, 교과서에 대한 소개는 물론
도서 구매도 할 수 있습니다. 회원에게 지급되는 별을 모아
다양한 상품 응모에도 도전해 보세요!

 다양한 교육 꿀팁에 깜짝 이벤트는 덤!
천재교육 인스타그램

천재교육의 새롭고 중요한 소식을 가장 먼저 접하고 싶다면?
천재교육 인스타그램 팔로우가 필수!
깜짝 이벤트도 수시로 진행되니 놓치지 마세요!

 수업이 편리해지는
천재교육 ACA 사이트

오직 선생님만을 위한, 천재교육 모든 교재에 대한 정보가 담긴
아카 사이트에서는 다양한 수업자료 및 부가 자료는 물론
시험 출제에 필요한 문제도 다운로드하실 수 있습니다.

https://aca.chunjae.co.kr

 천재교육을 사랑하는 샘들의 모임
천사샘

학원 강사, 공부방 선생님이시라면 누구나 가입할 수 있는 천사샘!
교재 개발 및 평가를 통해 교재 검토진으로 참여할 수 있는 기회는 물론
다양한 교사용 교재 증정 이벤트가 선생님을 기다립니다.

 아이와 함께 성장하는 학부모들의 모임공간
튠맘 학습연구소

튠맘 학습연구소는 초·중등 학부모를 대상으로 다양한 이벤트와 함께
교재 리뷰 및 학습 정보를 제공하는 네이버 카페입니다.
초등학생, 중학생 자녀를 둔 학부모님이라면 튠맘 학습연구소로 오세요!

교과서 다품

정답과 해설

수학 II

단기간 고득점을 위한 2주

전략 질주

고등 전략

내신전략 시리즈

국어/영어/수학/사회/과학

필수 개념을 꽉~ 잡아 주는 초단기 내신 전략서!

수능전략 시리즈

국어/영어/수학/사회/과학

빈출 유형을 철저히 분석하여 반영한 고효율·고득점 전략서!